中华人民共和国法律释义丛书

全国人民代表大会常务委员会法制工作委员会　编

# 中华人民共和国
# 环境保护法释义

主　编：信春鹰（全国人大常委会法制工作委员会副主任）

副主编：袁　杰（全国人大常委会法制工作委员会行政法室主任）

童卫东（全国人大常委会法制工作委员会行政法室副主任）

法律出版社

**图书在版编目(CIP)数据**

中华人民共和国环境保护法释义／全国人大常委会法制工作委员会编. -- 北京:法律出版社,2014.6(2018.11 重印)
(中华人民共和国法律释义)
ISBN 978-7-5118-6384-3

Ⅰ.①中… Ⅱ.①全… Ⅲ.①环境保护法-法律解释-中国 Ⅳ.①D922.685

中国版本图书馆 CIP 数据核字(2014)第 089594 号

**中华人民共和国环境保护法释义**
ZHONGHUA RENMIN GONGHEGUO HUANJING BAOHUFA SHIYI

全国人大常委会法制工作委员会 编

责任编辑 麦 锐
装帧设计 李 瞻

**编辑统筹** 法规出版分社
**出版** 法律出版社
**开本** 850 毫米×1168 毫米 1/32
**总发行** 中国法律图书有限公司
**印张** 13.5
**经销** 新华书店
**字数** 325 千
**印刷** 北京玺诚印务有限公司
**版本** 2014 年 6 月第 1 版
**责任印制** 吕亚莉
**印次** 2018 年 11 月第 6 次印刷

法律出版社／北京市丰台区莲花池西里 7 号(100073)
网址／www.lawpress.com.cn
投稿邮箱／info@lawpress.com.cn
销售热线／010-83938336
举报维权邮箱／jbwq@lawpress.com.cn
咨询电话／010-63939796

中国法律图书有限公司／北京市丰台区莲花池西里 7 号(100073)
全国各地中法图分、子公司销售电话:
统一销售客服／400-660-6393
第一法律书店／010-83938334/8335 西安分公司／029-85330678 重庆分公司／023-67453036
上海分公司／021-62071639/1636 深圳分公司／0755-83072995

**书号**:ISBN 978-7-5118-6384-3 **定价**:58.00 元
(如有缺页或倒装,中国法律图书有限公司负责退换)

# 总　　序

人类文明的历史上，还没有哪一个时代像中国的改革开放40年一样，在历史长河中掀起如此巨大的浪花——它不仅深刻改变了一个国家的面貌与精神气质、使数亿人摆脱贫困，还极大地改变了世界格局。

1978，在那一年的年底，中共中央一次全体会议——十一届三中全会扭转了中国的前进方向，开辟了一个时代。回首过去，我们发现，一些观念从那时开始在中国出现，一些声音从那时开始逐渐响起，一些人物开始登上历史舞台。从这一年开始，随着"加强社会主义民主，健全社会主义法制"历史性任务的提出，"法制"两个字进入了人们的视野；政法机关开始恢复重建；法律院系开始蓬勃发展。一部部法律从庙堂走进了人们的生活，一次次裁决推动着国家前进的脚步。从"有法可依、有法必依、执法必严、违法必究"到"科学立法、严格执法、公正司法、全民守法"；从"法制"到"法治"；从法治观念的形成到"依法治国，建设社会主义法治国家"写进宪法，再到"法治国家、法治政府、法治社会一体建设"，人们对法治的认识步步深入，中国的改革不断向前推进，结出丰硕的果实。在中国共产党的带领下，这个励精图治的古老国度，再一次创造了改革的奇迹。

40年发生了无数故事,40年产生了许多事物。为了纪念这难忘的40年,本社组织编辑出版了一批“纪念改革开放40周年”主题图书。这些图书,将40年来颁布的重要法律及其释义甄选汇集,将法学领域有代表性的学术论文萃取精编,把有关政法机关的重建、法律院系的重生与发展进行展现,将一批被时代改变命运的人物再次唤起。我们希望从法律与法律人的视角,重新审视过去的40年,认真体会这不平凡的40年。

如江河东下,逝者如斯。岁月总会过去,人事总有代谢,但一个不平凡的时代留下的深刻痕迹,永远不会磨灭。“不忘初心,牢记使命”,习近平总书记在党的十九大报告中向全党发出的号召,使我们有理由期待,下一个40年,中国将更加惊艳!

法律出版社编辑委员会

2018年10月

# 出 版 前 言

《中华人民共和国法律释义丛书》是由全国人大常委会法制工作委员会组织编辑的一套系列丛书。

该套丛书由一系列法律释义组成。邀请有关专家、学者和部分参与立法的同志编著。该丛书坚持以准确地反映立法宗旨和法律条款内容为最基本要求,在每部法律释义中努力做到观点的权威性和内容解释的准确性。

我们相信,该套丛书的陆续出版,将会给广大读者进一步学好法律提供有益的帮助。

# 重 印 说 明

本次重印,是为改革开放40周年制作的特别纪念版,为了保持内容原貌,未对正文和附录作实质修改。个别法条内容有修订或修正的,以脚注形式作了标注。特此说明。

2018年10月

# 目　录

## 第一部分　释　义

## 第二部分 附 录

# 第一部分　释　　义

## 第一章　总　　则

**第一条　为保护和改善环境，防治污染和其他公害，保障公众健康，推进生态文明建设，促进经济社会可持续发展，制定本法。**

**【释义】**　本条是关于立法目的的规定。

根据本条规定，环境保护法的立法目的包括以下三个方面：一是保护和改善环境，防治污染和其他公害；二是保障公众健康；三是推进生态文明建设，促进经济社会可持续发展。保护和改善环境，防治污染和其他公害是环境保护法的直接目的；保障公众健康是环境保护法的根本任务，也是环境保护立法的出发点和归宿；推进生态文明建设，促进经济社会可持续发展体现了我国新时期的发展观和基本理念，是对修订前环境保护法的重大修改。

一、保护和改善环境，防治污染和其他公害

1. 保护和改善环境

环境保护关系人民的福祉，关乎民族的未来。

我国正处于工业化中后期和城镇化加速发展的阶段，发达国家一两百年间逐步出现的环境问题在我国集中显现。由于我国环境脆弱、人口众多、多年来经济增长方式粗放、环境监管不利,环境形势局部有所改善,总体尚未遏制,压力继续增大。环境问题主要体现在环境污染严重和生态系统退化。一些重点流域、海域水污染严重,部分区域和城市大气灰霾现象突出,许多地区主要污染物排放量超过环境资源承载能力;农村环境污染加剧,重金属、化学品、持久性有机污染物以及土壤、地下水等污染在局部地区已影响到粮食安全;部分地区生态损害严重,生态系统功能退化,生态环境比较脆弱。当前保护环境的主要任务就是要从源头上扭转环境污染生态破坏等环境恶化的趋势,为人民创造良好的生产、生活环境,为子孙留下绿水青山。

2. 防治污染和其他公害

公害是指由于人为污染和破坏环境,对公众的健康、安全、生命、公私财产及生活舒适性等造成的危害。日本《环境基本法》规定,公害是指伴随企(事)业活动及其他人为活动而发生的相当范围的大气污染、水体污染、土壤污染、噪声、振动、地面沉降和恶臭,并由此而危害人的健康或生活环境。我国台湾地区"公害纠纷处理法"规定,公害范围包括水污染、空气污染、土壤污染、噪音、振动、恶臭、废弃物、毒性物质污染、地盘下陷、辐射公害及其他经中央主管机关指定公告为公害者。

公害分为污染和其他公害。污染是指自然环境中混入了对人类或其他生物有害的物质,其数量或程度达到或超出环境承载力,从而改变环境正常状态的现象。具体包括:水污染、大气污染、噪声污染、固体废物污染、放射性污染等。其他公害,比较典型的是振动、地面沉降等。

20 世纪 30 年代到 60 年代,震惊世界的环境污染事件频繁发生,众多人群非正常患病、残疾、死亡的公害事件不断出现,其中有 8 起较大的轰动世界的公害事件,人们称之为"八大公害”:比利时马斯河谷烟雾事件、美国多诺拉烟雾事件、英国伦敦烟雾事件、美国洛杉矶光化学烟雾事件、日本水俣病事件、日本富山骨痛病事件、日本四日市哮喘病事件、日本爱知县米糠油事件。

污染是公害的主要方面。我国的环境污染主要表现在:(1)大气污染状况十分严重,主要呈现为煤烟型污染特征。城市大气环境中颗粒物浓度普遍超标;二氧化硫污染保持在较高水平;机动车尾气污染物排放总量迅速增加;氮氧化物污染呈加重趋势。(2)《重点流域水污染防治规划(2011 -2015 年)》数据显示,没有达到Ⅲ类水质的断面占 56.3%,主要污染指标为氨氮、化学需氧量、总磷和高锰酸盐指数。淮河、松花江、太湖环湖河流属轻度污染;辽河、黄河中上游属中度污染;海河、巢湖环湖河流、滇池环湖河流属重度污染。(3)环保部、国土资源部于 2014 年 4 月联合下发的《全国土壤污染状况调查公报》显示,全国土壤环境状况总体不容乐观,部分地区土壤污染较重,耕地土壤环境质量堪忧,工矿业废弃地土壤环境问题突出。全国土壤总的超标率为 16.1%。从污染分布情况看,南方土壤污染重于北方;长江三角洲、珠江三角洲、东北老工业基地等部分区域土壤污染问题较为突出,西南、中南地区土壤重金属超标范围较大;镉、汞、砷、铅 4 种无机污染物含量分布呈现从西北到东南、从东北到西南方向逐渐升高的态势。(4)国家海洋局发布的《2013 年中国海洋环境状况公报》显示,部分近岸海域污染依然严重,未达到第一类海水水质的海域面积为 14.4 万平方公里,呈富营养化状态海域面积约 6.5 万平方公里。海水水质为劣四类的近岸海域面积约 4.4 万平方公里,严重污染区域主要分布在黄海北部、辽东湾、渤海湾、莱州湾、江苏盐城、长江口、杭州湾、珠江口等近岸海域,主要污染要素是无机氮、活性磷酸盐和石油类。

面临严峻的形势，防治污染刻不容缓。2014年政府工作报告提出，我们要出重拳强化污染防治，像对贫困宣战一样，坚决向污染宣战。

二、保障公众健康

良好的环境不仅是人类物质生活的保障，还是公众健康不可缺少的条件。环境污染不仅影响到我国经济社会的可持续发展，也影响到人民群众的健康和生活质量。如何通过改善环境质量来保障公众健康，已经成为当前迫切需要解决的重大问题。据统计，“十一五”期间发生的232起较大（Ⅲ级以上）环境事件中，56起为环境污染导致健康损害事件；37起环境事件发展为群体性事件，涉及环境与健康问题的就有19起。

忽视环境对公众健康带来的影响，必然带来严重后果。国外“八大公害”事件都对公众健康造成了损害。如比利时马斯河谷烟雾事件，由于二氧化硫和粉尘污染对人体造成综合影响，一周内有近60人死亡，数千人患呼吸系统疾病；美国多诺拉烟雾事件，有6000人突然发生眼痛、咽喉痛、流鼻涕、头痛、胸闷等不适，其中有20人很快死亡；伦敦烟雾事件，由于冬季燃煤排放的烟尘和二氧化硫在空气中积聚不散，头两个星期死亡4000人，之后的两个月内又有8000多人死亡；日本四日市哮喘病事件，使哮喘病的发病率大大提高，50岁以上老人的发病率约为8%，死亡10多人。

我国经过改革开放30多年的迅速发展，已经步入了工业化中后期阶段，发达国家上百年工业化过程中分阶段出现的环境问题在我国集中出现，环境污染导致健康损害问题近年来频繁发生，成为影响我国可持续发展、小康社会建设和社会和谐的重要因素之一，保护环境、保障健康成为人民群众迫切需求。人民群众对良好环境和健康安全的期望不断提高，而环境污染带来的环境质量下降、生态平衡破坏以及公众健康危害，越来越成为制约经济持续增长和影响社会和谐发展的关键因素。环境保护就是要坚持以人为本的理念，从保护公众健康权益出发，为人民群众提供适宜的生活环境。

三、推进生态文明建设，促进经济社会可持续发展

1. 推进生态文明建设

党的十八大首次单篇论述生态文明建设，把生态文明建设纳入中国特色社会主义事业“五位一体”总体布局，提出了建设美丽中国的宏伟目标。十八届三中全会提出，必须建立系统完整的生态文明制度体系，用制度保护生态环境。生态文明制度是我国现代国家治理体系的重要内容；建立和完善生态文明制度，是我国国家治理体系现代化的重要组成部分。2014 年政府工作报告对努力建设生态文明的美好家园作出了重大安排，提出必须加强生态环境保护，下决心用硬措施完成硬任务，要出重拳强化污染防治，推动能源生产和消费方式变革，推进生态保护与建设。

环境保护是生态文明建设的主阵地，加强环境保护是推进生态文明建设的根本途径。

2. 促进经济社会可持续发展

可持续发展，是一种发展思想和发展战略，是指既满足当代人的需要，又不对后代人满足其需要的能力构成危害的发展。1987 年世界环境与发展委员会在发表的《我们共同的未来》报告中，确定了可持续发展的概念。1992 年 6 月联合国环境与发展大会通过了《里约环境与发展宣言》和《21 世纪议程》，第一次把经济发展与环境保护结合起来，提出了可持续发展战略。可持续发展是对传统的先污染后治理的发展方式的反思。

可持续发展的核心概念是公平和发展，强调发展要受到公平的制约。公平包括代内公平与代际公平。代内公平主要是指代内的所有人，无论其国籍、种族、性别、经济发展水平和文化等方面的差异，对于利用公共自然资源与享受清洁、良好的环境均有平等的权利。代内公平是同代人之间的横向公平，是可持续发展原则在空间维度的要求，即当代一部分人的发展不能以损害另一部分人的发展为代价。从历史和现状来看，代内不平等的情况非常严重。发达国家的富裕大多建立在对发展中国家自然资源的剥削和掠夺之上，并且将发展中国家视为转嫁污染的“垃圾场”。而发达国家不顾环境的掠夺式发展也使环境问题日益严重。同代人之间的平衡要求一国在开发和利用自然资源时必须考虑到别国的需求，还要求考虑各个国家如何分担环境保护责任。

代际公平，是指当代人和后代人在利用自然资源、满足自身利益、谋求生存与发展上权利均等。即当代人必须留给后代人生存和发展必要的自然资源。代际公平包括两层含义：一是每一代人应该为后代人保存自然资源的多样性；二是每一代人都应该保证环境的质量，在交给下一代时，不比自己从前一代人手里接过来时更差。

党的十七大报告正式提出了科学发展观。科学发展观第一要义是发展，核心是以人为本，基本要求是全面协调可持续，根本方法是统筹兼顾。可持续发展体现了科学发展观的基本内涵。可持续发展的提出，已经彻底改变了以往“人定胜天”的盲目自大的发展观念。我们坚定地认识到必须与自然和谐相处，只有在尊重自然、顺应自然、保护自然的基础上，才能实现中华民族的永续发展。

**第二条　本法所称环境，是指影响人类生存和发展的各种天然的和经过人工改造的自然因素的总体，包括大气、水、海洋、土地、矿藏、森林、草原、湿地、野生生物、自然遗迹、人文遗迹、自然保护区、风景名胜区、城市和乡村等。**

**【释义】** 本条是关于环境定义的规定。

一、环境的定义方式

立法中关于环境的定义，主要有三种方式：一是概括定义方式。如 1991 年的保加利亚《环境保护法》。二是列举定义方式。如美国《国家环境政策法》规定，环境“包括但不限于，空气、水（包括海域、海湾及淡水）以及陆地环境（包括森林、干地、湿地、山脉、城市、郊区及乡村环境）”。三是概括加列举方式。如我国台湾地区的“环境基本法”。

我国 1979 年制定的环境保护法（试行）采用的是列举方式，规定“本法所称环境是指：大气、水、土地、矿藏、森林、草原、野生动物、野生植物、水生生物、名胜古迹、风景游览区、温泉、疗养区、自然保护区、生活居住区等”。修订前的环境保护法采用了概括加列举的方式。将环境概括为“影响人类生存和发展的各种天然的和经过人工改造的自然因素的总体”。本次修订只对原定义作了文字修改，在列举的环境要素中增加了“湿地”。

采用概括加列举的定义方式，主要考虑是：一方面，定义要科学地描述环境的本质属性，要有一定的抽象性；另一方面，环境的范围越具体，就越有利于对环境的定义作直观的理解。

二、环境的内涵和分类

本法对环境作广义理解，环境是指影响人类生存和发展的各种天然的和经过人工改造的自然因素的总体。

根据人类对环境的影响，可以将环境分为天然环境和人工环境。天然环境是指地球在发展演化过程中自然形成的、未受人类干预或者只受人类轻微干预,尚保持自然风貌的环境,如野生生物、原始森林等。人工环境是指在自然环境的基础上经过人类改造或者人类创造的、体现人类文明的环境,如城市、乡村等。

三、环境的特征

环境具有以下特征:一是物质性。作为人类生存条件的环境由各种物质所构成,如大气、水、草原、湿地等。二是稀缺性。传统的观念认为大自然是“取之不尽,用之不竭”的。然而,随着人类对自然的索取越来越多,环境的负担超过了环境承载能力时,环境必然要经历从轻微损害到恶化的过程。如果环境质量的下降长期得不到改善,成为累积性问题,就将永久地破坏生态稳定性和恢复能力,从而导致对经济社会发展的绝对稀缺性约束,最终会给人类的生存带来困难。环境问题的凸显,使环境资源的稀缺性也越来越成为共识。三是共享性。环境关系到整个人类的健康与福祉,我们生活在同一个地球,地球是我们共同的家园,因此保护环境是人类共同承担的社会责任。

四、环境的要素

大气,又称大气圈,是指包围地球的空气层总体。相关规定有大气污染防治法等。

水,是指能参与全球水循环、在陆地上逐年可以得到恢复和更新的淡水资源,包括地表水和地下水。相关规定有水污染防治法、水法等。

海洋,是指由海水水体、溶解或者悬浮于其中的物质、生活于其中的海洋生物、临近海面上空的大气和围绕海洋周围的海岸和海底组成的统一体。相关规定有海洋环境保护法等。

土地,是指地球表面上由土壤、岩石、气候、水文、地貌、植被等组成的自然综合体。相关规定有土地管理法等。

矿藏,是指赋存于地壳内部或者表面由地质作用产生的可供人类利用的天然矿物。相关规定有矿产资源法等。

森林,是指比较密集生长在一起的以乔木为主体的木本植物群落。相关规定有森林法等。

草原,是指中纬度地带大陆性半湿润和半干旱气候条件下,多年生耐旱、耐低温、以禾草占优势的植物群落的总称。相关规定有草原法等。

湿地,是本次修订新增加的环境要素,是指陆地和水域的过渡地带,包括沼泽、滩涂、湿草地等,也包括低潮时水深不超过6米的水域。它具有净化水源、蓄洪抗旱、促淤保滩、提供野生生物良好栖息地等功能。湿地也被称为"地球之肾"。《关于特别是作为水禽栖息地的国际重要湿地公约》(以下简称《湿地公约》)缔结于1971年,致力于通过国际合作,实现全球湿地保护与合理利用,是当今具有较大影响力的多边环境公约之一,现有163个缔约国。中国于1992年加入《湿地公约》。目前我国没有针对湿地的专门法律,但有些地方性法规专门对湿地作出了规定,如《北京市湿地保护条例》。

野生生物,是指未经人类驯化改良,在自然界中天然生长着的生物。相关规定有野生动物保护法等。

自然遗迹,根据《保护世界文化和自然遗产公约》,包括从审美或科学角度看具有突出的普遍价值的由物质和生物结构或这类结构群组成的自然景观;从科学或保护角度看具有突出的普遍价值的地质和地文结构以及明确划为受到威胁的动物和植物生境区;从科学、保存或自然美角度看具有突出的普遍价值的天然名胜或明确划分的自然区域。相关规定有《自然保护区条例》、《风景名胜区条例》等。

人文遗迹,根据《保护世界文化和自然遗产公约》,包括古迹(从历史、艺术或科学角度看具有突出的普遍价值的建筑物、碑雕和碑画,具有考古性质的成分或构造物、铭文、窟洞以及景观的联合体);建筑群(从历史、艺术或科学角度看在建筑式样、分布均匀或与环境景色结合方面具有突出的普遍价值的单立或连接的建筑群);遗址(从历史、审美、人种学或人类学角度看具有突出的普遍价值的人类工程或自然与人的联合工程以及包括有考古地址的区域)。相关规定有文物保护法、《风景名胜区条例》等。

自然保护区,是指对有代表性的自然生态系统、珍稀濒危野生动植物物种的天然集中分布区、有特殊意义的自然遗迹等保护对象所在的陆地、陆地水体或者海域,依法划出一定面积予以特殊保护和管理的区域。相关规定有《自然保护区条例》等。

风景名胜区,是指具有观赏、文化或者科学价值,自然景观、人文景观比较集中,环境优美,可供人们游览或者进行科学、文化活动的区域。相关规定有《风景名胜区条例》等。

城市和乡村,是两种基本的人类聚居地,是经过人工改造的社会环境。

**第三条　本法适用于中华人民共和国领域和中华人民共和国管辖的其他海域。**

**【释义】**　本条是关于适用范围的规定。

法律的适用范围也称法律的效力,包括法律的空间效力、法律的时间效力和法律对人的效力。本条是关于环境保护法空间效力的规定。法律的空间效力,是指法律在哪些空间范围或者地域范围内发生效力。法律的空间效力与国家主权直接相关,适用于该国主权所及一切领域。

本条规定的“中华人民共和国领域”,是指我国行使国家主权的空间,包括我国的领陆、领水、领空;也包括延伸意义的领域,如驻外使馆;还包括在境外的飞行器、停泊在境外的飞行器和停泊在境外的船舶。领陆是指国家疆界以内的陆地领土。根据领海及毗连区法的规定,领陆包括中华人民共和国大陆及其沿海岛屿、台湾及其包括钓鱼岛在内的附属各岛、澎湖列岛、东沙群岛、西沙群岛、中沙群岛、南沙群岛及其他一切属于中华人民共和国的岛屿。我国的领水,包括内水和领海。根据领海及毗连区法的规定,内水为中华人民共和国领海基线向陆地一侧的水域;领海为邻接中华人民共和国陆地领土和内水的一带海域,其宽度为从领海基线量起12海里。领空是指领陆和领水之上的空域。

根据专属经济区和大陆架法的规定,"中华人民共和国管辖的其他海域"包括专属经济区和大陆架。专属经济区,是指领海以外并邻接领海的区域,从测算领海宽度的基线量起延至200海里的海域。大陆架,是指领海以外依本国陆地领土的全部自然延伸,扩展到大陆边外缘的海底区域的海床和底土;如果从测算领海宽度的基线量起至大陆边外缘的距离不足200海里,则扩展至200海里。因此,我国在专属经济区和大陆架享有主权性权利,有权保护和保全专属经济区和大陆架的海洋环境及其资源。专属经济区和大陆架法规定,中华人民共和国主管机关有权采取各种必要的养护和管理措施,确保专属经济区的生物资源不受过度开发的危害。中华人民共和国主管机关有权采取必要的措施,防止、减少和控制海洋环境的污染,保护和保全专属经济区和大陆架的海洋环境。

其他与环境保护相关的法律中,水污染防治法、固体废物污染环境防治法、放射性污染防治法、环境噪声污染防治法均规定本法在中华人民共和国领域内适用;而海洋环境保护法除规定在中华人民共和国海域内适用外,还对域外效力作出了特殊规定:在中华人民共和国管辖海域以外,造成中华人民共和国管辖海域污染的,也适用本法。

应当指出,根据本条规定的适用范围,任何外国人、外国组织在中国从事各种活动,也要遵守本法的规定,不得损害环境、破坏生态。

**第四条　保护环境是国家的基本国策。**

**国家采取有利于节约和循环利用资源、保护和改善环境、促进人与自然和谐的经济、技术政策和措施,使经济社会发展与环境保护相协调。**

**【释义】** 本条是关于保护环境基本国策和环境保护与经济社会发展关系的规定。

一、保护环境是国家的基本国策

基本国策是对国家经济建设、社会发展和人民生活具有全局性、长期性、决定性影响的基本准则。除本法外,对基本国策作出规定的法律有四部。节约能源法规定,节约资源是我国的基本国策;土地管理法规定,十分珍惜、合理利用土地和切实保护耕地是我国的基本国策;人口与计划生育法规定,实行计划生育是国家的基本国策;妇女权益保障法规定,实行男女平等是国家的基本国策。《全国人民代表大会常务委员会关于积极应对气候变化的决议》(2009 年)、十八大报告、《国家环境保护“十二五”规划》明确提出了保护环境的基本国策。

保护环境是国家的基本国策,从政策上升为法律,体现了全体人民的共同意志。

1. 环境是人类赖以生存和发展的基本物质条件,是带有全局性的问题。大气、水、海洋、土地、矿藏、森林、草原、湿地、野生生物等环境要素，缺少其中任何一个，人类都将难以生存，并对经济社会发展和人民生活产生直接或间接的影响。

2. 保护环境具有长期性。一是保护环境必须立足未来。不能“吃祖宗饭，断子孙路”，要为子孙后代创造一个良好的生存和发展环境。二是改善环境，任重道远。美国、英国、日本等发达国家在20世纪都经历过污染严重的时期，也都花了几十年才使环境状况得到根本性改善。随着我国工业化进程的快速发展，我们也付出了沉重的环境代价，由此产生的环境问题呈现明显的结构型、压缩型、复合型特点，解决环境问题并非一朝一夕之功。此外，改善环境还是一项系统工程，无论是转变经济发展方式、调整优化产业结构、改变公众的生活方式，还是防治污染和生态破坏，都是十分艰巨的任务。

3. 环境保护是一项战略任务。十八大报告提出，把生态文明建设放在突出地位，融入经济建设、政治建设、文化建设、社会建设各方面和全过程。环境保护是生态文明建设的主阵地，加强环境保护是推进生态文明建设的根本途径，也是现代化建设中的一项战略任务，对未来的可持续发展具有决定性影响。

二、环境保护和经济发展的关系

我国环境保护法的立法中，关于环境保护和经济发展的关系有着清晰的脉络：（1）1979年环境保护法（试行）在立法目的中将促进经济发展作为环境保护法的任务之一。这一时期，环境保护要为经济发展服务；在与经济发展产生冲突的时候，环境保护要为经济发展让路。（2）修订前的环境保护法把二者的关系定位为协调关系，表述为“使环境保护工作同经济建设和社会发展相协调”。但环境保护与经济社会发展相比，仍被解读为处于从属地位。本法修改过程中，根据我国环境问题的现状，采纳了各方面对这一问题的倾向性意见，将“使环境保护工作同经济建设和社会发展相协调”修改为“使经济社会发展与环境保护相协调”。虽仍将二者的关系定位为协调关系，但对二者的位置作出了重大调整。这一修改，彻底改变了环境保护在二者关系中的次要地位，这与党的十八大将生态文明建设“融入经济建设、政治建设、文化建设、社会建设各方面和全过程”，在“五位一体”总布局中发挥基础性作用的精神相一致。

加强环境保护，就是要解决人民群众反映强烈的突出环境问题。环境问题产生于人类经济活动索取资源的速度超过了资源本身及其替代品的再生速度，向环境排放废弃物的数量超过了环境的自净能力。经过30多年的快速发展，我国已进入工业化和城镇化快速发展的时期，环境问题在我国现阶段集中显现，并且环境压力还在持续增大。环境问题涉及经济、社会、文化等多层次因素，其中最重要的是经济发展问题。我国目前正处于社会主义初级阶段，是最大的发展中国家，以经济建设为中心是兴国之要，发展仍是解决我国所有问题的关键。但发展的基本内涵必须是科学发展，是注重长远利益，不断改善环境的发展，是可持续的发展。在科学发展理念的基础上，要正确处理环境保护与经济发展的关系：

1. 既要绿水青山，也要金山银山。要以环境保护优化经济增长，推动经济全面协调可持续发展。全面协调可持续是科学发展观的基本要求。要加快形成新的经济发展方式，把推动经济发展的立足点转到提高质量和效益上来，更多依靠节约资源和循环经济推动，从而促进经济社会发展与环境保护相协调。统筹兼顾是科学发展观的根本方法，要统筹个人利益和集体利益、局部利益和整体利益、当代人的利益和后代人的利益。经济发展不能超越环境资源承载能力，当代人经济发展不能以牺牲下一代人的利益为代价。在发展中保护、在保护中发展是对经济发展与环境保护的关系的深刻揭示。加强环境保护不是放弃对经济发展的追求，而是要在更高层次上实现经济发展与环境保护的和谐，保护环境就是保护生产力，改善环境就是发展生产力。二者的关系具体体现在：(1)要使环境保护变为套在经济社会发展上的“紧箍咒”，要发挥减排对经济发展的约束性作用，使“脱缰野马”变成可持续发展的“千里马”。十八大报告在全面建成小康社会目标的基础上也提出了努力实现新的要求：单位国内生产总值能源消耗和二氧化碳排放量大幅下降，主要污染物排放总量显著减少。(2)加快经济发展方式的绿色转型，将为建设生态文明提供源源不断的强大动力。循环经济是促进减量化、再利用、资源化的重要抓手，环境影响评价是推动产业结构调整的“调节器”，环境标准是引领企业技术进步的“催化剂”，环保产业是国民经济新的增长点。

2. 在特殊保护地区，宁要绿水青山，不要金山银山。在国家规定的需要特殊保护的区域，应当禁止工业化、城镇化开发，依法限制其他人为活动，实行最严格的保护措施，不能越雷池一步。本法规定，国家在重点生态功能区、生态环境敏感区和脆弱区等区域划定生态保护红线，实行严格保护。各级人民政府对具有代表性的各种类型的自然生态系统区域，珍稀、濒危的野生动植物自然分布区域，重要的水源涵养区域，具有重大科学文化价值的地质构造、著名溶洞和化石分布区、冰川、火山、温泉等自然遗迹，以及人文遗迹、古树名木，应当采取措施予以保护，严禁破坏。十八届三中全会决定中也明确提出，建立资源环境承载能力监测预警机制，对水土资源、环境容量和海洋资源超载区域实行限制性措施。对限制开发区域和生态脆弱的国家扶贫开发工作重点县取消地区生产总值考核。

**第五条　环境保护坚持保护优先、预防为主、综合治理、公众参与、损害担责的原则。**

**【释义】** 本条是关于环境保护基本原则的规定。

1973 年我国第一次全国环境保护会议上提出了环境保护 32 字方针:“全面规划,合理布局,综合利用,化害为利,依靠群众,大家动手,保护环境,造福人民。”1979 年环境保护法(试行)明确写入了 32 字方针。修订前的环境保护法,没有对环境保护的基本原则作专门的规定。本次修订的基本定位是,环境保护法要发挥基础性、综合性作用,要对环境保护领域的共性问题作出规定。环境保护的基本原则,是环境保护领域的基本价值和指导方针,具有统领全局的作用。因此,有必要作出规定。

各国或地区对环境保护的基本原则的规定主要有:预防原则(损害预防原则、风险预防原则)、公众参与原则、污染者负担原则(原因者负担原则、肇事者负担原则)、合作原则、共同但有区别的责任原则等。我国环境保护相关法律主要规定了以下原则:保护优先、预防为主、防治结合、综合治理、公众参与、污染者负责、因地制宜、合理利用等。本法规定的“保护优先、预防为主、综合治理、公众参与、损害担责”的原则,既吸收了各国或地区立法的先进经验,又体现了我国环境保护相关法律规定的最大公约数,是在凝聚各方面共识的基础上作出的规定。

1. 保护优先

十八大报告提出,坚持“节约优先、保护优先、自然恢复”为主的方针。保护优先是生态文明建设规律的内在要求,就是要从源头上加强生态环境保护和合理利用资源,避免生态破坏。如青海是长江、黄河、澜沧江发源地,被誉为“中华水塔”,三江源地区是青藏高原生态安全屏障的重要组成部分。通过对三江源地区的生态保护,为中华民族的生存和繁衍保留清洁的水源。

本法规定，国家在重点生态功能区、生态环境敏感区和脆弱区等区域划定生态保护红线，实行严格保护。开发利用自然资源，应当合理开发，保护生物多样性，保障生态安全。

2. 预防为主

预防，是指人类活动可能导致环境质量下降时，应当事前采取预测、分析和防范措施，以避免、减少由此带来的环境损害。预防为主的原则，是指在整个环境治理过程中，要将事前预防与事中事后治理相结合，并优先采用防患于未然的方式。

“二战”以后，尤其是20世纪60至70年代，世界经济迅猛发展，由于人类对工业化大生产给环境带来的负面影响缺乏足够认识，许多工业污染物直接向外界排放。这种无节制的生产行为，使污染物排放量超过了自然界的容量和自净能力，从而导致地区性乃至全球性环境污染，甚至出现大规模的公害事件。环境被污染以后，治理和修复的成本很大，而且有些破坏还是不可逆转的，如土壤、水体生态系统的破坏就很难逆转。在舆论和巨额民事赔偿的压力下，工业界不得不从“事后治理”前移到生产中的治理，即针对生产末端产生的污染物开发行之有效的治理技术。这种做法被称为“末端治理”。与无节制的排放相比，末端治理是一大进步，不仅有助于消除污染事件，也在一定程度上减缓了生产活动对环境的污染程度。但随着工业化进程的加速，末端治理的局限性也日益显露：首先，由于缺乏事前的环境影响评价，很多高污染、高排放的建设项目投产，在经济可行性前提下配套建成的防治污染的设施，无法阻止大规模的污染排放；其次，末端治理往往不是彻底治理，而是污染物的转移，如烟气脱疏、除尘形成大量废渣，废水集中处理产生大量污泥等。综上所述，“事后治理”、“末端治理”是舍本逐末的方式，不利于环境问题的根本解决。必须转变思维方式，将治理转移到前端，实现全过程管理。

本法规定许多制度体现了预防为主的原则。从外部管理制度来看,规定了环境监测、环境资源承载能力监测预警、环境影响评价、总量控制、“三同时”等制度;从企业生产的内部管理来看,规定:企业应当优先使用清洁能源,采用资源利用率高、污染物排放量少的工艺、设备以及废弃物综合利用技术和污染物无害化处理技术,减少污染物的产生。

3. 综合治理

环境问题的成因复杂,周期较长,如果用一种方式单打独斗,往往会顾此失彼,达不到预期效果。综合治理就是要用系统论的方法来处理环境问题。综合治理原则包括了四个层次的含义:一是水、气、声、渣等环境要素的治理要统筹考虑,如治理土壤污染,要同时考虑地下水、地表水、大气的环境保护;二是综合运用政治、经济、技术等多种手段治理环境;三是形成环保部门统一监督管理,各部门分工负责,企业承担社会责任,公民提升环保意识,社会积极参与的齐抓共管的环境治理格局;四是加强跨行政区域的环境污染和生态破坏的防治,由点上的管理扩展到面上的联防联治。

本法规定了各环境要素的共性管理制度,并规定国家加强对大气、水、土壤等的保护,建立和完善相应的调查、监测、评估和修复制度;明确了“国家采取有利于节约和循环利用资源、保护和改善环境、促进人与自然和谐的经济、技术政策和措施”治理环境;明确了负有环境保护监督管理职责的部门的职责,规范了环境保护各主体的义务和参与环境治理的方式;规定国家建立跨行政区域的重点区域、流域环境污染和生态破坏联合防治协调机制,实行统一规划、统一标准、统一监测、统一的防治措施。

4. 公众参与

我国当前的环境形势仍处于局部有所改善、总体尚未遏制、形势依然严峻、压力继续加大的阶段。近年来因环境问题引发的群体性事件呈上升趋势，有些事件已造成严重的社会影响，邻避效应（公众对建设垃圾处理厂、医院等项目并不反对，但对建设项目建在自家“后院”不能容忍的现象）日益凸显。造成这种情况的原因之一是现有的环境利益冲突协商机制不能满足公众的需要，环境知识未广泛普及，公众利益表达的渠道不畅。环境保护需要全社会的共同参与，因此，需要法律来建立公众有序参与的机制，运用法治思维和法治方式化解社会矛盾。

本法第 9 条对环境保护宣传教育以及新闻媒体的舆论监督作出了规定。增设第五章“信息公开和公众参与”，明确规定公民、法人和其他组织依法享有获取环境信息、参与和监督环境保护的权利；各级政府及其有关部门应当依法公开环境信息、完善公众参与程序，为公民、法人和其他组织参与和监督环境保护提供便利。此外，还具体规定了政府及其相关部门应当依法公开信息、企业应当主动向社会公开信息、建设项目环境影响报告书全文公开、对环境违法行为可以举报和环境公益诉讼等制度。

5. 损害担责

环境损害是指由于人为活动而导致的人类与其他物种赖以生存的环境受到损害与导致不良影响的一种事实。环境损害包括了污染和生态破坏。损害者要为其造成的损害承担责任，是环境保护的一项重要原则。

国际上最早提出的是“污染者付费”原则，是指污染环境造成的损失及其费用由排污者负担。该原则在 1972 年由经济合作与发展组织提出，后被各国广泛接受。该原则的理论依据是经济学上的“外部性理论”，是指一个人或者一群人的行动和决策使另一个人或者另一群人受损或受益的情况。外部性包括正面影响和负面影响。环境问题是负面影响的典型例子，如一个小电镀企业偷排污水，造成水体污染，在没有被发现的情况下，非法所得归小电镀企业，而水体损害的成本却由社会承担。这种“只受其利，不受其害”的做法显然缺乏合理性。应当通过法律规范，让“外部成本”（社会承担的成本）“内部化”（成本由生产经营者承担），迫使生产经营者采取有效措施减少污染。

污染者付费原则有其局限性，一是主体限于污染者，二是承担责任方式限于支付排污费。一些国家已开始对该原则进行修正。如日本提出了原因者负担原则，即谁造成了必须采取一定措施才能解决的环境问题，即引发了原因，谁就必须承担采取防止措施和事后措施的责任及承担其必要费用的责任。

1979 年我国环境保护法（试行）规定了“谁污染，谁治理”，这一原则当时主要是为了明确污染者有责任对其造成的污染进行治理，但之后许多专家学者认为该表述不够确切，只明确了污染者的治理责任，未包括对污染造成损失的赔偿责任。修订前的环境保护法通过具体规定贯彻了污染者付费原则。本次修订，草案二次审议稿、三次审议稿都采用了“污染者担责”的表述，四审修改时有意见提出，污染者担责原则只体现了污染者的责任，不能涵盖生态破坏者的责任。因此，四审时，将污染者担责原则修改为损害担责原则。本条所称的“损害”是指有污染环境和破坏生态的行为，即为损害，行为人就要承担责任；而非有了损害结果才担责。

本法对损害者的责任作出了具体的规定：企业事业单位和其他生产经营者“对所造成的损害依法承担责任”；排放污染物的企业事业单位和其他生产经营者，应当按照国家有关规定缴纳排污费；排放污染物的企业事业单位，应当建立环境保护责任制度;重点排污单位有主动公开信息的责任;因污染环境、破坏生态造成损害的,应当依照侵权责任法的有关规定承担侵权责任;此外,还规定了行政处罚、行政拘留和刑事责任。

**第六条　一切单位和个人都有保护环境的义务。**

**地方各级人民政府应当对本行政区域的环境质量负责。**

**企业事业单位和其他生产经营者应当防止、减少环境污染和生态破坏,对所造成的损害依法承担责任。**

**公民应当增强环境保护意识,采取低碳、节俭的生活方式,自觉履行环境保护义务。**

**【释义】**　本条是关于环境保护义务的规定。

一、一切单位和个人都有保护环境的义务

义务,是指法律关系主体依法作为或者不作为的法律责任。环境是人类赖以生存的物质基础,必须通过全社会的共同努力,才能保护好我们美丽的家园。因此,本条规定,一切单位和个人都有保护环境的义务。本条分为四款,分别规定了环境领域各主体的基本义务,旨在在总则中提出全社会共同治理环境的现代环境治理理念,并在以后各章节中做出具体规定。

二、关于地方政府的环境质量责任

环境质量是指在一个具体的环境内,环境的总体或环境的某些要素,对人群的生存和繁衍以及经济发展的适宜程度,它是根据环境质量标准对环境进行评价所得出的结果。环境质量的优劣,直接影响到人体健康和生态系统的平衡。地方各级政府应当在属地管理的原则下,对环境质量负责。目前,环境质量改善已经成为人民群众最为期盼的重大民生问题。

地方政府之所以要对环境质量负责,主要是因为:(1)市场失灵。通常情况下,市场对配置资源是有效率的,但对于公共产品,市场的配置往往是失灵的,“公地的悲剧”由此产生。环境是典型的公共产品,政府作为公共物品的管理者应当对环境质量负责。(2)环境质量的特性。一方面,环境质量通常是由大气、水、生物、土壤等自然要素在一定时期内的综合作用所决定;另一方面,环境质量又由产业结构、能源结构、人口结构等经济社会因素所决定。由于影响环境质量的因素具有上述复杂性,能够承担起统筹协调各种资源、综合治理、改善环境质量的责任的,除了政府以外没有其他主体。

近期,环保部发布京津冀、长三角、珠三角区域及直辖市、省会城市和计划单列市等 74 个城市 2013 年度空气质量状况。其中海口、舟山、拉萨 3 个城市各项污染指标年均浓度均达到二级标准,其他 71 个城市存在不同程度超标现象。京津冀、长三角、珠三角区域是空气污染相对较重的区域,尤以京津冀区域污染最重。部分城市空气重度及以上污染天数占全年天数 40% 左右。除了空气质量以外,全国水环境质量和土壤环境质量等总体上也不容乐观。在如此严峻的环境形势下,地方各级政府应当责无旁贷,积极采取有效措施,承担起改善环境质量的责任,为人民群众提供清洁的空气、水和土壤。

本法还对地方政府的环境质量责任作了具体规定,地方各级政府应当根据环境保护目标和治理任务,采取有效措施,改善环境质量。未达到国家环境质量标准的重点区域、流域的有关地方政府,应当制定限期达标规划,并采取措施按期达标。国家实行环境保护目标责任制和考核评价制度,县级以上政府应当将环境保护目标完成情况纳入本级政府负有环境保护监督管理职责的部门及其负责人和下级政府及其负责人的考核内容,作为对其考核评价的重要依据。考核结果应当向社会公开。县级以上政府应当每年向本级人民代表大会或者人民代表大会常务委员会报告环境状况和环境保护目标完成情况，对发生的重大环境事件应当及时向本级人民代表大会常务委员会报告，依法接受监督。

《大气污染防治行动计划》也对地方政府的环境质量责任提出了要求：地方各级人民政府对本行政区域内的大气环境质量负总责，要根据国家的总体部署及控制目标，制定本地区的实施细则，确定工作重点任务和年度控制指标，完善政策措施，并向社会公开；要不断加大监管力度，确保任务明确、项目清晰、资金保障。2014 年政府工作报告明确了各级政府应当采取的具体措施：要出重拳强化污染防治。以雾霾频发的特大城市和区域为重点，以细颗粒物（PM2.5）和可吸入颗粒物（PM10）治理为突破口，抓住产业结构、能源效率、尾气排放和扬尘等关键环节，健全政府、企业、公众共同参与新机制，实行区域联防联控，深入实施大气污染防治行动计划。今年要淘汰燃煤小锅炉 5 万台，推进燃煤电厂脱硫改造 1500 万千瓦、脱硝改造 1.3 亿千瓦、除尘改造 1.8 亿千瓦，淘汰黄标车和老旧车 600 万辆，在全国供应国四标准车用柴油。实施清洁水行动计划，加强饮用水源保护，推进重点流域污染治理。实施土壤修复工程。整治农业面源污染，建设美丽乡村。

三、关于企业事业单位和其他生产经营者的责任

企业事业单位等从事生产经营活动的市场主体是最主要的排污者，应当严格遵守本法的规定，切实履行环境保护义务。

本条规定，企业事业单位和其他生产经营者应当防止、减少环境污染和生态破坏，对所造成的损害依法承担责任。

生产经营者的义务主要体现在两个方面：

1. 生产经营者应当防止、减少环境污染和生态破坏。本法规定，开发利用自然资源，应当合理开发，保护生物多样性，保障

生态安全,依法制定有关生态保护和恢复治理方案并予实施。引进外来物种以及研究、开发和利用生物技术,应当采取措施,防止对生物多样性的破坏。企业应当优先使用清洁能源,采用资源利用率高、污染物排放量少的工艺、设备以及废弃物综合利用技术和污染物无害化处理技术,减少污染物的产生。排放污染物的企业事业单位和其他生产经营者,应当采取措施,防治在生产建设或者其他活动中产生的废气、废水、废渣、粉尘、恶臭气体、放射性物质以及噪声、振动、光辐射、电磁辐射等对环境的污染和危害。

2. 本法第 5 条规定了"损害担责"的环境保护基本原则。本法还规定生产经营者对所造成的环境损害应当依法承担责任,承担责任的方式包括缴纳排污费或者环境保护税,承担民事、行政和刑事责任等。

四、关于公民的责任

环境保护人人有责,公民也不能置身事外。

公民应当增强环境保护意识。环境保护意识,是公民对环境和环境保护的认识水平和认识程度,是公民为保护环境而不断调整自身经济活动和社会行为,协调人与环境、人与自然相互关系的实践活动的自觉性。公民环境保护意识的增强,是社会文明程度的体现。1978 年,联合国教科文组织在前苏联的第比利斯召开政府间环境教育会议,认为有环境素养的人具有下列特征:(1)对整体环境的感知与敏感性;(2)对环境问题了解并具有经验;(3)具有价值观及关心环境的情感;(4)具有辨认和解决环境问题的技能;(5)参与解决环境问题的工作。

公民应当采取低碳、节俭的生活方式。低碳,是指较低(更低)的温室气体(二氧化碳为主)排放。低碳生活,是指低能量、低消耗的生活方式,如步行和骑自行车绿色出行、尽量少使用一次性物品等。节俭是指勤俭节约，节俭的生活方式包括节约用水、节约用电等。

公民应当自觉履行环境保护义务。本法第38条规定，公民应当遵守环境保护法律法规，配合实施环境保护措施，按照规定对生活废弃物进行分类放置，减少日常生活对环境造成的损害。

我国大气污染防治法、环境噪声污染防治法、固体废物污染防治法等有关污染防治的法律和农业法及有关自然资源保护、节约能源的法律都对公民的环境保护义务作出了规定，将在本法第38条中予以释明。

**第七条　国家支持环境保护科学技术研究、开发和应用，鼓励环境保护产业发展，促进环境保护信息化建设，提高环境保护科学技术水平。**

**【释义】**　本条是关于国家支持环保科技研发，鼓励环保产业发展等的规定。

一、国家支持环境保护科学技术研究、开发和应用

科学技术是第一生产力，环境保护事业的发展离不开科学技术进步的力量。随着世界新的技术革命的蓬勃发展，科学技术日益渗透到社会生活的各个领域，成为提高劳动生产率的重要源泉，也成为推动经济建设和社会发展的重要力量。国家要通过支持环境保护科学技术研究、开发和应用，提高环境保护科学技术水平，使环境保护领域的科技成果不断转化为现实的生产力，从而来推动环境保护事业的发展。

环境科学技术研究主要是研究人类生存的环境质量及其保护与改善，从而为维护环境质量、制定各种环境质量标准和污染物排放标准提供科学依据，并为国家制定环境规划、环境政策提供依据。环境科学技术研究的主要任务是探索全球范围内环境

演化的规律,揭示人类活动同自然生态之间的关系,探索环境变化对人类生存的影响,研究区域环境污染综合防治的技术措施和管理措施。

根据本条的规定,国家支持环境保护科学技术研究、开发和应用。根据科学技术进步法的规定,国家可以通过以下方式支持科学技术研究、技术开发与科学技术应用:一是设立基金。国家设立自然科学基金,资助基础研究和科学前沿探索,培养科学技术人才;设立科技型中小企业创新基金,资助中小企业开展技术创新,以及在必要时可以设立其他基金,资助科学技术进步活动。二是依法给予税收优惠。对从事技术开发、技术转让、技术咨询、技术服务等的活动,按照国家规定享受税收优惠。三是金融支持。国家鼓励金融机构开展知识产权质押业务,鼓励和引导金融机构在信贷等方面支持科学技术应用和高新技术产业发展,鼓励保险机构根据有关高新技术产业发展的需要开发保险品种。四是明确利用财政性资金设立的科学技术基金项目或者科学技术计划项目所形成的相关发明专利权等,除涉及国家安全、国家利益和重大社会公共利益的外,授权项目承担者依法取得,从而更好地调动科技人员从事科学技术研发的积极性。五是政府采购措施。对境内公民、法人或者其他组织自主创新的产品、服务或者国家需要重点扶持的产品、服务,在性能、技术等指标能够满足政府采购需求的条件下,政府采购应当购买;首次投放市场的,政府采购应当率先购买。六是国家培育和发展技术市场,鼓励创办从事技术评估、技术经纪等活动的中介服务机构,引导建立社会化、专业化和网络化的技术交易服务体系,推动科学技术成果的推广和应用等。国家可以通过上述这些方式支持环境保护科学技术研究、开发和应用。

二、国家鼓励环境保护产业发展

环境保护产业是指在国民经济结构中，以防治环境污染、改善生态环境、保护自然资源为目的而进行的技术产品开发、商业流通、资源利用、信息服务、工程承包等活动的总称，主要包括环境保护技术装备、资源综合利用和环境服务等方面。环境保护产业在美国称为“环境产业”，在日本称为“生态产业”或“生态商务”。环境保护产业是一个跨产业、跨领域、跨地域，与其他产业相互交叉、相互渗透的综合性新兴产业。因此，有专家提出应列其为继“知识产业”之后的“第五产业”。据统计，全球环境保护产业的市场规模已从 1992 年的 2500 亿美元增至 2013 年的 6000 亿美元，年均增长率达到 8%，远远超过全球经济增长率，成为各个国家十分重视的“朝阳产业”。进入 21 世纪，全球环境保护产业开始进入快速发展阶段，逐渐成为支撑产业经济效益增长的重要力量，并正在成为许多国家革新和调整产业结构的重要目标和关键。美国、日本和欧盟的环境保护产业成为全球环保市场的主要力量。

环境保护产业在国际上有狭义和广义两种概念。对环境保护产业的狭义概念仅指在环境污染控制与减排、污染清理以及废物处理等方面提供产品和服务；广义的概念则包括生产中的清洁技术、节能技术，以及产品的回收、安全处置与再利用等，是对产品从“生”到“死”的绿色全程呵护。本条所指环境保护产业是广义的概念。

目前，我国环境保护产业还处于快速发展阶段，总体规模相对还较小，产业内涵扩展的方向将主要集中在洁净技术、洁净产品、环境服务等方面，成为我国的“绿色产业”。随着我国经济的持续快速发展，城市进程和工业化进程的不断加快，环境污染日益严重，国家对环境保护的重视程度也越来越高，环境保护产业总体规模迅速扩大，产业领域不断拓展，产业结构逐步调整，产业水平明显提升，逐渐成为改善经济运行质量、促进经济增长、提高经济技术层次的产业。“十一五”期间，我国环境保护产业保持了年均15% ~17%的增长速度，环境保护投资的重点领域主要包括水环境、大气环境、固体废物、生态环境、核安全及辐射、环境保护建设以及环境能力建设。根据《“十二五”节能环保产业发展规划》预测，到2015年，我国节能环境保护产业总产值将达到4.5万亿元，环境保护服务业产值超过5000亿元，形成50个左右年产值在10亿元以上的环境保护服务公司，产值年均增长率达到40%，服务业在环境保护产业中的比重将达到30%，这也表明我国的环境服务业发展具有很大的潜力。

根据《国务院关于加快培育和发展战略性新兴产业的决定》和《国务院关于印发“十二五”节能减排综合性工作方案的通知》有关规定，我国在环境保护产业方面，一是发展先进环境保护技术和装备，包括污水、垃圾处理，脱硫脱硝，高浓度有机废水治理，土壤修复，监测设备等，重点攻克膜生物反应器、反硝化除磷、湖泊蓝藻治理和污泥无害化处理技术装备等；二是发展环境保护产品，包括环保材料、环保药剂，重点研发和产业化示范膜材料、高性能防渗材料、脱硝催化剂、固废处理固化剂和稳定剂、持久性有机污染物替代产品等；三是发展环境保护服务，建立以资金融通和投入、工程设计和建设、设施运营和维护、技术咨询和人才培训等为主要内容的环境保护产业服务体系等。根据本法的规定，国家要采取财政、税收、政府采购等方面的政策和措施，鼓励和支持环境保护技术装备、资源综合利用和环境服务等环境保护产业的发展。

三、促进环境保护信息化建设

信息化是充分利用信息技术，开发应用信息资源，促进信息交流和共享，推动经济社会发展转型和改进决策管理的历史进程。随着信息技术的飞速发展和广泛应用，信息化日益成为推动生产力发展、促进生产关系变革的重要力量。推进环境信息化建设，以信息化促发展，对于加强环境保护、推动生态文明建设具有重要意义。

环境信息化建设，主要是指对各种环境信息的采集、传输和管理实现数字化、智能化和网络化，从而为实现环境管理科学决策和提升监管效能提供保障。环境信息种类繁多、数量巨大，仅凭原有的人工模式进行采集、传输和管理，难以适应加强环境保护工作，提高管理效率的现实需要。只有通过深入推进环境信息化建设，实现环境信息采集、传输和管理的数字化、智能化、网络化，才能从大量繁杂的信息中发现规律、把握重点，使环境管理决策体现时代性、把握规律性、富于创造性，从而提高环境管理决策的水平和能力，推动各类环境问题的有效解决。实践证明，环境信息化是环保能力建设的重要组成部分，是覆盖环境保护各领域的一项综合性工作，是环境管理决策的基本保障。离开环境信息化，势必影响环境管理决策的科学化，制约环境监管的效能和水平。

目前，我国的环境信息化建设取得明显成效。我国先后制定了“九五”、“十五”、“十一五”环境信息化建设规划、指导意见和管理办法等文件，同时有关环境信息化的组织管理体系不断健全，基本形成了国家、省、市三级环境信息机构，并组织开发了环境质量监测、污染源监控、环境应急管理、排污收费、污染投诉、建设项目审批、核与辐射管理等一批业务应用系统。所有这一切，为深入推进环境信息化建设创造了有利条件，打下了良好基础。但实践中环境信息化建设还存在不少困难和问题，主要是一些部门和地方领导不够重视，环境信息化工作存在工作机制不顺，统筹协调不够，信息化建设各自为政，低水平重复建设突出，数据资源不能共享；基础能力薄弱，网络覆盖面不足，传输能力偏低；机构队伍不够健全，全国还有不少市级环保部门没有信息中心，整个系统人员不足等问题。对这些问题，必须通过依法进一步促进环境信息化建设来加快解决。

**第八条　各级人民政府应当加大保护和改善环境、防治污染和其他公害的财政投入，提高财政资金的使用效益。**

**【释义】**　本条是关于政府加大环境保护财政投入的规定。

环境保护事关人民群众的身体健康，是关系人民福祉、关乎民族未来的一项重要民生工作。做好这一工作，各级人民政府责无旁贷。民生工作，离不开政府的财政保障，所以各级人民政府履行环境保护责任的一个重要方面就是要加大保护和改善环境、防治污染和其他公害的财政投入，保障环境保护工作所需的各项经费。

我国政府历来高度重视环境保护工作，不断加大环境保护的财政投入，特别是近些年来，环境保护的财政投入逐年增加。据环境保护部的有关负责同志在2014年"两会"期间向媒体透露的信息，在2011年至2013年的三年时间里，全国公共财政节能环保投资的支出分别为2641亿元、2963亿元、3383亿元，年均增长超过14%。除了各级政府的财政投入以外，整个社会对环境保护的投入也在不断增长。2011年，全社会环保投入为6026亿元，2012年为8253亿元。"十二五"前三年，我国环保投入每年以2000亿元以上的幅度增加。"十二五"期间，全社会环保投入预计将超过5万亿元，包括政府、金融机构、企业和社会其他方面的投资。

虽然我国对环境保护的投入逐年增加，但从世界的范围看，与发达国家相比还有不小的差距。目前发达国家环保投入占GDP的比重大多超过3%。我们国家这几年环保投入的力度不断增加,但总的来看投入比重还比较低,需要进一步提高投入水平,不断增加环境保护方面的财政投入。各级政府要把财政的环保支出作为财政的经常性支出,加大环保监测、污染的治理、环境规划、环保信息、环境科学以及各类资源保护等方面的财政投入水平,确保财政的环保支出稳定增长。

同时,根据本条的规定,各级政府还要提高环境保护方面的财政资金的使用效益。提高财政资金使用的效益,应是公共财政的题中应有之义,特别是在当前我国财政"过紧日子"的情况下,注重提高财政资金的使用效益具有非常重要的意义。现阶段我国财政收入在支出方面,除了环境保护方面外,从教育、科技、医疗卫生等公共服务到保障房建设、基本养老等社会保障制度建设和新农村建设、新型城镇化建设等,都需要加大财政投入,以满足这些刚性的民生支出需要。在这样的情况下,提高财政资金的使用效益,努力"少花钱多办事"、"把钱花在刀刃上",是财政为全局服务的更为重要、更加突出的着力点。

提高财政资金使用效益,最主要的是要盘活存量、优化增量。所谓盘活存量,从财政管理上讲,主要包括以下几点:一是优化预算收支计划的编制,使之更加切合实际,更具可行性,特别是今后应探索建立和发展3到5年的中期滚动预算,提高瞻前顾后、动态优化资金安排的水准,以提升资金使用效益;二是整合运用财政的库底资金与在途资金,以及"财政专户"中滞存的资金,总体提升财政资金的活跃度与运行速率;三是整合归并专项转移支付,并且注重及早下达,使之与相关地区的预算有机协调地统筹运行。所谓优化增量,在财政管理上的要点主要有:一是在组织新增收入方面提高其合理性并充分挖掘其潜力;二是在支出盘子扩大的安排中应当充分顺应结构优化、突出重点、提升综合使用效益的要求。

做好环境保护工作需要大量的财政投入，在当前我国财政资金来源较为有限的情况下，强调提高环境保护资金的使用效益尤为重要。实践中有的地方用于环境保护的财政资金投入后没有达到治理污染、保护环境的预期效果；有些地方对用于环境保护的财政资金不知道怎么用，出现了闲置情况。这些问题应引起有关地方、部门的高度重视，要注重对财政资金的优化使用，使其在环境保护事业中获得最佳使用效益。

**第九条　各级人民政府应当加强环境保护宣传和普及工作，鼓励基层群众性自治组织、社会组织、环境保护志愿者开展环境保护法律法规和环境保护知识的宣传，营造保护环境的良好风气。**

**教育行政部门、学校应当将环境保护知识纳入学校教育内容，培养学生的环境保护意识。**

**新闻媒体应当开展环境保护法律法规和环境保护知识的宣传，对环境违法行为进行舆论监督。**

**【释义】**　本条是关于开展环境保护宣传普及和对环境违法行为进行舆论监督等的规定。

一、加强环境保护的宣传和普及

保护环境是一切单位和个人的义务。做好环境保护工作，不能只靠政府和环保部门去单打独斗，需要通过广泛开展环境保护法律法规和环境保护知识的宣传和普及，动员全社会的力量共同参与，营造全社会参与环境保护、建设生态文明的良好氛围。

各级人民政府是加强环境保护宣传和普及的重要主体。国务院、省级、地级、县级、乡级等各级人民政府应当通过媒体宣传、组织环保进机关、进社区、进学校、进企业、进农村、进家庭等各类宣传推广活动，广泛、深入地宣传普及环境保护法律法规和环境保护知识，努力提升全民环境意识，营造全社会参与环境保护、建设生态文明的良好风气。我国有关环境保护的法律法规很多，仅全国人大及其常委会制定的有关环境保护的法律就有30多部，除了本法以外，还有大气污染防治法、水污染防治法、固体废物污染环境防治法、环境噪声污染防治法、放射性污染防治法等多部污染防治方面的法律，以及森林法、草原法、野生动物保护法等多部涉及生态保护方面的法律。除了法律之外，还有众多的环境保护方面的行政法规和地方性法规，这些法律法规的规定都要向社会公众宣传普及，使大家自觉知法、守法。此外，有关环境保护的知识，特别是与群众日常生活有关的环保知识，如节约用电小窍门、节约用水常识，以及购物用布袋、买菜用菜篮，避免使用一次性塑料袋，垃圾分类不乱扔等环保理念，也要积极向社会公众宣传普及。

各级人民政府除了做好自身的环保宣传普及工作外，还要鼓励基层群众性自治组织、社会组织、环境保护自愿者开展环境保护法律法规和环境保护知识的宣传，营造保护环境的良好社会风气。这里的“基层群众性自治组织”是指居民委员会和村民委员会；“社会组织”是指在民政部门登记的社会团体、民办非企业单位、基金会等各类社会组织；“环境保护志愿者”是指不为物质报酬，志愿从事环境保护公益活动的人员。志愿者被认为是在职业之外，不受私人利益或法律强制驱使，为改进社会、提供公益服务而付出努力的人们。志愿服务的发展代表着社会的文明和进步。随着环保事业的发展，越来越多的人加入到环保志愿者的行列，自愿、无偿从事环保工作。基层群众性自治组织、社会组织、环境保护自愿者可以利用自身的优势，通过举办环保讲座、发放环保宣传资料等开展全民环境保护宣传教育活动。

二、学校的环保教育

本条规定，教育行政部门、学校应当将环境保护知识纳入学校教育内容，培养学生的环境保护意识。这里的学校，是指各级各类学校，包括实施学前教育、普通初等教育、普通中等教育、职业教育、普通高等教育以及特殊教育、成人教育的学校。

环保教育是环境保护工作的重要组成部分，也是教育工作的重要内容。从小培养学生热爱自然，保护环境的意识和责任感，是培养可持续发展人才的需要。环境教育工作要重视以学生为对象的基础教育，把环境教育作为学生各种素质的重要载体和显现形式，提高未来人才的综合素质，让社会可持续发展。少年儿童是祖国的未来，民族的希望，在学生中广泛开展绿色环保教育，具有重要意义：一是有利于提高全民族的环境意识和思想道德素质。学生阶段是一个人身心发展的黄金时期，在学习知识的基础上，对学生进行绿色教育、环保教育，不仅可以开阔学生的视野，提高学生的认知，也可以让学生在参与中树立起环保意识、公德意识和爱国意识，这有利于提高全民族的环境意识和思想道德素质。同时，环保教育是学生社会实践活动的组成部分。高素质的学生需要认识社会、走向社会，绿色环保教育可以让学生在各种绿色环保活动中，锻炼参与能力，提高认知能力，对于学生综合素质的提高将起到重要作用。

学校的环保教育方式可以多种多样，既可以将环保知识纳入教材，也可以通过开展形式多样的校内外环保活动，如参加环保宣传、种花护树、参观垃圾处理厂等使孩子们在潜移默化和身体力行中养成保护环境的好习惯，形成良好的环保意识。

应当指出的是，做好学校的环保教育工作，不仅是学校的责任，同时也是各级教育行政部门的职责所在。教育行政部门作为教育的主管部门，要积极组织广大学校开展对学生的环保教育活动，并对教师和其他教育工作者进行环保法律法规和环保知识方面的培训，提高教育工作者的环保意识和水平。同时，教育行政部门还要对学校的环保教育工作进行指导、督促和检查，确保环保教育活动的正确开展。

三、新闻媒体的责任

本条规定，新闻媒体应当开展环境保护法律法规和环境保护知识的宣传，对环境违法行为进行舆论监督。就目前而言，新闻媒体大体包括报纸、广播、电视、互联网四大类新闻宣传媒介。现代社会，新闻媒体的宣传具有受众广、传播外、影响大的特点，所以在环保宣传方面，应充分发挥新闻媒体的作用。新闻媒体应当发挥其自身优势，以群众喜闻乐见的形式开展环保法律法规和环保知识的宣传，这也是新闻媒体应当履行的社会责任。应当指出的是：第一，媒体的环保宣传应当是一种公益宣传。公益宣传是指为促进、维护社会公众的利益而制作、发布的广告，或是为社会服务的宣传活动。一般来说，公益宣传是不收取费用的。第二，新闻媒体对环保的宣传是其应当履行的社会责任和法律责任，是必须要做的，不是可做可不做的一种活动。

新闻媒体除了要做好有关环保方面的宣传之外，还要对环境违法行为进行舆论监督。舆论监督是指针对社会上某些组织或个人的违法违纪行为，或者其他不良现象及行为，通过新闻媒体的宣传报道进行曝光和揭露，抨击时弊、抑恶扬善，以达到舆论监督的目的。舆论监督具有事实公开、传播快速、影响广泛、揭露深刻等特点和优势，能够迅速将公众的注意力聚焦，形成巨大的社会压力，并引起政府和有关部门的关注，促使执法部门依法对违法行为进行查处。需要注意的是，新闻媒体报道环境违法行为，应当客观、全面、准确，对报道的真实性负责，如果因不实报道给相关企业、单位的合法权益造成了损害，应当依法承担侵权赔偿责任。

**第十条　国务院环境保护主管部门，对全国环境保护工作实施统一监督管理；县级以上地方人民政府环境保护主管部门，对本行政区域环境保护工作实施统一监督管理。**

**县级以上人民政府有关部门和军队环境保护部门，依照有关法律的规定对资源保护和环境污染防治等环境保护工作实施监督管理。**

**【释义】**　本条是关于环境保护工作管理体制的规定。

国家的环境保护部和地方的环境保护厅、环境保护局等环境保护部门作为环境保护主管部门，对环境保护工作实施统一监督管理，是本法的主要执法部门。其中，环境保护部负责对全国环境保护工作实施统一监督管理，省级、地级、县级环境保护厅（局）负责对本省、本地（市）、本县的环境保护工作实施统一监督管理。

根据本法的规定，环境保护部门的主要职责包括：

一是编制环境保护规划。环境保护部会同有关部门，根据国民经济和社会发展规划编制国家环境保护规划，报国务院批准并颁布实施。地方环境保护部门会同有关部门，根据国家环境保护规划的要求，编制本行政区域的环境保护规划，报同级人民政府批准并颁布实施。

二是制定国家环境质量标准和污染物排放标准。环境保护部负责制定国家环境质量标准，并根据这一标准和国家经济、技术条件，制定国家污染物排放标准。

三是建立健全环境监测制度。环境保护部负责制定监测规范,会同有关部门组织监测网络,统一规划环境质量监测站(点)的设置,建立监测数据共享机制,加强对环境监测的管理。

四是依法审批建设项目环境影响评价文件,依法实行排污许可管理制度。

五是环境保护的日常执法工作,包括对排放污染物的企业事业单位和其他生产经营者进行现场检查,依法查封、扣押造成污染物非法排放的设施、设备,依法征收排污费,对违反本法的行为依法进行行政处罚等。

六是依法公开环境信息。环境保护部统一发布国家环境质量、重点污染源监测信息及其他重大环境信息。环境保护部和省环境保护厅(局)定期发布环境质量公报。县级以上环境保护主管部门依法公开环境质量、环境监测、突发环境事业以及环境行政许可、行政处罚、排污费的征收和使用情况等信息。地方环境保护主管部门应当将企业事业单位和其他生产经营者的环境违法信息记入社会诚信档案,及时向社会公布环境违法者的名单。

除了各级环境保护主管部门外,其他有关部门,包括海洋行政主管部门、海事、渔政渔港监督、土地、矿产、林业、农业、水利、公安、工信等主管部门,以及军队环境保护部门也要依照本法和有关法律的规定对资源保护和环境污染防治等环境保护工作实施监督管理。根据本法第2条的规定,环境的范围很宽,包括了大气、水、海洋、土地、矿藏、森林、草原、野生生物等影响人类生存和发展的各种天然和经过人工改造的自然因素的总体,所以负责环境保护工作的部门也比较多,既包括负责环境污染防治的部门,也包括负责各类资源保护等的部门。这些部门除了要履行本法规定的职责外,还要依据其他有关法律的规定,如海洋环境保护法、渔业法、森林法、草原法、农业法、野生动物保护法、水法、水土保持法等，履行对资源和生态保护，以及环境污染防治的管理职责。如海洋环境保护法规定，国家海洋行政主管部门负责海洋环境的监督管理，组织海洋环境的调查、监测、监视、评价和科学研究，负责全国防治海洋工程建设项目和海洋倾倒废弃物对海洋污染损害的环境保护工作。海洋行政主管部门要依据这一规定，负责对海洋环境保护的监督管理。

修订前的环境保护法第7条关于环境保护工作管理体制的规定中，对除环境保护部门以外的其他相关部门作了列举，规定国家海洋行政主管部门、港务监督、渔政渔港监督、军队环境保护部门和各级公安、交通、铁道、民航管理部门，依照有关法律的规定对环境污染防治实施监督管理；县级以上人民政府的土地、矿产、林业、水利行政主管部门，依照有关法律的规定对资源的保护实施监督管理。此次修订对此作了技术处理，对这些部门的名称没有再一一列举，统一用“县级以上人民政府有关部门和军队环境保护部门”予以表述，并将原来的两款规定合为一款，这样处理从立法技术上看更加简洁、全面。

**第十一条　对保护和改善环境有显著成绩的单位和个人，由人民政府给予奖励。**

**【释义】**　本条是关于对保护和改善环境有显著成绩的单位和个人给予奖励的规定。

做好环保工作，不能仅靠政府和环保部门，需要调动每一个社会成员的积极性，形成人人爱护环境，人人都对环境负责的良好社会氛围。而要形成这样的氛围，需要奖罚分明，一方面对污染环境的违法行为要依法严格查处，追究相应的法律责任，提高其违法成本，使企业事业单位和其他生产经营者不敢以身试法；

另一方面还要对保护环境作出突出贡献的单位和个人予以奖励。榜样的作用是无穷的，对保护和改善环境有显著成绩的单位和个人，由人民政府给予奖励，可以起到表彰先进，鼓励更多的单位和个人向他们学习，弘扬社会正气，从而激励大家积极投身环保事业的作用。这里应当指出三点：一是“对保护和改善环境有显著成绩的单位”是一个宽泛的概念，包括机关、企业事业单位、社会组织、基层群众性社会组织等除个人以外的各类单位组织。二是作为奖励对象，必须是对保护和改善环境作出显著成绩的单位和个人，这里的标准是“成绩显著”，不是一般的作出成绩即可成为奖励对象。三是人民政府给予的奖励，既包括物质奖励，如颁发奖金，给予物质奖赏，也包括精神方面的奖励，如给予通报表扬等表彰，授予荣誉称号等。

在实践方面，我国各级人民政府为提高公众环境意识，鼓励公众参与环境保护工作，已经开展了对保护和改善环境有显著成绩的单位和个人给予奖励的活动，取得了非常好的社会效果。如海口市在 2008 年 6 月 5 日“世界环境日”期间对环境保护工作突出的单位和个人进行奖励。给予奖励的条件包括：为海口市环境保护和污染治理作出重大发明或提出重要建议，采纳后环境效益，社会效益或经济效益显著的；为开展环境保护宣传教育，普及环境保护科学、法律知识，成效显著的；为研究、推广、引进环境保护科学技术，提高资源能源利用率，推行清洁生产以及建设环境保护示范项目，成效显著的；为争取或引进环境建设资金，拓宽环境保护资金渠道，成效显著的；为举报、查处破坏生态或污染环境的违法行为及污染事故，贡献突出的；为其他方面环境保护事业作出突出贡献的。海口市的具体奖励措施有：奖项设一等奖 5 名，每名奖金为 10000 元；二等奖 10 名，每名奖金为 5000 元；三等奖 15 名，每名奖金为 1000 元；鼓励奖 30 名，每名奖金为500元。在国家层面,国家环境保护总局(现为环境保护部)于1997年设立“地球奖”,旨在表彰社会各界人士在保护环境方面作出的突出贡献,获奖人员都是多年从事环保事业,并做出突出贡献的人士。如河北地球女儿环保志愿者协会会长赵鸿,自2001年开始在衡水湖自然保护区组织大型志愿者义务植树,宣传湿地知识和野生动物保护法。多年来她组织中外志愿者2万多人次绿化衡水湖,植树10万余株,用自己坚持不懈的精神感动着越来越多的人们参与到衡水湖的保护事业中。又如贵州省第一个环境教育专职教师张剑辉,自2000年起致力于幼儿环境素质教育,引领20多家幼儿园成为绿色学校,带领800多名幼儿教师跨入绿色教育行列,在2万多名孩子的心里植下了绿色的种子。环保部还于2007年正式颁布了《环境保护科学技术奖励办法》,明确国家设立中国环境科学学会环境保护科学技术奖,旨在奖励在环境保护科学技术活动中做出突出贡献的单位和个人,调动广大环保科学技术工作者的积极性和创造性,促进环保科技事业发展。奖励的科技成果范围包括:一是环境保护基础研究和应用基础研究领域中,发现或者阐明自然现象特征和规律,具有重要科学价值并得到科学界公认的科学研究成果;二是应用于环境污染防治、生态保护和核安全等领域,具有创新性并取得显著效益的产品、技术、工艺、材料等科学技术成果;三是为推动环境综合决策,促进环境、经济和社会协调发展,实现决策科学化和管理现代化,在环境保护战略、政策、规划、环境影响评价、核安全审评、标准、监测、信息、环保科普等方面,具有前瞻性、前沿性和创新性,并在实践中得到应用取得良好效果的科学研究成果;四是在应用、推广、转化具有重大市场价值的环境保护应用技术成果中,做出创造性贡献并且取得显著的环境、社会和经济效益的成果;五是对引进国外先进环保设备仪器的制造技术,已消化吸收,自主生产出产品,具有较强的示范、带动和推广能力的技术成果;六是在华注册的国际组织或机构与中国的组织或机构合作开展环境保护技术研究开发,取得的科学技术成果。对获得环保科技奖项目的主要完成单位和个人,由奖励委员会颁发获奖证书和奖金。

**第十二条　每年 6 月 5 日为环境日。**

**【释义】**　本条是关于环境日的规定。

每年的 6 月 5 日为世界环境日(World Environment Day),它反映了世界各国人民对环境问题的认识和态度,表达了人类对美好环境的向往和追求,是联合国促进全球环境意识、提高政府对环境问题的注意并采取行动的主要媒介之一。

世界环境日最早是在 1972 年确立的。1972 年 6 月 5 日联合国在瑞典首都斯德哥尔摩召开了联合国人类环境会议,包括中国在内的 113 个国家参加了这次大会。会议讨论了当代环境问题,探讨了保护全球环境的战略,通过了著名的《斯德哥尔摩环境宣言》,也就是《联合国人类环境宣言》。会上还通过了具有 109 条建议的保护全球环境的《行动计划》。会议呼吁"为了这一代和将来的世世代代而保护和改善环境,已成为人类一个紧迫的目标,这个目标将同争取和平和全世界的经济与社会发展这两个既定的基本目标共同和协调地实现",会议建议联合国将本次会议开幕日这一天,即 6 月 5 日定为"世界环境日"。同年 10 月,第二十七届联合国大会通过决议接受了该建议。联合国确定"世界环境日"的意义在于提醒全世界注意全球环境状况和人类活动对环境的危害。联合国系统和各国政府,每年都在 6 月 5 日的这一天开展各项活动来宣传与强调保护和改善人类环境的重要性。联合国环境规划署在每年的年初会公布当年的世界环境日主题,并选择一个成员国举行“世界环境日”纪念活动。此外,联合国环境规划署还要每年发表《环境现状的年度报告书》及表彰“全球500佳”,并根据当年的世界主要环境问题及环境热点,有针对性地制定每年的“世界环境日”主题。

我国从1985年6月5日开始举办纪念世界环境日的活动。自此之后,我国每年的6月5日都要举办纪念活动,并根据联合国环境规划署确定的世界环境日主题,确定我国的环境日主题。如2013年世界环境日主题为“思前,食后,厉行节约”,旨在倡导反对粮食浪费,使人们意识到粮食消耗方式对环境产生的影响。我国确定的主题为“同呼吸、共奋斗”,旨在释放和传递建设美丽中国人人共享、人人有责的信息,倡导在一片蓝天下生活、呼吸的每一个公民都应牢固树立保护生态环境的理念,切实履行好呵护环境的社会责任,自觉从我做起,从小事做起,尊重自然,顺应自然,增强节约意识、环保意识、生态意识,养成健康合理的生活方式和消费模式,激发全社会持久的环保热情,为改善空气质量、实现天蓝、地绿、水净的美丽中国而奋斗。

本法通过国家立法的形式,将每年的6月5日这一天确定为法定的环境日,对于提高全社会的环境保护意识,增强每一个单位、公民对环境保护的社会责任感,激发大家积极参与环境保护活动的热情,从而促进我国环境保护事业的发展,推动生态文明建设具有重要意义。从境外的情况看,有的国家和地区也通过立法的形式将世界环境日确定为本国或者本地区的法定环境日。如日本在其环境保护法中规定6月5日为环境日,我国台湾地区在其“环境基本法”中也规定6月5日为环境日。

# 第二章 监督管理

**第十三条 县级以上人民政府应当将环境保护工作纳入国民经济和社会发展规划。**

**国务院环境保护主管部门会同有关部门，根据国民经济和社会发展规划编制国家环境保护规划，报国务院批准并公布实施。**

**县级以上地方人民政府环境保护主管部门会同有关部门，根据国家环境保护规划的要求，编制本行政区域的环境保护规划，报同级人民政府批准并公布实施。**

**环境保护规划的内容应当包括生态保护和污染防治的目标、任务、保障措施等，并与主体功能区规划、土地利用总体规划和城乡规划等相衔接。**

**【释义】** 本条是关于环境保护规划的规定。

环境保护规划是环境管理制度的重要内容，是环境保护工作兼顾当前和长远、全国和地方、防治污染和保护生态等的主要依托，是各级环境保护部门开展工作的重要根据和指南。修订前的环境保护法第4条规定：国家制定的环境保护规划必须纳入国民经济和社会发展计划，国家采取有利于环境保护的经济、技术政策和措施，使环境保护工作同经济建设和社会发展相协调。修改过程中，许多意见提出要强化环境保护规划的作用，故将环境保护规划单列一条，作为监督管理一章的第一个条文，凸显其在环保工作中的重要地位。

一、环境保护工作纳入国民经济和社会发展规划

在我国,国民经济和社会发展规划具有重要地位。它主要阐明国家和地方战略意图,明确政府工作重点,引导市场主体行为,是特定时期内经济社会发展的宏伟蓝图,是人们共同的行动纲领,是政府履行经济调节、市场监管、社会管理和公共服务职责的重要依据。具体而言,规划提出一定时期国民经济和社会发展的基本战略、基本任务和宏观调控目标,确定国民经济和社会发展的重大事项以及需要配套实施的具体政策。这集中体现了规划的宏观性、战略性、政策性和导向性,有利于引导全社会形成共识,也是政府运用经济、法律、行政等各种手段进行宏观调控的基本依据。同时,规划要对关系国民经济全局的一些重要领域和重大经济活动进行必要的指导、协调和调节。如提出加强基础设施建设,调整优化产业结构和区域经济结构、促进经济社会协调发展的目标和政策,并通过国家投资、政策性金融、税收等措施予以支持;运用政府采购、国家储备、国家投放、进出口等进行吞吐调节,防止市场供求和价格的异常波动等。

随着环境保护形势日趋严峻及人们环保意识的逐步提高,环保工作在社会事务中的地位不断提高,有必要强化其在国民经济和社会发展规划中的地位。一方面,环保工作是政府工作的重要组成部分,国民经济和社会发展规划含有环境保护工作,是保障规划完整性的必然要求;另一方面,将环保工作纳入国民经济和社会发展规划,是凸显环保工作重要性,推动环保工作顺利开展的重要保障,有利于从全局和整体的高度来谋划和开展。

近年来,我国在制定国民经济和社会发展规划中,一直将环保工作摆在政府工作的突出位置。以"十二五"规划为例,该规划以"加大环境保护力度"、"促进生态保护和修复"两个专章的篇幅,对污染防治和生态保护作了部署,提出工作目标,即"以

解决饮用水不安全和空气、土壤污染等损害群众健康的突出环境问题为重点，加强综合治理，明显改善环境质量”。提出了一些重要制度建设，如要按照谁开发谁保护、谁受益谁补偿的原则，加快建立生态补偿机制；加大对重点生态功能区的均衡性转移支付力度，研究设立国家生态补偿专项资金；鼓励、引导和探索实施下游地区对上游地区、开发地区对保护地区、生态受益地区对生态保护地区的生态补偿。提出了具体指标，如要求地级以上城市空气质量达到二级标准以上的比例达到80%，城市污水处理率和生活垃圾无害化处理率分别达到85%和80%。

二、环境保护规划的编制和公布

环境保护规划由县级以上人民政府环境保护主管部门会同有关部门编制。国家环境保护规划编制完成后，经国务院批准以“国发”文的形式，印发各省、自治区、直辖市人民政府以及国务院各部委、各直属机构。地方环境保护规划的编制、公布程序同国家环境保护规划的编制、公布程序一致。

无论是国家环境保护规划还是地方环境保护规划，都要根据国民经济和社会发展规划编制，地方环境保护规划还要落实国家环境保护规划的相关要求。这是基于不同规划的地位、效力而作出的处理，目的在于厘清这两个规划的关系。当然，环境保护规划根据国民经济和社会发展规划编制，并不是说是其唯一根据，环境保护规划还要紧密贴合党中央和国务院方针政策、实际环境形势、人民群众的关注和期望等其他因素。

三、环境保护规划的内容

环境保护规划的基本内容包括生态保护和污染防治的目标、任务、保障措施等，除此之外，也可以根据需要，纳入其他内容，如对环境形势的分析、指导思想、基本原则等。以《国家环境保护“十二五”规划》为例，其提出的主要目标是：到2015年，主要污染物排放总量显著减少；城乡饮用水水源地环境安全得到有效保障，水质大幅提高；重金属污染得到有效控制，持久性有机污染物、危险化学品、危险废物等污染防治成效明显；城镇环境基础设施建设和运行水平得到提升；生态环境恶化趋势得到扭转；核与辐射安全监管能力明显增强，核与辐射安全水平进一步提高；环境监管体系得到健全。任务包括：加大结构调整力度；削减化学需氧量和氨氮排放量；加大二氧化硫和氮氧化物减排力度；改善水环境质量；实施多种大气污染物综合控制；加强土壤环境保护；强化生态保护和监管；加强重点领域环境风险防控；完善环境保护基本公共服务体系等。保障措施包括：将规划执行情况作为地方政府领导干部综合考核评价的重要内容；加强部门间密切配合，完善体制机制，加大资金投入；在 2013 年年底和 2015 年年底，分别对规划执行情况进行中期评估和终期考核，评估和考核结果向国务院报告，向社会公布，并作为对地方人民政府政绩考核的重要内容。

四、环境保护规划与其他规划的衔接

我国目前存在大量规划，做好规划衔接十分重要。环境保护规划与主体功能区规划、土地利用总体规划、城乡规划等存在一些交叉，因此应当做好与这些规划的衔接。

主体功能区规划主要是根据不同区域的资源环境承载能力、现有开发强度和发展潜力，统筹谋划人口分布、经济布局、国土利用和城镇化格局，确定不同区域的主体功能，并据此明确开发方向，完善开发政策，控制开发强度，规范开发秩序，逐步形成人口、经济、资源环境相协调的国土空间开发格局。主体功能区规划分为国家和省级两个层面，由规划主管部门编制，报国务院或者省级人民政府批准。主体功能区规划是国土空间开发的战略性、基础性和约束性规划，环境保护规划的制定应对将此作为其依据之一。土地利用总体规划，主要功能是阐明规划期内国家土地利用战略，明确政府土地利用管理的主要目标、任务和政策，引导社会各界保护和合理利用土地资源，是实行最严格土地管理制度的具体手段，是落实土地宏观调控和土地用途管制、规划城乡建设和各项建设的重要依据。城乡规划的主要功能是协调城乡空间布局，改善人居环境，促进城乡经济社会全面协调可持续发展，包括城镇体系规划、城市规划、镇规划、乡规划和村庄规划等。因为环境保护规划中的一些目标、任务，尤其是一些重大环境工程建设项目、环境服务体系、生态保护措施，与土地利用、城乡建设关系密切，应当协调处理。

**第十四条　国务院有关部门和省、自治区、直辖市人民政府组织制定经济、技术政策，应当充分考虑对环境的影响，听取有关方面和专家的意见。**

**【释义】**　本条是关于政策制定考虑环境影响的规定。

依照环境影响评价法的规定，我国对部分规划和建设项目实行环境影响评价。在环境保护法修改过程中，环保部门以及部分专家、学者和社会公众建议增加规定政策环评。一些政策的实施会对环境造成较大影响，如能在制定之初就考虑到这些影响，进而明确何为不可为、何为适度，将非常有助于保护和改善环境。但是，要不要将此上升为类似于规划环评、建设项目环评的高度，辅之以特定的程序、效力，对此有不同意见。本条的规定，一方面回应了有关现实和意见，另一方面也考虑了制度的可实施性。

一、政策制定考虑环境影响的必要性和紧迫性

在环境保护法修改过程中，环保部提出，“政策—规划（计划）—项目”是经济社会发展的决策链，对该决策链的各个环节

开展环境影响评价，是落实环境保护“预防为主”原则的体现。目前我国法律体系对规划、项目环境影响评价都明确了要求，体现在环境影响评价法、规划环境影响评价条例、建设项目环境保护管理条例等法律、法规当中。但是对位于决策链条源头的政策，相关立法没有要求考虑环境影响。政策相比规划和项目更能起到统领全局的作用，只有在各类政策制定过程中全面考虑生态环境影响，才能真正体现生态文明建设理念，达到从源头预防环境影响的目的。历史实践表明，国家一些重大的政策会对生态环境造成重大影响。如果这些重大的政策出台前，能够针对如何发展、发展的规模、能不能作为支柱产业、发展以后将会给生态环境带来什么影响、如何避免这些对环境的不良影响等进行科学论证与合理分析，就可以在很大程度上避免或减缓这些政策带来不良影响。据此看来，要求政策制定者在决策过程中考虑对环境的影响是十分必要和紧迫的。

二、政策制定考虑环境影响的有关探索和实践

实际上，国务院环境保护主管部门和一些地方曾探索和实践过此项制度。从 2009 年到 2010 年，环境保护部会同有关地方人民政府，组织开展了环渤海沿海地区、海峡西岸经济区、北部湾经济区沿海、成渝经济区和黄河中上游能源化工区五大区域战略环评，涉及石化、能源、冶金、装备制造等 10 多个重点行业。该项工作揭示了五大区域经济发展与生态安全的尖锐矛盾，在全面分析资源环境禀赋和承载能力的基础上，系统评估了重点产业发展可能带来的中长期环境影响和生态风险，围绕布局、结构和规模三大核心问题，提出了确保生态功能不退化、资源环境不超载、排放总量不突破和环境准入不降低的四条红线以及相应的优化调控政策，明确了区域生态环境战略性保护的环保目标、生态底线和准入标准，规划了重大生态环境保护工

程，为维护区域生态安全指出了途径，构建了从源头防范布局性环境风险的重要平台。根据战略环评成果，对这五大区域分别制定了促进重点产业优化布局与结构调整的指导意见，以引导重大生产力布局，推动区域生态环境的战略性保护，为区域重点行业发展提供决策依据。2013 年，环境保护部对该项工作成果应用情况进行了调研，调研情况显示，成果已应用于国家发改委、国土资源部、交通运输部、国家海洋局等部门的规划编制和政策设计，并为天津、重庆、山东、福建、广西等地编制“十二五”规划、制定地方环保政策提供了重要支撑，成为相关地区火电、化工、石化、钢铁等行业环境准入的重要依据。

2011 年到 2012 年，环境保护部会同有关地方人民政府和新疆生产建设兵团，组织开展了西部大开发重点区域和行业发展战略环境评价，涉及煤炭、煤电、煤化工、石油、天然气、钢铁、有色、新能源、农副产品加工等 10 多个重点行业。该项工作立足区域的空间资源特征和环境承载能力，围绕重点产业的规模、结构、布局这三大问题，提出了“保生态、优布局、调结构、提效率、建机制”的总体思路，制订了一整套的环境准入管理措施：确定了水土资源开发红线和空间优化配置方案，明确了资源开发、产业发展与城镇发展的战略方向和空间约束条件，提出了重点产业空间布局准入和资源环境效率准入要求。如在协调工业化与城市化合理空间布局上，提出乌鲁木齐主城区和周边工业园区不应布局煤化工，不再扩大石化、钢铁产能；在促进重点产业有序发展上，提出滇池流域内除产业集聚区外原则上不再布局新的工业项目，原有工业企业要逐步搬迁。

三、政策制定考虑环境影响的范围和形式

尽管从理论上讲，所有的政策制定都应当考虑对环境的影响，但是本条没有要求所有的政策都要在制定过程中考虑环境影响、听取有关方面和专家的意见。主要有两个方面的考虑:其一,政策的内涵十分丰富、外延十分宽广,大大小小、形形色色,对其做统一要求既不现实也无必要,择其要而规定之即可;其二,有的意见提出,规划环评在实践中的实施效果并不显著,现在再对政策制定提出要求,不仅叠床架屋,而且其效果不见得理想,为了避免法律规定流于形式,应当限定在特定的政策类别中。故本条规定,需要充分考虑对环境的影响、听取有关方面和专家意见的政策是国务院有关部门和省、自治区、直辖市人民政府组织制定的经济、技术政策。所谓经济、技术政策,区别于政治政策、文化政策、教育政策等其他政策,主要集中在工业、农业、交通、城乡发展、能源、海洋等与资源利用和环境保护密切相关的领域。

另外,本条没有使用政策环评的概念。从环境影响评价法可以看出,环评是一项有特定程序和形式要求的法律制度。本条规定不属于法定环评。但本条规定经济、技术政策的制定,必须"充分考虑对环境的影响"、"听取有关方面和专家的意见",属于法定要求。

**第十五条　国务院环境保护主管部门制定国家环境质量标准。**

**省、自治区、直辖市人民政府对国家环境质量标准中未作规定的项目,可以制定地方环境质量标准;对国家环境质量标准中已作规定的项目,可以制定严于国家环境质量标准的地方环境质量标准。地方环境质量标准应当报国务院环境保护主管部门备案。**

**国家鼓励开展环境基准研究。**

**【释义】** 本条是关于制定环境质量标准和开展环境基准

研究的规定。

一、关于国家环境质量标准

环境质量标准,是指国家为保护人体健康和生态环境,对环境中的污染物或者其他有害因素的容许含量所作的规定。环境质量标准是衡量环境是否受到污染的尺度,是制定污染物排放标准的重要依据,同时也是执法部门实施环境管理的重要依据。我国的国家环境质量标准由国务院环境保护主管部门,即环境保护部负责制定。

环境质量标准是随着环境问题的出现而产生的。英国在工业革命以后,因工业发展造成的环境污染日益严重。1912 年,英国皇家污水处理委员会对河水的质量提出三项标准,包括 5 日生化需氧量不得超过 4 毫克/升,溶解氧量不得低于 6 毫克/升,悬浮固体不得超过 15 毫克/升,并提出用 5 日生化需氧量作为评价水体质量的指标。近几十年来,一些国家先后颁布了本国的环境质量标准。

环境质量标准按环境要素分,可以分为水环境质量标准、大气环境质量标准、土壤环境质量标准等类别,具体是:

1. 水环境质量标准。水环境质量标准是对水中污染物或其他有害物质的最大容许浓度的规定。水质量标准按水体类型分为地面水质量标准、地下水质量标准等;按水资源的用途分为生活饮用水水质标准、渔业用水水质标准、农业用水水质标准、娱乐用水水质标准和各种工业用水水质标准等。我国已颁布的水质标准有《地表水环境质量标准》、《地下水质量标准》、《农田灌溉水质标准》等。

2. 大气环境质量标准。大气环境质量标准是对大气中污染物或者其他有害物质的最大容许浓度的规定。目前世界上已有 80 多个国家颁布了大气环境质量标准。世界卫生组织也在

1963 年提出了有关二氧化硫、飘尘、一氧化碳和氧化剂 4 种物质在大气中的最高浓度的标准。我国在 1962 年颁布的《工业企业设计卫生标准》中首次对居民区大气中的 12 种有害物质规定了最高容许浓度。1982 年 4 月，我国首次颁发了国家的《环境空气质量标准》，其后这一标准经过三次修订，最新的一次修订是在 2012 年，此次修订调整了环境空气功能区分类，将三类区并入二类区，同时增设了颗粒物（粒径小于等于 2.5μm）浓度限值和臭氧 8 小时平均浓度限值，调整了颗粒物（粒径小于等于 10μm）、二氧化氮、铅和苯并芘等的浓度限值，并对数据统计的有效性规定作了修订。从内容上说，新修订的空气质量标准规定了环境空气功能区分类、标准分级、污染物项目、平均时间及浓度限值、监测方法、数据统计的有效性规定及实施与监督等内容，明确环境空气功能区分为两类：一类区为自然保护区、风景名胜区和其他需要特殊保护的区域；二类区为居住区、商业交通居民混合区、文化区、工业区和农村地区。环境空气质量标准分为两级：一类区执行一级标准，二类区执行二级标准。

3. 土壤环境质量标准。土壤环境质量标准是对土壤中污染物，如镉、汞、砷、铅、铜等金属和农药等农业投入品残留的最高允许浓度指标值和相应的监测方法的规定。我国在 1995 年颁布了《土壤环境质量标准》。《土壤环境质量标准》按土壤应用功能、保护目标和土壤主要性质，规定了土壤中污染物的最高允许浓度指标值和相应的监测方法。该标准适用于农田、蔬菜地、茶园、果园、牧场、林地、自然保护区等地的土壤。土壤环境质量根据土壤应用功能和保护目标，划分为三类：一类主要适用于国家规定的自然保护区、集中式生活饮用水源地、茶园、牧场和其他保护地区的土壤，土壤质量基本上保持自然背景水平。二类主要适用于一般农田蔬菜地、茶园、果园、牧场等土壤，土壤质量基本上对植物和环境不造成危害和污染。三类主要适用于林地土壤及污染物溶量较大的高背景值土壤和矿产附近等地的农田土壤(蔬菜除外)。土壤质量基本上对植物和环境不造成危害。土壤环境质量标准分为三级:一级标准为保护区域自然生态,维持自然背景的土壤环境质量的限制值;二级标准为保障农业生产,维护人体健康的土壤限制值;三级标准为保障农林业生产和植物正常生长的土壤临界值。具体的执行要求是:一类土壤环境质量执行一级标准;二类土壤环境质量执行二级标准;三类土壤环境质量执行三级标准。

除上述三类环境质量标准外,还有噪声、辐射、振动、放射性物质等的环境质量标准。

二、关于地方环境质量标准

地方环境质量标准,是指省、自治区、直辖市人民政府依法制定的适用于本行政区域内全部范围或者辖区内特定流域、区域的环境质量标准。相比国家的环境质量标准,地方的环境质量标准范围较窄,只包括大气环境质量标准和水环境质量标准。

地方环境质量标准的制定主体是省、自治区、直辖市人民政府。地方环境质量标准的制定原则是:对国家环境质量标准中未作规定的项目,可以制定地方环境质量标准;对国家环境质量标准中已作规定的项目,可以制定严于国家环境质量标准的地方环境质量标准。

地方环境质量标准应当报国务院环境保护主管部门备案。根据环境保护部2010年颁布的《地方环境质量标准和污染物排放标准备案管理办法》,省、自治区、直辖市人民政府或者受其委托的环境保护行政主管部门应当在地方环境质量标准发布之日起45日内,向环境保护部报送备案。环境保护部在收到地方环境质量标准备案材料之日起45日内完成备案审查,对符合规定的，予以备案，并在环境保护部网站公布备案信息；对不符合规定的，不予备案，并函复报送备案的省、自治区、直辖市人民政府或者受其委托的环境保护行政主管部门，说明理由。

应当指出三点：一是这里规定的“对国家环境质量标准中已作规定的项目，可以制定严于国家环境质量标准的地方环境质量标准”，是本次修订中新增加的规定，旨在鼓励有条件的省、自治区、直辖市制定比国家环境质量标准更严格的地方环境质量标准，以更好地保护本地的环境质量。二是根据《地方环境质量标准和污染物排放标准备案管理办法》的规定，地方环境质量标准中的污染物监测方法，应当采用国家环境保护标准。国家环境保护标准中尚无适用于地方环境质量标准中某种污染物的监测方法时，应当通过实验和验证，选择适用的监测方法，并将该监测方法列入地方环境质量标准的附录。适用于该污染物监测的国家环境保护标准发布、实施后，应当按新发布的国家环境保护标准的规定实施监测。三是在新制定发布的国家环境质量标准对地方环境质量标准中的污染物项目已作规定的情况下，省、自治区、直辖市人民政府应当及时依法对地方环境质量标准进行修订或者废止，并重新向环境保护部备案。

三、关于环境基准

环境基准是指环境中的污染物等对人或者其他生物等特定对象不产生不良或者有害效应的最大限制。环境基准是一种综合性基准，它是由与人体健康有关的卫生基准、与各种动植物保护有关的生物基准等综合而成。一种污染物在一个环境要素中的基准是一系列的浓度值，只要不超出这些浓度值，即有可能使人们对环境的某种要求得到满足，生物才能保持某种程度的存活率和不致病率，才能正常生长繁衍。环境基准按环境要素可分为大气质量基准、水质量基准和土壤质量基准等；按保护对象可分为环境卫生基准、水生生物基准、植物基准等。应当指出的是，环境基准和环境质量标准是两个不同的概念，前者是由污染物同特定对象之间的剂量反应关系确定的，不考虑社会、经济、技术等人为因素，不具有法律效力；后者是以前者为依据，并考虑社会、经济、技术等因素，经过综合分析制定的，由国家管理机关颁布，一般具有法律的强制性。但二者又有密切的关系，前者是制定后者的科学依据，后者规定的污染物容许剂量或浓度原则上应小于或等于相应的基准值。

环境基准是国家进行环境质量评价、制定环境质量标准的科学依据，也是国家制定环境管理政策的科学基础。开展环境基准研究，对于提高环境保护工作的科学性，更好地保护我国生态系统和人民群众身体健康具有重要的意义。

从国际上的情况看，一些发达国家已经较早地开展了环境基准的研究。美国自 20 世纪 60 年代以来，投入巨资开展了系统的环境基准研究，目前已经形成了比较完整的环境基准体系。日本、加拿大、澳大利亚等也相继开展了环境基准研究，构建各自国家的环境基准体系。

我国于 1983 年制定的《环境保护标准》中第一次提出“制订环境标准，要以环境基准为基础”，此后国务院于 2005 年明确提出“科学确定基准”的要求。实践方面，我国已经开展了一些环境基准的基础性研究工作。从“十一五”开始，有关部门开展了环境基准的研究，特别是借助研究水污染特征和饮用水安全的国家重大科技专项项目，启动了水环境基准研究，目前已经取得了一定的成果，初步建立了我国流域水环境基准的体系框架。

虽然我国环境基准研究取得了初步的成果，但与发达国家相比差距还很大，除了水之外的其他环境介质的环境基准研究还没有系统开展，所以还需要加强这方面的研究，这也是本条规定国家鼓励开展环境基准研究的意义所在。

**第十六条　国务院环境保护主管部门根据国家环境质量标准和国家经济、技术条件，制定国家污染物排放标准。**

**省、自治区、直辖市人民政府对国家污染物排放标准中未作规定的项目，可以制定地方污染物排放标准；对国家污染物排放标准中已作规定的项目，可以制定严于国家污染物排放标准的地方污染物排放标准。地方污染物排放标准应当报国务院环境保护主管部门备案。**

**【释义】**　本条是关于制定污染物排放标准的规定。

一、关于国家污染物排放标准

污染物排放标准是国家对排入环境的污染物的浓度或总量所作的限量规定，目的是通过控制污染源排放量来实现环境质量标准或者环境目标。污染物排放标准按污染物形态分为：气态污染物排放标准，主要是规定二氧化硫、氮氧化物、一氧化碳、硫化氢、氯、氟以及颗粒物等的容许排放量；液态污染物排放标准，主要是规定废水（废液）中所含的油类、需氧有机物、有毒金属化合物、放射性物质和病原体等的容许排放量；固态污染物排放标准，主要是规定填埋、堆存和进入农田等处的固体废物中的有害物质的容许含量。此外，还有物理性污染物排放标准，如噪声标准等。污染物排放标准按适用范围分为通用排放标准和行业排放标准。通用的污染物排放标准规定一定范围（全国或一个区域）内普遍存在或者危害较大的各种污染物的容许排放量，适用于各个行业。有的通用排放标准按不同排向（如水污染物按排入下水道、河流、湖泊、海域）分别规定容许排放量。行业的污染物排放标准规定某一行业所排放的各种污染物的容许排放量，只对该行业有约束力。因此，同一污染物在不同行业中的容许排放量可能不同。行业的污染物排放标准还可以按不同生产工序规定污染物容许排放量，如钢铁工业的废水排放标准可按炼焦、烧结、炼铁、炼钢、酸洗等工序分别规定废水中 pH 值、悬浮物总量和油等的容许排放量。

国家的污染物排放标准由国务院环境保护主管部门制定。制定污染物排放标准的原则，一是应当根据国家环境质量标准制定，使规定的污染物容许排放量尽量满足国家环境质量标准的要求；二是应当根据国家的经济和技术条件，考虑所规定的污染物容许排放量在经济上的合理性和控制技术上的可行性。

制定污染物排放标准的主要方法，一是按照污染物扩散规律来制定，应用污染物稀释和扩散模式来推算污染源排放口的容许排放量；二是按照最佳可行技术来制定，即按照本国生产的水平和技术、经济上可能达到的污染物控制能力来制定；三是按总量控制来制定，即按照环境质量标准的要求计算区域范围内污染物容许排放总量，确定各个污染源分摊率，从而确定它们的容许排放量。

二、关于地方污染物排放标准

除了有国家的污染物排放标准外，还有地方的污染物排放标准，因为环境污染有地域性特点，规定污染物排放标准必须考虑污染源所在地区的环境条件（如环境的自净能力）和区域范围内污染源的分布和特点等。地方污染物排放标准是指省、自治区、直辖市人民政府依法制定的适用于本行政区域内全部范围或者辖区内特定流域、区域的污染物排放标准。与地方环境质量标准一样，地方污染物排放标准的范围也比较窄，只包括大气污染物排放标准和水污染物排放标准。

地方污染物排放标准由省、自治区、直辖市人民政府制定，制定的原则是：对国家污染物排放标准中未作规定的项目，可以制定地方污染物排放标准；对国家污染物排放标准中已作规定的项目，可以制定严于国家污染物排放标准的地方污染物排放标准。这里的“严于国家污染物排放标准”，是指对于同类行业污染源或者同类产品污染源，采用相同监测方法，地方污染物排放标准规定的污染物项目限值、控制要求，在其有效期内严于相应时期的国家污染物排放标准。

地方污染物排放标准应当报国务院环境保护主管部门备案。根据《地方环境质量标准和污染物排放标准备案管理办法》的规定，省、自治区、直辖市人民政府或者受其委托的环境保护行政主管部门应当在地方污染物排放标准发布之日起45日内，向环境保护部备案。报送备案的地方污染物排放标准应当符合以下四项要求：一是已经省、自治区、直辖市人民政府批准。二是地方污染物排放标准应当参照国家污染物排放标准的体系结构制定，可以是行业型污染物排放标准和综合型污染物排放标准。行业型污染物排放标准适用于特定行业污染源或者特定产品污染源；综合型污染物排放标准适用于所有行业型污染物排放标准适用范围以外的其他各行业的污染源。三是对国家污染物排放标准中未规定的污染物项目，补充制定地方污染物排放标准。四是对国家污染物排放标准中已规定的污染物项目，制定严于国家污染物排放标准的地方污染物排放标准。环境保护部在收到地方污染物排放标准备案材料之日起45日内完成备案审查，对符合规定的，予以备案，并在环境保护部网站公布备案信息；对不符合规定的，不予备案，并函复报送备案的省、自治区、直辖市人民政府或者受其委托的环境保护行政主管部门，说明理由。对于地方污染物排放标准无法与国家污染物排放标准中的项目限值、控制要求比较宽严关系的，环境保护部暂缓备案。对暂缓备案的,环境保护部应当在收到备案材料之日起45日内书面说明理由,通知报送备案的省、自治区、直辖市人民政府或者受其委托的环境保护行政主管部门重新备案;重新备案的标准符合规定的,予以备案。

这里要指出四点:一是同地方环境质量标准一样,地方污染物排放标准中的污染物监测方法,应当采用国家环境保护标准。国家环境保护标准中尚无适用于地方污染物排放标准中某种污染物的监测方法时,应当通过实验和验证,选择适用的监测方法,并将该监测方法列入地方污染物排放标准的附录。适用于该污染物监测的国家环境保护标准发布、实施后,应当按新发布的国家环境保护标准的规定实施监测。二是在新制定发布的国家污染物排放标准严于地方污染物排放标准的情况下,省、自治区、直辖市人民政府应当及时依法对地方污染物排放标准进行修订或者废止,并重新向环境保护部报送备案。三是修订前的环境保护法关于污染物排放标准的第10条第3款规定"凡是向已有地方污染物排放标准的区域排放污染物的,应当执行地方污染物排放标准",此次修订后没有再作规定,主要是考虑到地方污染物排放标准只包括大气污染物排放标准和水污染物排放标准,而大气污染防治法、水污染防治法均已规定了凡是向已有地方污染物排放标准的区域排放大气污染物,或者向已有地方污染物排放标准的水体排放污染物的,应当执行地方大气污染物排放标准或者地方水污染物排放标准,因此本法无须再作重复性规定,所以作了删除处理。四是根据大气污染防治法的规定,省、自治区、直辖市人民政府规定对在用机动车实行新的污染物排放标准并对其进行改造的,须报经国务院批准。根据这一规定,经国务院批准,原国家环保总局于2001年2月发布了《地方机动车大气污染物排放标准审批办法》。根据该办法的规定，省、自治区、直辖市制定的严于国家排放标准的地方机动车大气污染物排放标准必须符合一定的条件才能获得批准，这些条件包括即使全面实施现行机动车大气污染物国家排放标准，由于机动车大气污染物排放造成的空气污染，使环境空气质量仍不能达到国家或地方的环境质量要求，或者使环境空气污染状况仍在加重等共计四项。因此，虽然地方可以制定严于国家排放标准的地方机动车大气污染物排放标准，但应当按照大气污染防治法和《地方机动车大气污染物排放标准审批办法》的规定报经国务院批准后才能实施。

**第十七条　国家建立、健全环境监测制度。国务院环境保护主管部门制定监测规范，会同有关部门组织监测网络，统一规划国家环境质量监测站（点）的设置，建立监测数据共享机制，加强对环境监测的管理。**

**有关行业、专业等各类环境质量监测站（点）的设置应当符合法律法规规定和监测规范的要求。**

**监测机构应当使用符合国家标准的监测设备，遵守监测规范。监测机构及其负责人对监测数据的真实性和准确性负责。**

**【释义】**　本条是关于环境监测的规定。

修订前的环境保护法第 11 条第 1 款对环境监测作了规定，即国务院环境保护行政主管部门建立监测制度，制定监测规范，会同有关部门组织监测网络，加强对环境监测的管理。环境监测是环境保护工作的基础性工作，无论是对环境形势的总体评估还是对个别案件的查处，都要以环境监测数据为依据。同时，社会公众对环境监测也比较关心，希望能够及时获得与生活密切相关的有关大气、水等领域的监测数据。当前，在环境监测工作中，如何确保监测数据真实性、准确性，如何统一规划设置监测站点、避免重复的问题较为突出，在法律修改过程中，有些意见提出环境监测条款的内容应当重点解决这两个问题。

一、环境监测的发展历程及存在的问题

据环保部提供的资料，我国的环境监测工作起步于20世纪70年代中期。到1980年，环境保护部门已建成350多个环境监测站。全国各相关部门和行业按照职能分工，在各领域开展环境监测工作：地矿部门在地质矿产工作中开展了地下水水质监测，水利部门在水文监测工作中开展了水质监测，海洋部门在海洋科学考察工作中开展了海水水质监测，气象部门在气象预测工作中开展了酸雨等方面的监测；冶金、钢铁、石化、航天、船舶等行业在工业制造过程中也开展了相关污染源监测。

"六五"和"七五"期间，环境保护部门的环境监测站快速发展，从中央到地方省、市和部分县，都建立了环境监测站。"八五"期间，形成了以环境质量监测为核心的监测网络。"九五"以来，国家大力加强环境监测能力建设，建立了先进的大气、地表水自动监测网络，实施监测的实时监视和日报、周报制度。我国环境监测事业经过30多年的发展，已建立了覆盖水、气、噪声、生态、核与辐射等多种环境要素的环境监测网络、技术和管理体系。目前，我国环境监测工作已基本做到了组织机构网络化、监测分析技术体系化、监测能力建设标准化，形成了以环保部门环境监测为主，其他资源部门环境监测为辅的体系构架。但是，环境监测管理工作还存在以下几个问题：

一是环境监测网络缺乏统一规划、合理布局。多年来，国家对环境监测网的建设和发展缺乏统筹的布局和规划，并未要求地方政府对环境监测工作进行规划。各地环境监测工作能力发展差距大，各地环境监测站点重复建设的问题也非常严重。现行法律和国务院"三定"方案对环境保护主管部门和其他有关主管部门的环境监测职责职能均提出了要求。因此，实践中，环保部门与其他有关主管部门设置的环境监测点位（断面）存在重复设置、重复建设的问题，造成了资源浪费。环境监测数据具有区域性、可共享的特点，应当统一规划国家环境质量监测站点的设置，合理布局，建立监测数据共享机制。

二是环境监测技术规范、评价方法不统一。目前，环境监测方法和技术规范除国家标准外，各部门的监测技术规范均是各有关部门根据需要制定并实施的行业标准，包括网络设计、点位要求、评价技术、信息规范等。实践中，由于开展监测的相关部门制定的行业规范不统一，导致监测数据缺乏可比性。同时，各部门在实际工作中，选择的标准规范也不同。这些差异，直接导致数据出现偏差，甚至相互矛盾，给政府造成了不良的社会影响，更不利于政府和管理部门决策。此外，由于各监测机构监测目的不同，使用的设备、仪器规格不一，采样取样点位、断面不一致，分析过程中参照的标准规范各取所需，有的按照国家规范和标准方法分析监测数据，有的按照行业规范和标准方法分析监测数据，有的参照国外规范和标准方法分析监测数据，造成了监测数据不一致。

三是环境监测信息发布不一致。由于缺乏统一的规划设计，加上数据壁垒，导致监测信息和监测数据共享程度低，信息发布渠道过多。政府部门以及某些社会检测机构各自发布环境监测信息，导致环境监测信息相互矛盾，有时相同信息内容而评价结论相悖，既不利于管理决策，也会造成不良的社会影响，甚至影响经济发展和社会稳定，给人民生活和社会稳定带来了困扰。

四是环境监测数据质量缺乏有效保障。环境监测质控管理体系不健全，各地对监测数据的质量控制能力不均衡，监测数据质量缺乏有效保障。环境监测点位布设随意性大，易对环境监测数据造成影响,自动环境监测仪器数据质量不稳定。有的地方为保护地方短期经济利益,环境监测数据常常“被达标”,监测结果甚至被随意更改,使环境监测数据质量缺乏有效保障,不能有效满足环境管理工作的需求。

二、保障监测站点科学、规范设置

本条第1款是针对当前存在的环境监测网络缺乏统一规划、合理布局,环保部门与其他有关主管部门设置的环境监测点位(断面)存在重复设置、重复建设造成资源浪费的问题,明确统一规划设置国家环境质量监测站点,建立监测数据共享机制。同时,在第2款明确有关行业、专业等各类环境质量监测站点的设置也应当符合海洋环境保护法、水法等法律法规的规定。

在实际工作中,环境监测数据的获取对环境监测方法、点位(断面)设置、采集条件等有较高要求,不同点位(断面)、采集条件下对同一环境要素实施监测获得的数据、资料可能存在巨大差异。因此,本条第2款针对当前存在的环境监测技术规范、评价方法不统一,造成部门间的监测数据不可比较,不利于政府和管理部门决策,甚至造成不良社会影响的问题,明确有关行业、专业等各类环境质量监测站点的设置应当符合监测规范的要求。

三、保障监测数据真实有效

本条第3款是针对当前环境监测质量控制体系不健全、环境监测数据不真不实等造成的环境监测数据质量缺乏有效保障的问题,明确监测机构应当使用符合国家标准的监测设备,遵守监测规范,完善环境监测质量控制体系,同时要求监测机构及其负责人应当如实、客观地报出监测数据,并对监测数据的真实性和准确性负责。

**第十八条　省级以上人民政府应当组织有关部门或者委托专业机构，对环境状况进行调查、评价，建立环境资源承载能力监测预警机制。**

**【释义】** 本条是关于环境资源承载能力监测预警机制的规定。

中共中央《关于全面深化改革若干重大问题的决定》提出，要建立资源环境承载力监测预警机制，对水土资源、环境容量和海洋资源超载区域实行限制性措施。这进一步加强了环境资源承载力这一重要指标在国土空间开发保护中的重要指示作用。在修改过程中，有些意见提出，建立环境资源承载力监测预警机制有利于建立完善科学的空间规划体系，加强生态环境的保护、恢复和监管，是建设美丽中国，实现生态文明的重要改革部署，建议将此纳入法律。

一、关于环境资源承载能力

环境资源承载能力是指某区域一定时期内，在确保资源合理开发利用和生态环境良性循环的条件下，环境及资源能够承载的人口数量及相应的经济社会活动总量的能力和容量。环境资源承载力是一个包含了环境、资源要素的综合承载力概念。其中，环境承载力是指某一时期，某种环境状态下，支持某一区域环境对人类社会、经济活动的最大限度；资源承载力是指一个国家或一个地区资源的数量和质量，支持该空间内人口的基本生存和发展的最大限度。从具体领域看，环境资源承载力主要包括大气环境承载力、水资源承载力、土地资源承载力、矿产资源承载力等。

环境资源承载力是可持续发展理念的重要体现。据有关专家介绍，承载力原本是力学指标，后引入生态领域，特指在某一特定环境条件下维持某种个体存在数量的最高极限。20 世纪

80年代初,联合国教科文组织提出了资源承载力的概念,主要探讨人口与资源的关系。环境资源承载力作为衡量人类社会经济与环境协调程度的一把标尺,意味着人类的活动必须保持在地球所能承受的资源、环境的限度之内。

环境资源承载力是一个动态变化过程,受到人口规模、开发程度、城镇化规模、产业发展、基础设施建设、空间布局、气候和自然条件等多重因素的影响,建立监测预警机制有利于实时掌握当前环境资源承受能力,制定符合当前环境资源形势的决策部署和相关政策,找准承载力的制约因素和薄弱环节进行补充强化,避免过度开发,突破资源环境承载力的底线,一旦自然环境失去自我恢复的能力,将产生不可逆的后果。

二、环境资源承载力监测预警机制的内容

根据国家发改委有关机构的研究,建立环境资源承载力监测预警机制,应当包括以下内容:

一是落实主体功能区战略。要严格落实全国主体功能区规划和各省制定的主体功能区规划,建立国土空间开发保护制度,严格按照主体功能区定位推动发展。要落实最严格的环境资源管理制度,让生态系统休养生息。扩大森林、湖泊、湿地等绿色生态空间,增强水源涵养能力和环境容量,让透支的环境资源逐步休养生息。

二是科学测算环境资源承载力。科学测算区域的环境资源承载力是国土空间规划的基础,是划定主体功能定位的基本依据。应建立一套系统完整规范的环境资源承载力综合评价指标体系,结合现有的研究成果,采用综合评价的方法对资源环境承载力进行测算。由于不同地区的环境条件和资源禀赋存在巨大差异,应结合主体功能区划进行分类测算,可以根据城市(群)地区发育程度、资源的储量与保障能力、生态重要性与生态脆弱性等因素，将地区划分为城市群地区、资源型城市、生态保护重点区等类型。环境资源承载力的测算结果应该是确定合理的人口规模、产业规模、建设用地供应量、资源开采量、能源消费总量、污染物排放总量等，各地区可以结合自己的实际情况积极开展研究。从承载力现有研究成果可以看出，遥感（RS）和地理信息系统（GIS）技术具有强大的数据处理、分析和展示功能，复杂系统分析方法将资源环境和社会经济系统作为一个整体，综合考虑各子系统之间的相互联系，通过模拟、情景分析和优化等方法分析计算区域资源环境承载力，具有很高的可信性，应充分发挥复杂系统方法、GIS、RS 等先进技术方法的作用。

三是建立环境资源承载力统计监测工作体系，加强基础能力建设。要布局建设覆盖区域范围内所有敏感区、敏感点的主要污染物监测网络，完善环境资源的信息采集工作体系，建立环境资源承载力动态数据库和计量、仿真分析以及预警系统。深入研究不同发展情景下的环境影响、资源压力及其时空特征，使环境资源承载力的动态性特征在评价过程中加以体现。迫切需要加强环境资源承载力监测评价的规范化与标准化工作，积极开展区域承载力监测评价与示范。

四是建立环境资源承载力预警响应机制。要开展定期监控，设立环境资源承载力综合指数，设置预警控制线和响应线。建立环境资源承载力公示制度。做好与关联的资源环境制度政策的配套和衔接。充分发挥环境资源承载力的指标作用，以承载力为依据，合理确定产业规模，对国土规划目标、任务和主要内容进行适当调整。做好预警应对工作，及时落实好限产、限排等污染防控措施。大力加强环境执法监管，严格问责，在环境污染重点区域，有效开展污染联防联控工作，逐步建立协作长效机制。

**第十九条 编制有关开发利用规划，建设对环境有影响的项目，应当依法进行环境影响评价。**

**未依法进行环境影响评价的开发利用规划，不得组织实施；未依法进行环境影响评价的建设项目，不得开工建设。**

**【释义】** 本条是关于环境影响评价的规定。

环境影响评价作为一种环保手段和方法，是在20世纪中期提出来的。第二次世界大战以后，全球经济加速发展，由此带来的环境问题也越来越严重，环境公害事件频繁发生，人们开始关注人类活动对环境的影响，并运用各个学科的研究成果，预测和评估计划中的人类活动可能会给环境带来的影响和危害，并有针对性地提出相应的防治措施。经过一段实践，1964年在加拿大召开的国际环境质量评价会议上，学者们提出了“环境影响评价”的概念。1969年，美国国会通过了《国家环境政策法》，首次以法律的形式将环境影响评价作为一项制度规定下来。该项法案要求，美国联邦政府在作出可能对人类环境产生影响的规划和决定时，应当确保环境资源和环境价值也能在作出决定时与经济和技术问题一并得到适当的考虑，同时对拟议中的对环境质量可能产生重大影响的行动提供各种可供选择的替代方案。为达到这一目的，联邦政府应综合利用自然科学和社会科学以及环境设计工艺的系统的、多学科的方法，并与环境质量委员会进行磋商，确定并发展各种环境影响评价的方法和程序。环境影响评价应当征求依法享有管辖权或者拥有特殊的专门知识的联邦官署的意见，同时应当向公众公布。

由于环境影响评价制度的实施对防止环境受到人类活动的侵害具有科学的预见性，这项制度很快就在世界范围广泛传播，为许多国家或地区环境立法所确立。加拿大1995年颁布的《环境评价法》、新西兰1991年颁布的《资源管理法》、英国1988年和1989年分别颁布的《城乡规划(环境影响评价)条例》和《环境评价条例》、日本 1997 年颁布的《环境影响评价法》、我国台湾地区 1994 年颁布的“环境影响评估法”等,都对环境影响评价制度作了规定。环境影响评价制度已逐步成为国际社会通用的一项环境管理制度。

环境影响评价制度也是我国环境保护的主要法律制度之一,对于贯彻预防为主的基本原则,防止新的污染源出现发挥着极为重要的作用。1979 年环境保护法(试行),最先对老城市改造和新城市建设的环境影响评价作出了规定。修订前的环境保护法明确了建设项目要编制环境影响报告书。2003 年制定了专门的环境影响评价法,完善了我国环境影响评价制度。本次环境保护法修订,既与环境影响评价法进行了衔接,增加规划环境影响评价的规定,又明确规定未依法进行环境影响评价的开发利用规划,不得组织实施;未依法进行环境影响评价的建设项目,不得开工建设。

一、环境影响评价的概念和内容

根据环境影响评价法的规定,环境影响评价是指,对规划和建设项目实施后可能造成的环境影响进行分析、预测和评估,提出预防或者减轻不良环境影响的对策和措施,进行跟踪监测的方法与制度。

环境影响评价包括规划环境影响评价和建设项目环境影响评价。规划环境影响评价是指,国务院有关部门、设区的市级以上地方人民政府及其有关部门,对其组织编制的土地利用的有关规划和区域、流域、海域的建设、开发利用规划(综合性规划),以及工业、农业、畜牧业、林业、能源、水利、交通、城市建设、旅游、自然资源开发的有关专项规划(专项规划)进行的环境影响评价。进行规划环境影响评价,应当在规划草案中编写有关环境影响的篇章或者说明。规划有关环境影响的篇章或者说明，应当对规划实施后可能造成的环境影响作出分析、预测和评估，提出预防或者减轻不良环境影响的对策和措施。

建设项目环境影响评价，是指国家根据建设项目对环境的影响程度对建设项目进行的环境影响评价。可能造成重大环境影响的，应当编制环境影响报告书，对产生的环境影响进行全面评价；可能造成轻度环境影响的，应当编制环境影响报告表，对产生的环境影响进行分析或者专项评价；对环境影响很小、不需要进行环境影响评价的，应当填报环境影响登记表。建设项目的环境影响评价分类管理名录，由国务院环境保护行政主管部门制定并公布。建设项目环境影响报告书包括下列内容：建设项目概况、建设项目周围环境现状、建设项目对环境可能造成影响的分析和预测、环境保护措施及其经济、技术论证、环境影响经济损益分析、对建设项目实施环境监测的建议、环境影响评价结论。

二、禁止未进行环评先实施、先建设

1. 未依法进行环境影响评价的开发利用规划，不得组织实施。环境影响评价法规定，综合规划有关环境影响的篇章或者说明，应当对规划实施后可能造成的环境影响作出分析、预测和评估，提出预防或者减轻不良环境影响的对策和措施，作为规划草案的组成部分一并报送规划审批机关。未编写有关环境影响的篇章或者说明的规划草案，审批机关不予审批。专项规划的编制机关在报批规划草案时，应当将环境影响报告书一并附送审批机关审查；未附送环境影响报告书的，审批机关不予审批。

2. 未依法进行环境影响评价的建设项目，不得开工建设。环境影响评价法对此也有相似规定。未依法进行环境影响评价的行为包括两种：一是建设单位未提交建设项目环境影响评价文件,擅自开工建设的行为;二是建设项目环境影响评价文件未经批准,建设单位擅自开工建设的行为。

这一规定,不仅仅是与环境影响评价法的规定相衔接,主要还有两个方面的考虑:一是解决当前的突出问题。环境影响评价制度确立以后,为防止建设项目对环境产生严重的不良影响起到了重要作用。但由于过去若干年来一些地方过于重视GDP的增长,而忽视对环境的保护。一些地方放任建设项目"先上车后买票",甚至没有环境影响评价就上马,如有的地方近80%的钢铁项目是未批先建的。这种做法正不断蚕食着环境影响评价制度的根基。基于此,《国务院关于印发大气污染防治行动计划的通知》明确提出,对未批先建、边批边建、越权核准的违规项目,尚未开工建设的,不准开工;正在建设的,要停止建设。对未通过环评审查的项目,有关部门不得审批、核准、备案,不得提供土地,不得批准开工建设,不得发放生产许可证、安全生产许可证、排污许可证,金融机构不得提供任何形式的新增授信支持,有关单位不得供电、供水。本法对这些突出现实问题也作出有针对性的规定。二是为本法第61条和第63条法律责任的规定提供依据。第61条对环境影响评价法中的"补办环评"作了调整;第63条增加了对未评先建的行政拘留的规定。

关于未批先建的法律责任,本法第61条规定,建设单位未依法提交建设项目环境影响评价文件或者环境影响评价文件未经批准,擅自开工建设的,由负责审批建设项目环境影响评价文件的部门责令停止建设,处以罚款,并可以责令恢复原状。第63条规定,建设项目未依法进行环境影响评价,被责令停止建设,企业事业单位和其他生产经营者拒不执行,尚不构成犯罪的,除依照有关法律法规规定予以处罚外,由县级以上政府环境保护主管部门或者其他有关部门将案件移送公安机关，对其直接负责的主管人员和其他直接责任人员，处 10 日以上 15 日以下拘留；情节较轻的，处 5 日以上 10 日以下拘留。

**第二十条 国家建立跨行政区域的重点区域、流域环境污染和生态破坏联合防治协调机制，实行统一规划、统一标准、统一监测、统一的防治措施。**

**前款规定以外的跨行政区域的环境污染和生态破坏的防治，由上级人民政府协调解决，或者由有关地方人民政府协商解决。**

**【释义】** 本条是关于区域联防联控的规定。

行政区域有界，生态环境无界。建立环境污染、生态破坏区域联防联控制度就是面对环境整体性、环境要素流动性的特点，主动克服行政管理的地域性、分割性而进行的制度设计。北京奥运会、上海世博会、广州亚运会空气质量保障工作以及国际上区域空气质量管理的成功经验证明，实施区域大气污染联防联控工作机制，是改善区域空气质量的有效途径。与修改前的条款相比，本条规定突出了重点区域、流域联合防治协调机制的实效性，突出了上级政府在跨行政区域环境污染和生态破坏工作中的重要作用。

一、实行区域联防联控的探索

据有关部门介绍，随着环境污染的区域化特点愈发显现，国家很多年前已开始探索区域联防联控机制。2001 年，国家在太湖流域确立了由原国家环保总局牵头，流域内地方环境保护部门为主，各相关单位配合的污染防治领导小组联席会议机制。2002 年以后，环保部门开始在各个流域推广实行，目前已经在松花江流域、辽河流域、海河流域等重点流域开始实施，这是目前较好的一种流域污染防治协调机制。

2009 年 4 月，国务院办公厅转发了环境保护部会同发展改革委、监察部、财政部、住房城乡建设部、水利部制定的《重点流域水污染防治专项规划实施情况考核暂行办法》(以下简称《办法》)。《办法》分清了流域上下游的责任，调动了地方治污的积极性，促使地方结合本地实际，有针对性地采取防治水污染的对策和措施，形成齐抓共管的治污局面，促进地方政府组织各有关部门，加强配合，联合治污，解决水环境保护中的热点、难点问题。

国务院于 2010 年 5 月 11 日发布了《关于推进大气污染联防联控工作改善区域空气质量的指导意见》，明确要求建立大气污染区域联防联控机制，形成区域大气环境管理的法规、标准和政策体系，确保酸雨、灰霾和光化学烟雾污染明显减少，区域空气质量大幅改善。切实发挥国家各区域环境督查派出机构职能，加强对区域和重点城市大气污染防治工作的监督检查和考核，定期开展重点行业、企业大气污染专项检查，组织查处重大大气环境污染案件，协调处理跨省区域重大污染纠纷，打击行政区边界大气污染违法行为。

2011 年 9 月国务院公布《太湖流域管理条例》，规定太湖流域实行流域管理与行政区域管理相结合的管理体制，建立健全太湖流域管理协调机制，统筹协调太湖流域管理中的重大事项。

2012 年 4 月国务院批复的《重点流域水污染防治规划(2011－2015 年)》明确：加强组织领导，落实政府责任，国务院各部门要按照职能分工，加强协调配合，探索流域省际环境保护合作框架，建立定期会商制度和协作机制，形成治污合力。

从实践来看，这些规定和探索取得了很好的效果，为在法律中规定、完善区域联防联控制度奠定了坚实的实践基础。

二、在法律中健全区域联防联控制度的必要性

环保部在环境保护法修改中提出,目前,区域污染日益突出,仅从行政区划角度考虑单个地区或者某段流域的污染防治措施,仅靠单个地区或者某段流域的“各自为战”已难以解决污染问题,加强跨行政区污染防治协调,亟待建立和完善区域联防联控制度,并在法律层面予以固定。以区域性大气污染为例分析其产生的原因,凸显出区域联防联控制度的必要性:一是大部分地区产业结构和工业结构仍相对落后,工业高强度开发及城市膨胀,不仅使大气环境容纳污染物的能力减弱,同时也使排放源结构发生重大改变。排放源从相对集中于城区向分布于城区外转移,从而使区域内污染排放连绵成片。二是城市间大气污染物传输叠加导致大气复合污染特征显现,空气污染的程度进一步加重。从污染分布态势上来看,在京津冀、长三角、珠三角、辽中、中原、川渝等城市群,均出现了一定范围内污染物连绵成片的区域污染态势,其中以京津冀、长三角、珠三角地区最为严重。三是由于高密集度、高负荷城市间干线交通网络形成,交通源排放成为城市群区域大气污染重要来源。同时,与发达国家和地区相比,我国区域联防联控方面还存在以下问题:一是政策措施仍然侧重于对传统大气污染物的防控,对臭氧、灰霾等新型污染问题的规定滞后,对导致酸雨污染的氮氧化物、灰霾和光化学烟雾的排放控制规定还处于初级阶段。二是立法没有把区域联防联控上升到保证环境安全的高度,造成制度建设缺乏系统性和全局性。

三、重点区域、流域的联合防治协调机制和其他区域联合防治协调机制

本条第1款规定了重点区域、流域环境污染和生态破坏联合防治协调机制,并明确在这些区域实行统一规划、统一标准、

统一监测、统一的防治措施。重点区域、流域由国务院、国务院环境保护主管部门或者其他负有环境保护监督管理职责的部门，根据实际情况确定。以大气为例，根据国务院批准的《重点区域大气污染防治“十二五”规划》，大气污染防治的重点区域有京津冀、长三角、珠三角区域与山东城市群；辽宁中部、武汉及其周边、长株潭、成渝、海峡西岸城市群；山西中北部、陕西关中、甘宁、新疆乌鲁木齐城市群。当然，这些区域的防控重点和防控任务有所不同，具体的协调机制内容可以有所区别，不应“一刀切”。对于在省内的重点区域，省政府根据需要，也可以组织建立相应机制，调动有关下级政府联合防治。需要说明的是，本条特别作出“实行统一规划、统一标准、统一监测、统一的防治措施”的规定，具有很强的针对性。如目前在京津冀地区，北京、天津、河北三地使用的机动车油品标准并不一样，使用低油品地区产生的污染物，一定程度上降低了使用高油品地区改善环境质量的有效性。

本条第2款规定，重点区域、流域以外的跨行政区域的环境污染和生态破坏的防治，由上级人民政府协调解决，或者由有关地方人民政府协商解决。与修改之前相比，主要是强调了上级政府协调解决的重要性。在修改过程中，不少意见提出，区域协商在实践中是非常困难的，出于地方经济发展等各方面的考虑，仅靠平级的有关政府进行协商很难达成共识，尤其需要上级政府介入，进行指导和协调。

**第二十一条　国家采取财政、税收、价格、政府采购等方面的政策和措施，鼓励和支持环境保护技术装备、资源综合利用和环境服务等环境保护产业的发展。**

**【释义】**　本条是关于国家鼓励和支持环境保护产业发展

的规定。

环境保护产业是以防止环境污染、改善生态环境、保护自然资源为目的所进行的技术开发、产品生产、商业流通、资源利用、信息服务、工程承包、自然保护开发等活动的总称。环保产业是具有高增长性、吸纳就业能力强、综合效益好的战略性新兴产业。环保产业是一个跨产业、跨领域、跨地域,与其他经济部门相互交叉、相互渗透的综合性新兴产业。由于其符合资源利用合理化、废物产生减量化、无污染、少污染的全球新经济结构调整要求和可持续发展原则,从而显示出强劲的生命力,是目前世界上发展最快、规模最大的新型产业之一,并被誉为"绿色产业"。

发展环保产业,是调整经济结构、转变经济发展方式的内在要求,是推动节能减排,发展绿色经济和循环经济,抢占未来竞争制高点的战略选择。加快发展环保产业,对拉动投资和消费,形成新的经济增长点,推动产业升级和发展方式转变,促进节能减排和民生改善,具有十分重要的意义。据统计,2010 年,我国节能环保产业总产值达 2 万亿元,从业人数 2800 万人。《国务院关于加快发展节能环保产业的意见》提出的目标是,节能环保产业产值年均增速在 15% 以上,到 2015 年,总产值达到 4.5 万亿元,成为国民经济新的支柱产业。

经过多年发展,我国环保产业领域不断拓展,已经形成具有一定规模、门类基本齐全的产业体系。但环保产业对国民经济的贡献率低,对环境保护事业的支撑能力不足,环境服务业发育不良、产业层次不高、市场规范不够、参与国际竞争能力不强,影响和制约我国环保产业健康发展的一些深层次因素尚未根本解决,与经济社会、环境保护不相适应的状况仍然突出,亟待着力培育发展。本法第 7 条规定,国家鼓励环境保护产业发展。

一、环保产业的分类

环保产业主要包括环境保护技术装备、资源综合利用和环境服务等方面。

1. 环境保护技术装备。包括:提供废水处理、固体废物处理、大气污染控制、噪声控制等设备和技术、环境监测仪器和设备、环保科学技术研究和实验室设备、环境事故处理和用于自然保护以及提高城市环境质量的技术和设备等。

2. 资源综合利用。包括:(1)共生、半生矿产资源综合利用。如煤系共生、瓦斯等。(2)废水(液)、废气和废渣资源综合利用。如河道淤泥、工业废水、垃圾等。(3)再生资源综合利用。包括废轮胎、锯末、农作物秸秆等。

3. 环境服务。包括:一是专业化服务业。为排污企业环保基础设施提供社会化运营服务,典型的是特许经营。如为钢铁企业提供脱硫、脱硝设施维护、运营服务。二是环境咨询服务业。包括环境政策咨询、环境战略咨询、环境规划咨询、环境工程咨询、环境技术咨询、环境法律咨询、环境服务贸易咨询等专业咨询服务业。

二、鼓励和支持

1. 关于财政支持。《国务院关于加快发展节能环保产业的意见》提出,加大中央预算内投资和中央财政节能减排专项资金对节能环保产业的投入,继续安排国有资本经营预算支出支持重点企业实施节能环保项目。地方各级政府加大对节能环保重大工程和技术装备研发推广的投入力度。继续采取补贴方式,推广高效节能照明、高效电机等产品。落实相关支持政策,推动粉煤灰、煤矸石、建筑垃圾、秸秆等资源综合利用产品的应用。

2. 关于税收支持。根据企业所得税法第 28 条规定,对国家需要重点扶持的环保高新技术企业，减按15%的税率征收企业所得税。循环经济促进法规定，国家对促进循环经济发展的产业活动给予税收优惠。《关于资源综合利用及其他产品增值税政策的通知》提出，调整和完善部分资源综合利用产品的增值税政策，主要包括：(1)对销售再生水、翻新胶胎等自产货物实行免征增值税；(2)对污水处理劳务免征增值税；(3)对销售以工业废气为原料生产的高纯度二氧化碳产品等自产货物实行增值税即征即退的政策；(4)销售煤矸石、煤泥、石煤、油母页岩为燃料生产的电力和热力等自产货物实现的增值税实行即征即退50%的政策；(5)对销售自产的综合利用生物柴油实行增值税先征后退政策。

3. 关于价格支持。循环经济促进法规定，对利用余热、余压、煤层气以及煤矸石、煤泥、垃圾等低热值燃料的并网发电项目，价格主管部门按照有利于资源综合利用的原则确定其上网电价。《国务院关于加快发展节能环保产业的意见》提出，加快制定实施鼓励余热余压余能发电及背压热电、可再生能源发展的上网和价格政策。

4. 关于绿色采购。《国务院关于加快发展节能环保产业的意见》提出，完善政府强制采购和优先采购制度，扩大政府采购节能环保产品范围，不断提高节能环保产品采购比例。政府普通公务用车要优先采购1.8升(含)以下燃油经济性达到要求的小排量汽车和新能源汽车，择优选用纯电动汽车，研究对硒鼓、墨盒、再生纸等再生产品以及汽车零部件再制造产品的政府采购支持措施。鼓励政府机关、事业单位采取购买服务的方式，提高能源、水等资源利用效率，降低使用成本。

5. 关于绿色信贷。《国务院关于加快发展节能环保产业的意见》提出，支持融资性担保机构加大对符合产业政策、资质好、管理规范的节能环保企业的担保力度。支持符合条件的节能环保企业发行企业债券、中小企业集合债券、短期融资券、中期票据等债务融资工具。选择资质条件较好的节能环保企业，开展非公开发行企业债券试点。鼓励和引导民间投资和外资进入节能环保领域。

**第二十二条　企业事业单位和其他生产经营者，在污染物排放符合法定要求的基础上，进一步减少污染物排放的，人民政府应当依法采取财政、税收、价格、政府采购等方面的政策和措施予以鼓励和支持。**

**【释义】**　本条是关于对减排企业鼓励和支持的规定。

由于生产经营活动一般具有逐利性，对于无利可图的环境保护，企业事业单位和其他生产经营者往往缺乏主动性。这就需要外部的措施促使生产经营者从事环保。一种方式是通过处罚、赔偿、信息公开、公众参与等方式对生产经营者施压，让其承担环保责任；另一种方式是通过财政、税收、价格、政府采购等方面的政策和措施予以支持。随着我国环境污染的问题日益突出，环境管理的方式也面临着挑战，单一靠事后惩戒已不能适应新形势的要求，需要通过经济手段来激励生产经营者的环境保护积极性，促使其自觉实施清洁生产、循环利用资源并减少污染排放，推动环境保护事业健康发展。

减排企业获取鼓励和支持，必须具备两个前提条件：一是排放污染物达到污染物排放标准和按照重点污染物排放总量控制指标要求；二是在上述基础上，进一步减少污染物排放。

一、国外的政策和措施

1. 关于财政支持。美国 1980 年在《固体废弃物处置法》中规定了对能减少各种废弃物产生的新工艺或对工艺进行改造，给予财政补贴。法国每年给清洁生产示范工程补贴 10% 的投资;1980 年起还设立了无污染工厂的奥斯卡奖金,奖励在采用清洁生产方面做出成绩的企业。荷兰对清洁生产企业提供占新设备费用 15% ~40% 的补贴。

2. 关于税收优惠。例如,日本、法国、印尼等国对节能环保汽车减税。

3. 关于绿色采购。推进绿色采购,促进需求向环保产品转变是国外的普遍做法。发达国家推动绿色采购的方式大致可分为两种模式:一种是政府绿色采购,如美国、法国、丹麦、日本;另一种是以民间团体自发的绿色采购为主导,政府仅处于辅助、协助地位,如瑞士。

二、我国的政策和措施

1. 关于财政支持。清洁生产促进法规定,对必须进行强制性清洁生产审核以外的企业,可以自愿与清洁生产综合协调部门和环境保护部门签订进一步节约资源、削减污染物排放量的协议。对协议中载明的技术改造项目,由县级以上政府给予资金支持。循环经济促进法规定,国务院和省、自治区、直辖市人民政府设立发展循环经济的有关专项资金,支持循环经济的科技研究开发、循环经济技术和产品的示范与推广、重大循环经济项目的实施、发展循环经济的信息服务等。

2. 关于税收优惠。企业所得税法规定,从事符合条件的环境保护、节能节水项目的所得可以免征、减征企业所得税;企业购置用于环境保护、节能节水、安全生产等专用设备的投资额,可以按一定比例实行税额抵免。车船税法规定,对节约能源、使用新能源的车船可以减征或者免征车船税。清洁生产促进法、循环经济促进法等法律中对清洁生产、综合利用资源的活动给予税收优惠。

3. 关于价格支持。《国家环境保护"十二五"规划》提出，落实燃煤电厂烟气脱硫电价政策，研究制定脱硝电价政策。根据有关政府文件，现有燃煤机组按要求安装设施后，其上网电量执行在现行上网电价基础上每千瓦时加价1.5分钱的脱硫加价政策和加价0.8分钱的脱硝加价政策。

4. 关于绿色采购。清洁生产促进法规定，各级人民政府应当优先采购节能、节水、废物再生利用等有利于环境与资源保护的产品。各级人民政府应当通过宣传、教育等措施，鼓励公众购买和使用节能、节水、废物再生利用等有利于环境与资源保护的产品。循环经济促进法规定，国家实行有利于循环经济发展的政府采购政策。使用财政性资金进行采购的，应当优先采购节能、节水、节材和有利于保护环境的产品及再生产品。《国家环境保护"十二五"规划》提出，推行政府绿色采购，逐步提高环保产品比重，研究推行环保服务政府采购；制定和完善环境保护综合名录。

5. 关于绿色信贷。循环经济促进法规定，对符合国家产业政策的节能、节水、节地、节材、资源综合利用等项目，金融机构应当给予优先贷款等信贷支持，并积极提供配套金融服务。《国家环境保护"十二五"规划》提出，建立企业环境行为信用评价制度，加大对符合环保要求和信贷原则企业和项目的信贷支持。建立银行绿色评级制度，将绿色信贷成效与银行工作人员履职评价、机构准入、业务发展相挂钩。

**第二十三条　企业事业单位和其他生产经营者，为改善环境，依照有关规定转产、搬迁、关闭的，人民政府应当予以支持。**

**【释义】**　本条是关于对环境污染整治企业的搬迁、转产、关闭的支持的规定。

目前,我国已步入经济发展转型期,这一时期以转变方式为主线。我国长期以来实行传统的粗放型的经济增长方式,"三高一低"(高能耗、高污染、高排放、低效率)是其基本特征。建设项目大多以牺牲环境、大量消耗资源能源为代价换取利润,造成了大量资源能源的浪费和严重的环境污染。要加快转变我国经济发展方式,必然要求我国经济发展模式从以"三高一低"为特征的高碳型模式,向"三低一高"(低能耗、低污染、低排放、高效率)为特征的环保模式转变,走经济效益好、资源消耗低、环境污染少的新型工业化道路。在突破传统发展模式的路径依赖过程中,需要进行产业结构调整,按照环境保护的要求淘汰落后产能,主要是电力、炼铁、炼钢、焦炭、电石、铁合金、电解铝、水泥、平板玻璃、造纸、酒精、味精、柠檬酸、铜冶炼、铅冶炼、锌冶炼、制革、印染、化纤以及涉及重金属污染的行业。这些行业中的一些企业按照有关规定转产、搬迁和关闭。搬迁的企业,应进入统一的工业园区(集中区),对污染进行统一的治理,以避免污染转移。对这些确实改善了环境的企业,人民政府应当予以支持。

《国务院关于印发大气污染防治行动计划的通知》提出,有序推进位于城市主城区的重污染企业环保搬迁、改造,到2017年基本完成。建立以节能环保标准促进行业过剩产能退出的机制。制定财政、土地、金融等扶持政策,支持产能过剩行业企业退出、转型发展。《国务院关于进一步加强淘汰落后产能工作的通知》提出,以电力、煤炭、钢铁、水泥、有色金属、焦炭、造纸、制革、印染等行业为重点加快淘汰落后产能。中央财政利用现有资金渠道,统筹支持各地区开展淘汰落后产能工作。资金使用重点支持解决淘汰落后产能有关职工安置、企业转产等问题。对经济欠发达地区淘汰落后产能工作,通过增加转移支付加大支持和奖励力度。对积极淘汰落后产能企业的土地开发利用，在符合国家土地管理政策的前提下，优先予以支持。《淘汰落后产能中央财政奖励资金管理办法》提出，中央财政将继续安排专项资金，对经济欠发达地区淘汰落后产能工作给予奖励。中央财政根据年度预算安排、地方当年淘汰落后产能目标任务、上年度目标任务实际完成和资金安排使用情况等因素安排奖励资金。对具体项目的奖励标准和金额由地方根据本办法要求和当地实际情况确定。奖励资金必须专项用于淘汰落后产能企业职工安置、企业转产等淘汰落后产能相关支出。优先支持淘汰落后产能企业职工安置，妥善安置职工后，剩余资金再用于企业转产、化解债务等相关支出；优先支持淘汰落后产能任务重、职工安置数量多和困难大的企业，主要是整体淘汰企业。

一些地方对环境污染整治企业的搬迁、转产、关闭的支持作了具体规定。例如浙江，对转产企业，运用先进技术、设备和工艺，建设污染治理设施，实施清洁生产，发展循环经济的，各级政府在技术改造、环境保护与治理等专项资金补助安排上给予支持；对搬迁企业，优先安排易地项目建设用地，并给予优惠，其土地出让金可以按基准地价或标定地价的80%确定；对关闭企业，原土地使用权无论以出让或划拨方式取得，原则上均由当地政府直接收回，按合同剩余年限出让土地使用价格，或按相应的划拨土地价格予以补偿。

**第二十四条　县级以上人民政府环境保护主管部门及其委托的环境监察机构和其他负有环境保护监督管理职责的部门，有权对排放污染物的企业事业单位和其他生产经营者进行现场检查。被检查者应当如实反映情况，提供必要的资料。实施现场检查的部门、机构及其工作人员应当为被检查者保守商业秘密。**

**【释义】** 本条是对现场检查制度的规定。

现场检查制度在修订前的环境保护法第14条作了规定。原条文是:“县级以上人民政府环境保护行政主管部门或者其他依照法律规定行使环境监督管理权的部门,有权对管辖范围内的排污单位进行现场检查。被检查的单位应当如实反映情况,提供必要的资料。检查机关应当为被检查的单位保守技术秘密和业务秘密。”两者对比可以看出,此次修改的主要内容是在法律中明确了经环境保护主管部门委托的环境监察机构享有现场检查权,同时,将被检查的单位由“排污单位”修改为“企业事业单位和其他生产经营者”。

一、现场检查制度及其特点

现场检查权是行政机关进行日常监管活动,实现行政目的的一项具有基础性、普遍性的权力。在环境执法中,现场检查可以督促排污企业事业单位和其他生产经营者依照有关环境保护法律规定,采取措施积极防治污染;促使排污企业事业单位和其他生产经营者加强管理,减少污染物的排放、消除污染事故隐患,及时发现和处理环境保护问题;提高排污企业事业单位和其他生产经营者的环境保护意识和环境法制观念,自觉履行环境保护义务。本条规定的现场检查包括:现场监督检查污染源的污染物排放情况、污染防治设施运行情况、环境保护行政许可执行情况、建设项目环境保护法律法规的执行情况等;现场监督检查自然保护区、畜禽养殖污染防治等生态和农村环境保护法律法规执行情况。在检查过程中,执法人员可以勘察、采样、监测、拍照、录音、录像、制作笔录;可以查阅、复制相关资料;可以约见、询问有关人员,要求说明相关事项,提供相关材料。这一制度具有以下几个特点:(1)执法主体只能由负有环境保护监督管理职责的行政部门或者经环境保护主管部门委托的环境监察机构执行;(2)具有强制性,不需要被检查单位的同意;(3)执法主体只能对管辖范围内的排污企业事业单位和其他生产经营者进行检查,不能检查管辖范围外的,也不能检查与污染物排放无关的单位和个人;(4)现场检查有一定的随机性,有关执法主体可以随时进行检查;(5)现场检查的范围和内容应当于法有据,不能任意检查。

二、现场检查的主体

1. 县级以上人民政府环境保护主管的部门。主要包括:环保部,省级人民政府环保厅、局,设区的市级的人民政府环保局,县级人民政府环保局等。当然,有些地方在探索大部制改革中,将环保监管与其他一些近似职能组合,成立了新的行政机关,如深圳市的环境保护主管部门是人居环境委员会等。尽管名称有所不同,只要承担的主要职责是环境保护监督管理即可。

2. 环境保护主管部门委托的环境监察机构。在实际工作中,有些基层环境保护主管部门在编人数比较少,无法对所辖范围内的环境污染和生态破坏情况全面有效监管,因此便委托给其环境监察机构。实践中,各级环境监察机构有的称为环境监察局,有的根据级别不同称为环境监察总队、环境监察支队、环境监察大队、环境监察中队或者环境监察所。在法律修改过程中,环保部门建议将环境监察机构的法律地位予以明确,便于其"名正言顺"地执法,立法机关采纳了这个意见。我国目前还尚未制定专门的行政程序法,法律没有对行政委托作出专门规定,但行政法学理论认为,一个完备的行政委托需要包含如下内容:一是有法律、法规、规章等的授权;二是委托机关以书面形式与被委托主体签订委托协议,明确委托的依据以及具体委托的事项、范围、期限、双方的权利义务等内容,以及在何种情况下,委托机关可以收回委托;三是委托机关和被委托主体都应当将委托的依据、事项、权限、期限等内容向社会公示，为社会广泛知晓，产生公信力和公定力。当然，有些地方已经有行政程序立法的，应当按照这些规定实施。例如，《湖南省行政程序规定》规定：委托行政机关与受委托的组织之间应当签订书面委托协议，并报同级人民政府法制部门备案；委托协议应当载明委托事项、期限、双方权利和义务、法律责任等；委托行政机关应当将受委托的组织和受委托的事项向社会公布；受委托的组织应当自行完成受委托的事项，不得将受委托事项再委托给其他组织或者个人。

3. 其他负有环境保护监督管理职责部门。主要是指依照其他法律法规履行监督管理职责的各级公安、交通、铁道、渔业、林业、国土等部门。这些部门也可以依法对管辖范围内的企业事业单位和其他生产经营者进行现场检查。

三、现场检查部门的义务

行政部门和机构检查过程中，实施的行为具有强制性，被检查单位不得拒绝。但检查部门也负有一定义务：(1)只能依照法律法规的规定，对管辖范围内的排污者进行现场检查。对超出管辖范围的排污者，不能进行检查；与污染物排放无关的单位和个人，也不得进行检查。(2)检查部门有义务为被检查单位保守商业秘密。所谓“商业秘密”，根据反不正当竞争法的规定，是指不为公众所知悉、能为权利人带来经济利益、具有实用性并经权利人采取保密措施的技术信息和经营信息。根据这一规定，构成商业秘密的条件是：第一，必须不为公众所知悉的信息，即该信息是不能从公开渠道直接获取的。第二，为技术信息和经营信息，包括设计、程序、产品配方、制作工艺、制作方法、管理诀窍、客户名单、货源情报、产销策略等信息。第三，能为权利人带来经济利益、具有实用性，具体是指该信息具有确定的可应用性，能为权利人带来现实的或者潜在的经济利益或者竞争优势。第四，权利人对这些信息采取了保密措施，包括订立保密协议，建立保密制度及采取其他合理的保密措施。

**第二十五条　企业事业单位和其他生产经营者违反法律法规规定排放污染物，造成或者可能造成严重污染的，县级以上人民政府环境保护主管部门和其他负有环境保护监督管理职责的部门，可以查封、扣押造成污染物排放的设施、设备。**

**【释义】**　本条是关于环保部门行政强制措施权的规定。

行政强制权是行政权的一项重要内容，是行政机关实现行政目的的有效保障。由于行政强制权直接限制公民、法人和其他组织的人身权、财产权，故对于赋予行政部门该项权力应当持慎重态度。在环境保护法修改前，尚未有法律赋予环境保护主管部门行政强制权。面对严峻的环境形势以及在环境执法中遇到的种种困难，在修改过程中，各级环境保护主管部门强烈要求赋予其行政强制权，环境科学、环境法学专家及社会公众也呼吁在环境保护法中规定行政强制的内容。

一、关于行政强制措施权

行政强制包括行政强制措施和行政强制执行。其中，行政强制措施是指行政机关在行政管理过程中，为制止违法行为、防止证据损毁、避免危害发生、控制危险扩大等情形，依法对公民的人身自由实施暂时性限制，或者对公民、法人或者其他组织的财物实施暂时性控制的行为。行政强制措施的种类包括：限制公民人身自由，查封场所、设施或者财物，扣押财物，冻结存款、汇款以及停止供水供电等。行政强制执行是指行政机关或者行政机关申请人民法院，对不履行行政决定的公民、法人或者其他组织，依法强制履行义务的行为。行政强制执行的方式包括：加处罚款或者滞纳金，划拨存款、汇款，拍卖或者依法处理查封、扣押的场所、设施或者财物，排除妨碍、恢复原状，代履行等。

本条规定将查封、扣押两种形式的行政强制措施权，直接授予县级以上人民政府环境保护主管部门和其他负有环境保护监督管理职责的部门。这样的规定考虑了环保执法的现实困难。实践中，许多违规企业对环保部门有恃无恐，有的污染企业检查时停产、检查后继续违法生产，与环保部门"打游击"。有些"三无"企业甚至收到罚款单后一走了之，之后换个地方"死灰复燃"。环保执法的软弱性和不彻底性致使许多环境违法行为不能得到及时制止，许多违法案件久拖不决甚至不了了之，给环境与生态带来不可逆转的损害与破坏，同时也给环境执法的权威性和严肃性带来了不可估量的损害。

二、实施的主体、对象和条件

1. 依照本条规定，查封、扣押权实施的主体是县级以上人民政府环境保护主管部门和其他负有环境保护监督管理职责的部门。需要强调的是，查封、扣押应当由行政机关具备资格的行政执法人员实施，其他人员不得实施。查封、扣押权也不得委托给其他单位和个人。依照行政强制法的规定，行使相对集中行政处罚权的行政机关，可以实施法律、法规规定的与行政处罚权有关的行政强制措施。

2. 查封、扣押的对象是企业事业单位和其他生产经营者造成污染物排放的设施、设备。为了尽量保护行政相对人的合法权益，行政强制法规定，查封、扣押限于涉案的场所、设施或者财物，不得查封、扣押与违法行为无关的场所、设施或者财物；不得查封、扣押公民个人及其所扶养家属的生活必需品。同时规定，当事人的场所、设施或者财物已被其他国家机关依法查封的，不得重复查封。所谓造成污染物排放的设施、设备，主要是指污染物产生时所处的设施和设备。当然，现实生活中造成污染物排放的设施、设备种类很多，为了给执法机关一定自由裁量权，本条特别规定“可以”查封、扣押而不是“应当”查封、扣押。如在有些大型电力、石化行业，如果查封、扣押了造成污染物排放的设备、设施，可能造成大面积停产且带来较大损失，这种情况下，执法机关可以视情况不采用查封、扣押手段。

3. 查封、扣押的条件是违反法律法规规定排放污染物，造成或者可能造成严重污染。违反法律法规规定排放污染物是一项范围比较宽的条件，既包括超标、超总量排放污染物，也包括未经环评审批、验收等手续而排放污染物等。在有些地方性法规规定实施排污许可证制度的情况下，还包括无证排污或者超出许可证规定排污。另一个条件是造成或者可能造成严重污染，至于什么是“造成或者可能造成”、什么是“严重污染”，将由执法机关在实践中细化有关标准；同时，行政相对人可以就此说明情况，提出申辩。行政相对人不服的，可以提起行政诉讼，由法院对此作出认定和判决。

三、实施程序

依照行政强制法的规定，执法机关实施查封、扣押应当遵守下列规定：(1)实施前须向行政机关负责人报告并经批准；(2)由两名以上行政执法人员实施；(3)出示执法身份证件；(4)通知当事人到场；(5)当场告知当事人采取行政强制措施的理由、依据以及当事人依法享有的权利、救济途径；(6)听取当事人的陈述和申辩；(7)制作现场笔录；(8)现场笔录由当事人和行政执法人员签名或者盖章，当事人拒绝的，在笔录中予以注明；(9)当事人不到场的，邀请见证人到场，由见证人和行政执法人员在现场笔录上签名或者盖章；(10)法律、法规规定的其他程序。情况紧急，需要当场实施行政强制措施的，行政执法人员应当在24小时内向行政机关负责人报告，并补办批准手续。

行政机关决定实施查封、扣押,应当制作并当场交付查封、扣押决定书和清单。查封、扣押决定书应当载明下列事项:(1)当事人的姓名或者名称、地址;(2)查封、扣押的理由、依据和期限;(3)查封、扣押场所、设施或者财物的名称、数量等;(4)申请行政复议或者提起行政诉讼的途径和期限;(5)行政机关的名称、印章和日期。查封、扣押清单一式二份,由当事人和行政机关分别保存。

四、实施查封、扣押应当注意的问题

1. 查封、扣押有期限限制。依照行政强制法的规定,查封、扣押的期限不得超过30日;情况复杂的,经行政机关负责人批准,可以延长,但是延长期限不得超过30日。法律、行政法规另有规定的除外。延长查封、扣押的决定应当及时书面告知当事人,并说明理由。对物品需要进行检测、检验、检疫或者技术鉴定的,查封、扣押的期间不包括检测、检验、检疫或者技术鉴定的期间。检测、检验、检疫或者技术鉴定的期间应当明确,并书面告知当事人。检测、检验、检疫或者技术鉴定的费用由行政机关承担。

2. 妥善保管查封、扣押设备、设施。对查封、扣押的场所、设施,行政机关应当妥善保管,不得使用或者损毁;造成损失的,应当承担赔偿责任。对查封的场所、设施,行政机关可以委托第三人保管,第三人不得损毁或者擅自转移、处置。因第三人的原因造成的损失,行政机关先行赔付后,有权向第三人追偿。因查封、扣押发生的保管费用由行政机关承担。

3. 及时作出处理决定。行政强制措施具有临时性特点,行政机关采取查封、扣押措施后,应当及时查清事实,在法定期限内作出处理决定。对违法事实清楚,依法应当没收的非法财物予以没收;法律、行政法规规定应当销毁的,依法销毁;应当解除查封、扣押的，作出解除查封、扣押的决定。

4. 及时作出解除查封、扣押决定。有下列情形之一的，行政机关应当及时作出解除查封、扣押决定：（1）当事人没有违法行为；（2）查封、扣押的场所、设施或者财物与违法行为无关；（3）行政机关对违法行为已经作出处理决定，不再需要查封、扣押；（4）查封、扣押期限已经届满；（5）其他不再需要采取查封、扣押措施的情形。解除查封、扣押应当立即退还财物；已将鲜活物品或者其他不易保管的财物拍卖或者变卖的，退还拍卖或者变卖所得款项。变卖价格明显低于市场价格，给当事人造成损失的，应当给予补偿。

**第二十六条　国家实行环境保护目标责任制和考核评价制度。县级以上人民政府应当将环境保护目标完成情况纳入对本级人民政府负有环境保护监督管理职责的部门及其负责人和下级人民政府及其负责人的考核内容，作为对其考核评价的重要依据。考核结果应当向社会公开。**

**【释义】**　本条是关于环境保护目标责任制和考核评价制度的规定。

本条是一条新增的法律规定，随着我国节能减排工作的深入开展，在环境保护领域确立并逐步完善了目标责任制和考核评价制度。修改过程中，许多意见提出环境保护问题需要政府担负起责任，并与政绩考核挂钩，以克服片面注重国内生产总值的发展模式。本条规定确立了该项制度的法律地位，并对公开作了规定。

一、环境保护目标责任制

环境保护目标责任制，概括地说就是确定环境保护的一个目标，确定实现这一目标的措施，签订协议，做好考核，明确责任，保障措施得以落实、目标得以实现。这一制度明确了一个区域、一个部门乃至一个单位环境保护主要责任者和责任范围，运用了目标化、定量化、制度化的管理方法，从而使改善环境质量的任务能够层层分解落实，达到既定的环保目标。

在具体操作上，主要是上级政府或其委托的部门，根据本地区环境总体目标，结合实际情况制定若干具体目标和配套措施，分解到所辖地方政府、部门或者单位，并签订责任书。同时，将责任书公开，接受社会监督。近期，备受社会关注的“大气十条”落实方案就有目标责任制，国务院授权环保部与各省（区、市）人民政府签订了大气污染防治目标责任书。例如，在目标方面，河北省是到2017年，空气质量明显好转，全省重污染天气较大幅度减少，优良天数逐年提高，细颗粒物浓度比2012年下降25%左右。海南省的目标是到2017年，空气质量持续改善，保持优良水平。主要任务方面，河北省的主要任务包括全面淘汰燃煤小锅炉、加快重点行业污染治理等12个方面，有的目标非常具体，例如，到2013年年底，完成“高污染燃料禁燃区”划定工作，城市禁燃区面积不低于建成区面积的80%；到2015年年底，中国石化石家庄炼化分公司、中国石化沧州分公司推行“泄漏检测与修复”技术，完成有机废气综合治理；2014年年底前全面供应国四车用柴油；2015年年底前，全面供应国五车用汽、柴油等。

二、考核评价制度

考核评价是政府行为的指挥棒，考核评价什么，政府的施政重点就是什么，考核评价什么多一些，政府对什么的重视就多一些。长期以来，干部考核比较重视经济发展，导致一些地方违背可持续发展的现象时有发生，有的对“短平快”的政绩项目兴趣浓厚，大举借债搞“政绩工程”，有的以牺牲环境为代价换取经济增长速度,有的存在“新官不理旧账”、“一任一张新蓝图”的现象。随着我国发展理念的转变和环境形势的日趋严峻,这些现象不可为继。解决这些问题,必须切实改进政绩考核,从制度层面纠正单纯以经济增长速度评定政绩的偏向,把不简单以国内生产总值论英雄的导向真正树立起来,引导领导干部树立正确的政绩观,把主要精力放到转方式、调结构、促改革、惠民生上来,把更多的精力放在搞好环保工作、成就绿水青山造福子孙万代保障民族永续发展的事业上来。

本条的考核评价与目标责任密切相关,考核的是目标的完成情况,并将其作为对人的考察的重要依据。考核的对象包括两个部分:一是本级人民政府负有环境保护监督管理职责的部门及其负责人,包括但不限于环境保护主管部门及其负责人;二是下级人民政府及其负责人。在实践中,不同目标任务的考核方式不一定完全一样,因此,为了加强考核的针对性,考核部门一般会配套制定相应的考核办法。例如,为了实现“十二五”主要污染物总量减排目标,受国务院委托,环境保护部在 2013 年与 31 个省、自治区、直辖市人民政府和新疆生产建设兵团,以及中国石油天然气集团公司等 8 家中央企业签订了《“十二五”主要污染物总量减排目标责任书》。为保障减排顺利实施,国务院办公厅转发了《“十二五”主要污染物总量减排考核办法》。根据规定,主要污染物总量减排考核内容主要包括三个方面:主要污染物总量减排目标完成情况、主要污染物总量减排统计监测考核体系的建设运行情况、各项主要污染物总量减排措施的落实情况。对各地区落实年度主要污染物总量减排情况,由国务院环境保护主管部门所属区域环境保护督查机构进行核查督查,每半年一次。出现下列情况之一的,认定为未通过年度考核:(1)年度四项污染物总量减排目标有一项及以上未完成;

(2)重点减排项目未按目标责任书落实;(3)监测体系建设运行情况未达到相关要求(污染源自动监控数据传输有效率75%,自行监测结果公布率80%和监督性监测结果公布率95%)。考核之后,还需与人的考核评价挂钩。还是以《“十二五”主要污染物总量减排考核办法》为例,考核结果报经国务院审定后,交由干部主管部门,依照《关于建立促进科学发展的党政领导班子和领导干部考核评价机制的意见》、《地方党政领导班子和领导干部综合考核评价办法(试行)》、《关于开展政府绩效管理试点工作的意见》等规定,作为对各地区领导班子和领导干部综合考核评价的重要依据。对考核结果为通过的,国务院环境保护主管部门会同有关部门优先加大对该地区污染治理和环保能力建设的支持力度,并结合全国减排表彰活动进行表彰奖励。对考核结果为未通过的,实行“一票否决”制。国务院环境保护主管部门暂停该地区所有新增主要污染物排放建设项目的环评审批,撤销国家授予该地区的环境保护或环境治理方面的荣誉称号,领导干部不得参加年度评奖、授予荣誉称号等。由监察机关会同环保部门依照减排绩效管理的有关规定,实行通报批评、约谈、诫勉谈话等。对未通过且整改不到位或因工作不力造成重大社会影响的,由监察机关依照有关规定追究该地区有关责任人员的责任。

可以看出,从确定目标措施到层层分解,从对目标完成情况的考核到对人的考核评价,环境保护工作得以一步步落实下来。需要强调的是,该项制度在当前仍具有比较强的政策性,与干部考核等人事制度密切相关,其实际运行效果有赖于各级党委政府的决心、力度,有赖于目标、措施、考核评价指标的科学性。

**第二十七条　县级以上人民政府应当每年向本级人民代表大会或者人民代表大会常务委员会报告环境状况和环境保护目标完成情况，对发生的重大环境事件应当及时向本级人民代表大会常务委员会报告，依法接受监督。**

**【释义】**　本条是关于环境保护工作接受人大监督的规定。

在环境保护法修改过程中，许多常委委员、专家学者提出，应当加强人大对政府环境保护工作的监督。在立法调研过程中了解到，一些地方较早地开展了这项工作，取得了比较好的效果。故在环境保护法中对此作出规定。

一、听取政府有关工作报告是人大及其常委会的法定职权

根据各级人民代表大会常务委员会监督法的规定，各级人民代表大会常务委员会每年选择若干关系改革发展稳定大局和群众切身利益、社会普遍关注的重大问题，有计划地安排听取和审议本级人民政府工作报告。常务委员会听取和审议专项工作报告的年度计划，经委员长会议或者主任会议通过，印发常务委员会组成人员并向社会公布。

一般而言，常务委员会听取和审议本级人民政府的工作报告的议题，根据下列途径反映的问题确定：(1)本级人民代表大会常务委员会在执法检查中发现的突出问题；(2)本级人民代表大会代表对人民政府、人民法院和人民检察院工作提出的建议、批评和意见集中反映的问题；(3)本级人民代表大会常务委员会组成人员提出的比较集中的问题；(4)本级人民代表大会专门委员会、常务委员会工作机构在调查研究中发现的突出问题；(5)人民来信来访集中反映的问题；(6)社会普遍关注的其他问题。人民政府也可以向本级人民代表大会常务委员会要求报告专项工作。

除此之外，如果其他法律规定了向人大及其常委会报告工

作的情形，那么相关报告单位应当依法报告，人大及其常委会也应当安排听取和审议报告。本条的规定就属于这种情况。

二、听取报告的时间、形式和内容

本条规定，县级以上人民政府应当每年向本级人民代表大会或者人民代表大会常务委员会报告环境状况和环境保护目标的完成情况。在修改过程中，围绕是“定期”报告还是“每年”报告，有一些争议。建议用“定期”的意见认为，这样便于地方根据实际灵活掌握，环境问题比较突出的地方可以频繁些，环境整体比较好的地方可以隔得时间长一些。建议用“每年”的意见认为，当前我国环境形势整体严峻，在这种情况下应当从严把握，规定一个清晰、明确的时间段，能够让各方有一个稳定预期。立法机关最终采纳了第二种意见。

本条规定报告环境状况和环境保护目标的完成情况，并没有提出形式上的要求。因此，可以是在政府工作报告专辟一部分内容说明，也可以专门单作报告。例如，李克强总理在2014年政府工作报告中提出：2013年推进节能减排和污染防治，能源消耗强度下降3.7%，二氧化硫、化学需氧量排放量分别下降3.5%、2.9%。2011年国务院向全国人大常委会专门报告了环境保护工作情况，其中专门说明了环境保护工作目标完成情况。例如，报告提出，2010年全国化学需氧量和二氧化硫排放总量比2005年分别下降12.45%和14.29%，超额完成减排任务；“十一五”期间，全国累计关停小火电机组7683万千瓦，淘汰落后产能炼铁1.2亿吨、炼钢0.72亿吨、水泥3.7亿吨、平板玻璃4500万重量箱、造纸1130万吨；累计建成城镇污水处理厂2832座，污水日处理能力达到1.25亿吨，新增污水管网约6万公里，全国城市污水处理率由52%提高到77%；累计建成5.78亿千瓦燃煤脱硫机组，脱硫机组比例从14%提高到86%。

内容方面,本条规定了两项,即环境形势和环境保护目标完成情况。除此之外,报告也可以纳入其他内容,如环境保护工作下一步安排等。例如,李克强总理在2014年政府工作报告中提出,2014年要淘汰燃煤小锅炉5万台,推进燃煤电厂脱硫改造1500万千瓦、脱硝改造1.3亿千瓦、除尘改造1.8亿千瓦,淘汰黄标车和老旧车600万辆,在全国供应国四标准车用柴油;实施清洁水行动计划,加强饮用水源保护,推进重点流域污染治理。实施土壤修复工程,整治农业面源污染,建设美丽乡村等。

同时,本条还规定,对本行政区域发生的重大环境事件应当及时向本级人民代表大会常务委员会提出专项报告,依法接受监督。这是区别于听取常规性报告的针对特定事件的报告,此类报告的主要内容包括事件概况、发生原因、处理情况等。

三、有关程序性工作

就听取报告的程序而言,如果采用专项工作报告的形式,应当遵守相应的程序。具体而言,人大及其常委会听取和审议报告前,委员长会议或者主任会议可以组织本级人民代表大会常务委员会组成人员和本级人民代表大会代表,对有关工作进行视察或者专题调查研究。常务委员会可以安排参加视察或者专题调查研究的代表列席常务委员会会议,听取报告,提出意见。常务委员会听取和审议报告前,人大相关办事机构应当将各方面对该项工作的意见汇总,交由政府研究并在报告中作出回应。政府应当在会议举行20日前,由其办事机构将报告送交有关专门委员会或者有关工作机构征求意见;政府对报告修改后,在举行会议的10日前送交常务委员会。有关办事机构应当在常务委员会举行会议的7日前,将报告发给常务委员会组成人员。专项工作报告由政府负责人报告,也可以委托有关部门负责人报告。

在报告完毕后，会议要安排审议，由委员、代表提出审议意见。审议意见转交政府研究处理。政府应当将研究处理情况由其办事机构送交本级人大有关专门委员会或者人大常委会有关工作机构征求意见后，向大会或者常委会提出书面报告。大会或者常委会认为必要时，可以对专项工作报告作出决议，政府应当在决议规定的期限内，将执行决议的情况向人大或者人大常委会报告。

# 第三章　保护和改善环境

**第二十八条　地方各级人民政府应当根据环境保护目标和治理任务，采取有效措施，改善环境质量。**

**未达到国家环境质量标准的重点区域、流域的有关地方人民政府，应当制定限期达标规划，并采取措施按期达标。**

**【释义】** 本条是关于地方政府改善环境质量的规定。

一、关于地方政府环境质量责任

本条第1款规定了地方各级人民政府改善环境质量的责任，有以下几层意思：

一是政府是环境保护的主要责任主体。政府履行环境责任的优劣直接关系到环境质量的好坏。所谓环境质量，是指在一定的范围内，环境的总体或环境的某些要素对人类的生存繁衍以及社会经济发展的适宜程度。它是根据环境质量标准对环境进行评价所得出的结果。环境质量的优劣，直接影响到人体健康、工农业生产和生态平衡，同时也是一个国家文明程度的重要标准。一些法律对地方政府环境质量责任作了规定。修订前的环境保护法第16条规定，地方各级人民政府，应当对本辖区的环境质量负责，采取措施改善环境质量。水污染防治法第4条第2款规定，县级以上地方人民政府应当采取防治水污染的对策和措施，对本行政区域的水环境质量负责。大气污染防治法第3条第2款规定，地方各级人民政府对本辖区的大气环境质量负责，制定规划，采取措施，使本辖区的大气环境质量达到规定的标准。地方环境质量好不好，与地方政府各部门工作密切相关，需要由地方政府承担责任，调动社会各方面的力量，共同做好环境保护工作。

二是地方政府应当根据环境保护目标和治理任务，采取有效措施，改善环境质量。(1)“根据环境保护目标和治理任务”是本次修订新增加的内容，照应了本法第26条中“国家实行环境保护目标责任制”的规定，并为改善环境质量提供了抓手和遵循，使该条规定更有可操作性、便于落到实处。(2)地方政府应当根据法律的规定，结合本地实际情况，采取切实可行的措施，改善环境质量。关于“切实可行的措施”，有的地方根据实际情况，出台了治理环境污染的具体措施，例如，《北京市大气污染防治条例》第12条规定，各级人民政府应当采取措施推进生态治理，提高绿化覆盖率，扩大水域面积，改善大气环境质量。又如，《河北省环境保护条例》第5条规定，各级人民政府对本辖区的环境质量负责，制订并落实环境质量任期目标和年度实施计划，使辖区内的环境质量逐年提高和改善。

三是为保证地方政府环境质量责任落到实处，本法规定了环境保护目标责任制、考核评价制度和向人大报告制度。如前所述，修订前的环境保护法第16条规定了地方政府环境质量责任，但是规定的比较原则，可操作性不强。实践中，一些地方政府在单纯追求经济利益的错误政绩观指导下，大搞地方保护主义，成为环境违法行为的“保护伞”、“挡箭牌”甚至环境违法者的代言人。因此，本条规定必须要有可操作性，立法机关在修订过程中进行了完善。除了本条第2款规定外，还规定了环境保护目标责任制、考核评价制度和向人大报告制度。本法第26条规定，国家实行环境保护目标责任制和考核评价制度。县级以上人民政府应当将环境保护目标完成情况纳入对本级人民政府负有环境保护监督管理职责的部门及其负责人和下级人民政府及其负责人的考核内容,作为对其考核评价的重要依据。考核结果应当向社会公开。第27条规定,县级以上人民政府应当每年向本级人民代表大会或者人民代表大会常务委员会报告环境状况和环境保护目标完成情况,对发生的重大环境事件应当及时向本级人民代表大会常务委员会报告,依法接受监督。

二、环境质量限期达标

本条第2款是修订草案二次审议稿新增的内容,是将环境保护工作中一些行之有效的措施和做法上升为法律,完善环境保护基本法律制度。国家环境质量标准,是指国家为保护人体健康和生存环境,对污染物容许含量所制定的强制性标准,目前已经制定的国家环境质量标准包括:《环境空气质量标准》、《地表水环境质量标准》、《地下水环境质量标准》等。关于地方政府的环境限期达标,大气污染防治法作出了专门规定。大气污染防治法第17条第3款规定,未达到大气环境质量标准的大气污染防治重点城市,应当按照国务院或者国务院环境保护行政主管部门规定的期限,达到大气环境质量标准。该城市人民政府应当制定限期达标规划,并可以根据国务院的授权或者规定,采取更加严格的措施,按期实现达标规划。新增的这一款主要有以下两层意思:

一是本款规定只适用于未达到国家环境质量标准的重点区域、流域的有关地方人民政府,也就是说,已经达标的重点区域、流域不适用本款规定。未达到国家环境质量标准的,即按照环境质量功能区划的有关规定,未达到该功能区应当达到的国家环境质量标准。例如,自然保护区、风景名胜区和其他需要特殊保护的区域,按照《环境空气质量标准》的规定应当达到一级标准,但是目前只达到了二级标准,就应当采取措施,控制大气污染，限期达标。

二是该地方人民政府应当制定限期达标规划，并采取措施按期达标。(1)实践中，地方人民政府的限期达标规划很多是国务院或者国务院环境保护主管部门规定的达标期限在实际工作中的进一步具体化。(2)关于“措施”。大气污染防治法第17条明确为“更加严格的措施”，而本条的表述更有涵盖性，能够包括“更加严格的措施”，也就是那些战略性的能源结构调整政策以及对工业等布局进行调整的行政、经济措施。但是，这些措施必须是与限期实现规划目标有关的，否则不得采取。

**第二十九条　国家在重点生态功能区、生态环境敏感区和脆弱区等区域划定生态保护红线，实行严格保护。**

**各级人民政府对具有代表性的各种类型的自然生态系统区域，珍稀、濒危的野生动植物自然分布区域，重要的水源涵养区域，具有重大科学文化价值的地质构造、著名溶洞和化石分布区、冰川、火山、温泉等自然遗迹，以及人文遗迹、古树名木，应当采取措施予以保护，严禁破坏。**

**【释义】**　本条是关于生态保护红线的规定。

一、划定生态保护红线的背景和意义

近年来，随着工业化和城镇化快速发展，我国生态环境问题日益突出。尽管我国加大了生态保护与环境治理力度，相继建立了各类生态保护区，陆续开展了全国生态功能区划、重点生态功能区建设规划、生态脆弱区保护规划、生物多样性保护战略与行动计划等多项工作，实施了产业结构调整、节能减排、生态保护与建设等重点工程，局部地区生态环境质量趋于好转，但资源约束趋紧、环境污染严重、生态系统退化的严峻形势尚未得到根本扭转。我国已建各类保护区存在着空间重叠、布局不够合理、人类活动干扰强等问题，导致难以实施严格管理，在空间上尚未形成确保国家与区域生态安全和经济社会协调发展的优化布局与统一格局。

2011 年，《国务院关于加强环境保护重点工作的意见》明确要求，在重要生态功能区、陆地和海洋生态环境敏感区、脆弱区等区域划定生态红线。《国家环境保护“十二五”规划》指出，实施区域环境保护总体战略，强化分区指导，构建区域统筹协调、分工合作的环境保护管理新格局。依据全国主体功能区规划，编制国家环境功能区划，在重点生态功能区、生态环境敏感区和脆弱区划定生态红线。党的十八大报告着重指出，要大力推进生态文明建设，优化国土空间开发格局；要加快实施主体功能区战略，构建科学合理的城市化格局、农业发展格局、生态安全格局，给子孙后代留下天蓝、地绿、水净的美好家园。时任国务院副总理的李克强同志在第七次全国环保大会上指出，要坚持在“发展中保护，在保护中发展”，把生产力空间布局与生态环保结合起来。不同地区经济发展水平、资源禀赋、环境容量和生态状况都有很大差异，推动发展、转型和环保必须优化经济的空间布局。要结合实施主体功能区规划，划定生态红线，履行好环境管理职责。2013 年 5 月 24 日，习近平同志在中共中央政治局第六次集体学习时强调，要划定并严守生态红线，构建科学合理的城镇化推进格局、农业发展格局、生态安全格局，保障国家和区域生态安全，提高生态服务功能。要牢固树立生态红线的观念。在生态环境保护问题上，就是要不能越雷池一步，否则就应该受到惩罚。2013 年，十八届三中全会《中共中央关于全面深化改革若干重大问题的决定》中明确指出要“划定生态保护红线”，要求坚定不移地实施主体功能区制度，建立国土空间开发保护制度，严格按照主体功能区定位推动发展，建立国家公园体制。建立资源环境承载力监测预警机制，对水体资源、环境容量和海洋资源超载区域实行限制性措施。

划定生态保护红线，建立有利于生态保护红线管控的各项机制，是强化区域生态环境监管的有效手段，是保障国家和区域生态安全、遏制生态系统恶化、改善环境质量、防范环境风险、降低资源消耗的重要抓手。划定生态保护红线并实行永久保护，是党中央、国务院站在对历史和人民负责的高度，对生态环境保护工作提出的新的更高要求，是落实"在发展中保护、在保护中发展"战略方针的重要举措，对维护国家和地区国土生态安全，促进经济社会可持续发展，推进生态文明建设具有十分重要的现实意义。在环境保护法修改过程中，确立生态保护红线的理念，把生态保护红线通过法律固定下来，进行顶层设计，能够为今后完善生态保护红线监管法律法规奠定坚实的法律基础，为生态环境保护管理体制改革提供法律保障，十分必要。

二、划定生态保护红线的区域

本条第 1 款规定了划定生态保护红线的区域，包括重点生态功能区、生态环境敏感区和脆弱区等区域。

生态功能是指生态系统与生态过程中所形成的维持人类赖以生存的自然环境条件与效用，包括水源涵养、水土保持、调节气候、净化空气和水体、调蓄洪水、防风固沙、维持生物多样性、培育土壤等功能。生态功能保护区是指在保持流域、区域生态平衡，防止和减轻自然灾害，确保国家和地区生态安全方面具有重要作用的江河源头区、重要水源涵养区、水土保持的重点预防保护区和重点监督区、江河洪水调蓄区、防风固沙区、重要渔业区域，以及其他具有重要生态功能的区域，依照规定程序划定一定面积予以重点保护、建设和管理的区域。生态环境是指影响生态系统发展的各种天然和经过人工改造的自然因素的总和，是以整个生物界为中心和主体,包括围绕生物界并构成生物生存所必需条件的所有外部空间和无生命物质,如大气、土壤、阳光等。

1. 关于在重点生态功能区划定生态保护红线。所谓重点生态功能区,就是指水源涵养、土壤保持、防风固沙、生物多样性保护和洪水调蓄五类关系国家或区域生态安全的地域空间。在《全国主体功能区规划》中的大小兴安岭森林、长白山森林等25个国家重点生态功能区,通过开展生态系统服务重要性评价划定全国重要生态功能区保护红线,对生态系统服务重要性进行等级划分,并明确其空间分布,将重要性等级高、人为干扰小的核心区域划定为重要生态功能区保护红线。

2. 关于在生态环境敏感区、脆弱区划定生态保护红线。所谓生态环境敏感区,是指对外界干扰和环境保护反应敏感,易于发生生态退化的区域,包括土壤侵蚀敏感区、沙漠化敏感区、盐渍化敏感区、石漠化敏感区和冻融侵蚀敏感区等。生态环境脆弱区,也称生态交错区,是指两种不同类型生态系统交界过渡区域。这些交界过渡区域生态环境条件与两个不同生态系统核心区域有明显的区别,是生态环境变化明显的区域。针对我国生态环境敏感区、脆弱区生态系统结构稳定性较差,易受外界干扰发生退化,威胁人居环境安全的现实情况,在《全国生态功能区划》中的生态环境敏感区和《全国生态脆弱区保护规划纲要》中的生态脆弱区范围内,识别生态环境敏感性主要特征,通过开展水土流失,土地沙化、石漠化等生态环境敏感性评价,对区域生态环境敏感性进行等级划分,并明确其空间分布,将敏感性等级高、易受人为扰动的区域划定为生态保护红线。

三、生态保护红线的实践情况

关于生态保护红线,有关部门和地方已经有了有益实践,但各地做法还有不同,需要进一步探索和规范。

2014 年 2 月,环保部印发了《国家生态保护红线——生态功能基线划定技术指南(试行)》,成为我国首个生态保护红线划定的技术指导文件。有的地方性法规对此也作出规定,例如《珠海经济特区生态文明建设促进条例》第 10 条规定,划定生态保护红线,实施主体功能区制度。

2014 年,天津市通过了《天津市生态用地保护红线划定方案》,对山、河、湖、湿地、公园、林带等实行永久性保护。通过划定生态用地保护红线,全市确定生态用地总面积约 2980 平方公里,占市域国土总面积的 25%。其中,红线区面积 1800 平方公里。天津市将生态用地保护范围划定为红线区和黄线区。红线区除已经市政府批复和审定的规划建设用地外,禁止一切与保护无关的建设活动。黄线区按照相关法律、法规的规定实施管理,同时各项建设活动必须符合经市政府审批的规划。

江苏省自 2012 年以来,在重要生态功能保护区域规划基础上,全面启动生态红线划定工作。按照"保护优先、合理布局、控管结合、分级保护、相对稳定"的原则,全省共划定 15 类生态红线区域,包括:自然保护区、风景名胜区、森林公园、地质遗迹保护区、湿地公园、饮用水水源保护区、海洋特别保护区、洪水调蓄区、重要水源涵养区、重要渔业区域、重要湿地、清水通道维护区、生态公益林、太湖重要保护区、特殊物种保护区。生态红线区域未经省人民政府批准不得擅自调整。

江苏省的生态红线内实行分级划区、分类管理。例如,在森林公园中划定一级管控区和二级管控区。一级管控区内严禁一切形式的开发建设活动。二级管控区内禁止毁林开垦和毁林采石、采砂、采土以及其他毁林行为;采伐森林公园的林木,必须遵守有关林业法规、经营方案和技术规程的规定;森林公园的设施和景点建设，必须按照总体规划设计进行；在珍贵景物、重要景点和核心景区，除必要的保护和附属设施外，不得建设宾馆、招待所、疗养院和其他工程设施。

四、对特定区域的严格保护

本条第2款规定了对具有代表性的各种类型的自然生态系统区域，珍稀、濒危的野生动植物自然分布区域，重要的水源涵养区域，具有重大科学文化价值的地质构造、著名溶洞和化石分布区、冰川、火山、温泉等自然遗迹，以及人文遗迹、古树名木，应当采取措施予以保护，严禁破坏。其中，自然生态系统是指在一定的时间和空间范围内，依靠自然调节能力维持的相对稳定的生态系统，如原始森林、海洋等。水源涵养区域是指通过恢复植被等措施，调节、改善水源和水质的区域，如三江源区域。对本款中的各种区域、遗迹等，各级人民政府应当采取措施予以保护，严禁破坏。

**第三十条　开发利用自然资源，应当合理开发，保护生物多样性，保障生态安全，依法制定有关生态保护和恢复治理方案并予以实施。**

**引进外来物种以及研究、开发和利用生物技术，应当采取措施，防止对生物多样性的破坏。**

**【释义】**　本条是关于保护生物多样性的规定。

修订前的环境保护法第19条规定，开发利用自然资源，必须采取措施保护生态环境。此次修改过程中，根据有关生态文明建设的精神作了完善，同时增加一款，即“引进外来物种以及研究、开发和利用生物技术，应当采取有效措施，防止对生物多样性的破坏”。

一、关于生物多样性

生物多样性是生物及其与环境形成的生态复合体以及与此相关的各种生态过程的总和，包括数以百万计的动物、植物、微生物和它们所拥有的基因以及它们与其生存环境形成的复杂的生态系统，是生命系统的基本特征。生物多样性是人类社会赖以生存和发展的基础，保护生物多样性才能保证生物资源的永续利用。

我国是地球上生物多样性最丰富的国家之一，具有十分独特的地位。在北半球国家中，我国是生物多样性最丰富的国家。我国生物多样性具有以下特点：(1)物种高度丰富。我国有高等植物 3 万多种，仅次于世界高等植物最丰富的巴西和哥伦比亚。(2)特有种、属繁多。我国高等植物中特有种最多，约 17300 种，占全国高等植物的 57% 以上。581 种哺乳动物中，特有种约 110 种，约占 19%，特别是有"活化石"之称的大熊猫、白鳍豚、水杉、银杏、银杉等。(3)区系起源古老。由于中生代末我国大部分地区已上升为陆地，在第四纪冰期又未遭受大陆冰川的影响，所以各地都在不同程度上保存着白垩纪、第三纪的古老残遗部分。(4)栽培植物、家养动物及其野生亲缘种的种质资源异常丰富。我国有数千年的农业开垦历史，很早就对自然环境中蕴藏的丰富多彩的遗产资源进行开发利用、培植繁育，因此我国的栽培植物和家养动物的丰富度在全世界是独一无二的。(5)生态系统的类型丰富。我国具有陆生生态系统的各种类型，包括森林、灌丛、草原、草甸、荒漠等。(6)空间格局繁复多样。我国地域辽阔，地势起伏多山，气候复杂多变，从北到南，气候横跨寒温带、温带、暖温带、亚热带和热带，生物群落包括寒温带针叶林、温带针阔叶混交林、暖温带落叶阔叶林、亚热带常绿阔叶林、热带季雨林。

1992 年 6 月,联合国环境与发展大会通过了《生物多样性公约》,我国于这一年年底加入了这个公约。2005 年,我国核准加入了《卡塔赫纳生物安全议定书》。2010 年,国务院通过了《中国生物多样性保护战略与行动计划(2011－2030 年)》。该计划阐述了我国生物多样性保护工作的成效、问题和挑战,明确了生物多样性保护战略,确定了生物多样性保护优先区域,列举了生物多样性保护优先领域与行动,具体包括开展生物多样性调查、评估与监测,加强生物多样性就地保护,促进生物遗传资源及相关传统知识的合理利用与惠益共享,加强外来入侵物种和转基因生物安全管理等。

修订前的环境保护法第 19 条规定:“开发利用自然资源,必须采取措施保护生态环境。”修订后的环境保护法第 30 条第 1 款规定:“开发利用自然资源,应当合理开发,保护生物多样性,保障生态安全,依法制定有关生态保护和恢复治理方案并予以实施。”明确提出了生物多样性的概念,更加准确、全面。

二、关于外来物种

本条第 2 款规定:“引进外来物种以及研究、开发和利用生物技术,应当采取措施,防止对生物多样性的破坏。”这是对引进外来物种和研究、开发和利用生物技术的有关规定。

我国遭受外来入侵物种危害问题比较严重,全国各省、自治区和直辖市均有外来入侵物种,外来入侵物种不仅对生物多样性造成危害,也对经济发展和人类健康造成巨大影响。环境保护部于 2003 年和 2010 年颁布了两批外来入侵物种名录。

目前,我国还没有关于防治外来物种入侵的专项法律法规,相关规定散见于其他单行法律法规中。例如,《植物检疫条例》第 12 条规定,从国外引进种子、苗木,引进单位应当向所在地省、自治区、直辖市植物建议机构提出申请,办理检疫审批手续。

从国外引进、可能潜伏有危险性病、虫的种子、苗木和其他繁殖材料，必须隔离试种，植物检疫机构应当进行调查、观察和检疫，证明确实不带危险性病、虫的，方可分散种植。渔业法第17条规定，水产苗种的进口、出口必须实施检疫，防止病害传入境内和传出境外，具体检疫工作按照有关动植物进出境检疫法律、行政法规的规定执行。引进转基因水产苗种必须进行安全性评价，具体管理工作按照国务院有关规定执行。海洋环境保护法第25条规定，引进海洋动植物物种，应当进行科学论证，避免对海洋生态系统造成危害。动物防疫法第46条规定，跨省、自治区、直辖市引进乳用动物、种用动物及其精液、胚胎、种蛋的，应当向输入地省、自治区、直辖市动物卫生监督机构申请办理审批手续。

这些法律法规的立法目的主要在于防治病虫害及与杂草检疫、保护人类健康等方面，没有充分包含对生物多样性、生态安全或生态系统功能保护的相关内容。修法过程中，有的意见提出，本法有必要规定防止引进物种等行为对生物多样性造成破坏的内容，立法机关经研究，采纳了该建议。

三、关于生物技术

本条第2款规定了“研究、开发和利用生物技术”，目前，主要的生物技术是转基因技术。研究证明，转基因生物可能引起食品安全问题，影响人体健康，也可能产生诸多生态环境安全问题，如生物多样性降低、害虫抗性增强，还可能产生其他非预期的环境风险。因此，在研发和利用转基因生物的同时，对转基因生物环境释放采取严格的安全管理，已成为国际共识和各国的普遍做法。

在我国，先后制定并发布了一些关于转基因生物安全管理的法规和规章，如1993年《基因工程安全管理办法》、1999年

《新生物制品审批办法》、2001年《农业转基因生物安全管理条例》、《农业转基因生物安全评价管理办法》、《农业转基因生物标识管理办法》、《农业转基因生物进口安全管理办法》等,但这些条款主要集中于狭义的农业种植业领域。2002年卫生部发布实施了《转基因食品卫生管理办法》,2004年质检总局发布实施了《进出境转基因产品检验检疫管理办法》,2006年国家林业局发布实施了《开展林木转基因工程活动审批管理办法》。这些法规、规章是各部门根据自己的实际需要建立的部门转基因生物安全法规,与我国生物技术的发展水平和转基因生物安全管理的实际需要存在相当差距。因此,有必要在本法中对研究、开发和利用包括转基因技术在内的生物技术作出规定。立法机关经研究,增加了该款规定。

**第三十一条　国家建立、健全生态保护补偿制度。**

**国家加大对生态保护地区的财政转移支付力度。有关地方人民政府应当落实生态保护补偿资金,确保其用于生态保护补偿。**

**国家指导受益地区和生态保护地区人民政府通过协商或者按照市场规则进行生态保护补偿。**

**【释义】**　本条是关于生态保护补偿的规定。

修订前的环境保护法没有规定生态保护补偿制度。本法修订过程中,有的意见提出,生态保护补偿是落实环境保护工作任务的一项重要举措,本法应进一步明确生态保护补偿机制。十八大报告提出,要加强生态文明建设,深化资源性产品价格和税费改革,建立反映市场供求和资源稀缺程度、体现生态价值和代际补偿的资源有偿使用制度和生态补偿制度。十八届三中全会决定提出,实行生态补偿制度。坚持"谁受益,谁补偿"原则,完善对重点生态功能区的生态补偿机制，推动地区间建立横向生态补偿制度。2013 年 4 月，常委会会议听取了国务院关于生态补偿机制建设工作情况的报告，报告提出要建立生态补偿长效机制，明确了生态补偿机制的主要方式。立法机关经研究，增加了有关生态保护补偿的规定。

一、关于建立、健全生态保护补偿制度

本条第 1 款开宗明义地规定了“国家建立、健全生态保护补偿制度”。众所周知，环境问题具有外部性，而生态保护补偿就是将生态保护外部性内部化，让受益者支付相应费用，解决“搭便车”的问题。通过受益地区对为生态保护付出代价、作出贡献的地区提供补偿，达到环境质量改善的目的。建立、健全生态保护补偿制度，是建设生态文明的重要制度保障。在综合考虑生态保护成本、发展机会成本和生态服务价值的基础上，通过采取财政转移支付或横向的协商、通过市场规则等方式，对生态保护者给予合理补偿，是明确界定生态保护者与受益者权利义务、使生态保护经济外部性内部化的公共制度安排，对于实施主体功能区战略、促进欠发达地区和贫困人口共享改革发展成果，对于加快生态文明建设、促进人与自然和谐发展具有重要意义。

2005 年，《国民经济和社会发展第十二个五年规划纲要》规定，按照“谁开发谁保护，谁受益谁补偿”的原则，加快建立生态补偿机制。加大对重点生态功能区的均衡性转移支付力度，研究设立国家生态补偿专项资金。推行资源型企业可持续发展准备金制度。鼓励、引导和探索实施下游地区对上游地区、开发地区对保护地区、生态受益地区对生态保护地区的生态补偿。积极探索市场化生态补偿机制。

2008 年水污染防治法修改时，有的意见提出，为鼓励保护水环境，统筹区域发展，对一些为保护水环境作出贡献的位于水源上游的经济不发达地区，应通过财政转移支付等方式给予生态保护补偿。立法机关在修订后的水污染防治法中第一次确立了这个制度。水污染防治法第7条规定，国家通过财政转移支付等方式，建立健全对位于饮用水水源保护区区域和江河、湖泊、水库上游地区的水环境生态保护补偿机制。之后，一些地方性法规也对生态保护补偿作出了规定，如《辽宁省辽河流域水污染防治条例》第15条规定，建立对位于饮用水水源保护区域和河流、水库上游地区的水环境生态保护补偿机制，建立市、县交界处河流断面水质超标补偿机制，具体办法由省人民政府制定。《浙江省饮用水水源保护条例》第6条规定，县级以上人民政府应当通过设立饮用水水源保护生态补偿专项资金、财政转移支付、区域协作等方式，建立健全饮用水水源生态保护补偿机制，逐步加大对饮用水水源地的经济补偿力度，促进饮用水水源地和其他地区的协调发展。

将生态保护补偿制度写入环境保护法这部基础性法律，进一步明确了生态保护补偿的法律地位，有利于生态保护补偿的贯彻实施。

二、关于生态保护补偿方式

本条第2款、第3款分别规定了两种生态保护补偿方式：一是国家对生态保护地区的财政转移支付，二是受益地区和生态保护地区人民政府通过协商或者按照市场规则进行生态保护补偿，也就是横向生态保护补偿。

1. 关于国家对生态保护地区的财政转移支付。据统计，中央财政安排的生态补偿资金总额从2001年的23亿元增加到2012年的约780亿元，累计约2500亿元。其中，国家重点生态功能区转移支付从2008年的61亿元增加到2012年的371亿元，累计安排1101亿元。财政部会同海洋局从2010年开始，利用中央分成海域使用金 38.8 亿元，开展海洋保护区和生态脆弱区的整治修复。近年来，中央财政还对湿地保护和流域水环境保护给予了适当补助。此外，1998 年以来，国家先后启动实施了退耕还林、退牧还草、天然林保护、京津风沙源治理、西南岩溶地区石漠化治理、长江黄河上中游等重点区域水土流失综合治理，青海三江源自然保护区、甘肃甘南黄河重要水源补给区以及塔里木河、石羊河、黑河等生态脆弱河流综合治理等重大生态建设工程，累计投入约 8000 亿元。

需要注意的是，本条第 2 款明确规定："有关地方人民政府应当落实生态保护补偿资金，确保其用于生态保护补偿。"这就明确了生态保护资金是专项资金，地方政府应确保其专项用于生态保护补偿，不得私分、挪用。

2. 关于受益地区和生态保护地区人民政府通过协商或者按照市场规则进行生态保护补偿。近年来，一些地方开展的横向生态补偿实践仍处于探索过程中，实施效果还有待观察，一些有条件的地方还尚未实施。今后，应通过搭建协商平台，完善支持政策，引导和鼓励开发地区、受益地区与生态保护地区、流域上游与下游通过自愿协商建立横向补偿管理，采取资金补助、对口协作、产业转移、人才培训、共建园区等方式实施横向生态补偿。例如，根据国务院批复的《西部大开发"十二五"规划》要求，发展改革委组织开展了祁连山、秦岭—六盘山、武陵山、黔东南、川西北、滇西北、桂北 7 个不同类型的生态补偿示范区建设，通过整合资金、明确重点、完善办法、落实责任，为建立生态补偿机制提供经验。2007 年，原环保总局出台了《关于开展生态补偿试点工作的指导意见》。2011 年，财政部会同环境保护部出台了涉及浙江、安徽两省的新安江流域水环境补偿试点实施方案，明确补偿的资金来源、标准和具体办法，开展跨省级行政区域水环境生态补偿试点。

**第三十二条　国家加强对大气、水、土壤等的保护，建立和完善相应的调查、监测、评估和修复制度。**

**【释义】** 本条是关于大气、水、土壤等进行保护、建立和完善相应的调查、监测、评估和修复制度的规定。

2014 年，全国人大常委会工作报告指出，通过完善法律制度，加强环境管理过程控制，强化污染物配方行为监督，加大违法行为惩治力度，着力解决群众反映强烈的大气、水、土壤污染等环境突出问题。本条是此次修订过程中新增的条文。目前，我国已经制定了大气污染防治法、水污染防治法，有关部门正在抓紧起草土壤污染防治法草案，争取早日出台。

本条规定："国家加强对大气、水、土壤等的保护，建立和完善相应的调查、监测、评估和修复制度。"由于大气、水、土壤的保护有其各自特点，调查、评估、修复等制度未必都要一一对应地建立，因此这里用的表述是"相应的"。

1987 年，全国人大常委会制定了大气污染防治法，其后分别于 1995 年和 2000 年进行了修改。大气污染防治法确立了大气污染物排放总量控制、大气环境质量标准、征收排污费、增强对大气污染防治的监管、采取防治燃煤污染、机动车船排放污染的措施等。大气污染防治法规定了大气监测制度，该法第 22 条规定："国务院环境保护行政主管部门建立大气污染监测制度，组织监测网络，制定统一的监测方法。"设置该制度的意义是，开展全国性的大气污染监测工作评价和掌握大气环境质量和大气污染状况，为大气污染防治提供监测数据和测试技术、方法。

1984 年，全国人大常委会制定了水污染防治法，其后分别于 1996 年和 2008 年修改。水污染防治法明确了各级人民政府在水环境保护中的责任、水污染防治的监督管理体系，规定了总量控制、排污许可证、饮用水水源保护区、水环境质量监测和水污染物排放监测制度、公众参与环境影响评价制度等。水污染防治法规定了水监测制度。该法第25条规定："国务院环境保护主管部门负责制定水环境监测规范，统一发布国家水环境状况信息，会同国务院水行政等部门组织监测网络。"

良好的土壤是农产品安全的首要保障，是人类健康的重要基础。但长期以来，由于我国经济发展方式粗放，产业结构和布局不合理，污染物排放总量居高不下，部分地区土壤污染严重，对农产品质量安全和人体健康构成了严重威胁。为此，国务院发布了《全国土壤环境保护"十二五"规划》。2014年，环境保护部公布了《土壤污染防治行动计划》。土壤污染防治法已经列入十二届全国人大常委会立法规划，有关部门正在抓紧研究起草。

本法修改过程中，有的意见提出，土壤污染已经成为当前环境保护面临的突出问题，有关方面正在加紧研究起草土壤污染防治法，本法作为规定环境保护基本制度的法律，应当对土壤环境保护问题作出原则规定。立法机关吸收了这个建议，在本法中作出了专门规定。修订草案将这一条修改为："国家加强土壤环境保护，建立土壤环境调查、监测、评估和修复制度。"对此，有的常委会组成人员提出，除了对土壤问题作出规定外，还有必要对大气、水作出类似规定。立法机关吸收了该意见，修改为现在的表述，即"国家加强对大气、水、土壤等的保护，建立和完善相应的调查、监测、评估和修复制度"。

本条原则规定了对土壤的调查、监测、评估和修复制度。其中，土壤污染调查是土壤修复的前提和基础。2008年环保部《关于加强土壤污染防治工作的意见》（以下简称《意见》）指出，各级环保部门要按照全国土壤污染状况调查工作的统一部署，加强共同协调，有效整合资源，强化质量管理，落实配套资金，确保调查的进度和质量。2014 年 4 月 17 日，环境保护部和国土资源部发布了《全国土壤污染状况调查公报》。调查结果显示，全国土壤环境状况总体不容乐观，部分地区土壤污染较重，耕地土壤环境质量堪忧，工矿业废弃地土壤环境问题突出。调查显示，全国土壤总的点位超标率为 16.1%。

关于土壤环境质量监测和评估，《意见》指出，把土壤环境质量监测纳入先进的环境监测预警体系建设，制定土壤环境监测计划并组织落实。进一步加大投入，不断提高环境监测能力，逐步建立和完善国家、省、市三级土壤环境监测网络，定期公布全国和区域土壤环境状况质量。

关于污染土壤修复，《意见》指出，根据土壤污染状况调查结果，组织有关部门和科研单位，筛选污染土壤修复实用技术，加强污染土壤修复技术集成。目前，环保部会同有关部门正在编制《土壤污染防治行动计划》。

**第三十三条　各级人民政府应当加强对农业环境的保护，促进农业环境保护新技术的使用，加强对农业污染源的监测预警，统筹有关部门采取措施，防治土壤污染和土地沙化、盐渍化、贫瘠化、石漠化、地面沉降以及防治植被破坏、水土流失、水体富营养化、水源枯竭、种源灭绝等生态失调现象，推广植物病虫害的综合防治。**

**县级、乡级人民政府应当提高农村环境保护公共服务水平，推动农村环境综合整治。**

**【释义】**　本条是关于农业与农村环境保护的规定。

立法中，有的意见提出，环保法修改不能重工业轻农业、重城镇轻农村，事实上农业、农村的环境污染问题已经比较严重，要高度重视农业与农村的环境保护。立法机关吸收了这方面的意见,加强了这方面的规定,进一步强化对农业与农村环境的保护。

一、关于农业环境保护

农业环境是指与农业生物的生长、发育和繁殖密切相关的水、空气、阳光、土壤、森林、草原等要素组成的综合体。农业环境是我国农民赖以生存的条件,是维持农业生产的基础。因此,保护农业环境,维持农业生态平衡,对于保证农业经济发展,保障农民身体健康具有重大意义。

修订前的环境保护法第 20 条对农业环境保护作出了规定,“各级人民政府应当加强对农业环境的保护,防止土壤污染、土地沙化、盐渍化、贫瘠化、沼泽化、地面沉降和防治植被破坏、水土流失、水源枯竭、种原灭绝以及其他生态失调现象的发生和发展,推广植物病虫害综合防治,合理使用化肥、农药及植物生长激素”。此次修法对此进行了进一步完善,增加了“石漠化”、“水体富营养化”等情形。

由于人类不合理开发利用等原因,土地会出现沙化、盐渍化、贫瘠化等生态失调现象。土地沙化,是指主要因人类不合理活动所导致的天然沙漠扩张和砂质土壤上植被及覆盖物被破坏,形成流沙及沙土裸露的过程。对此,农业法第 59 条第 2 款规定,各级人民政府应当采取措施,预防土地沙化,治理沙化土地。国务院和沙化土地所在地区的县级以上地方人民政府应当按照法律规定制定防沙治沙规划,并组织实施。盐渍化是指水灌地由于盐分积聚而缓慢恶化,也就是易溶性盐分在土壤表层积累的过程。贫瘠化是指土壤的物理、化学和生物特性劣化,如表现为有机质含量下降、营养元素亏缺、土壤结构破坏、土壤被侵蚀、土层变薄、土壤板结等。石漠化是指在热带、亚热带湿润、半湿润气候条件和岩溶发育的背景下,受人为活动干扰,使地表植被遭受破坏，导致土壤严重流失，基岩大面积裸露或砾石堆积的土地退化现象。水体富营养化是指由于大量的氮、磷、钾等元素排入到流速缓慢、更新周期长的地表水体，使藻类等水生生物大量生长繁殖，使有机物产生的速度远远超出消耗速度，水体中有机物积蓄，破坏生态平衡的过程。

对上述生态失调现象，应当加强对农业环境的保护，促进农业环境保护新技术的使用，加强对农业污染源的监测预警，统筹有关部门采取措施。

二、关于农村环境保护

农村环境是指以农村居民为中心的农村区域范围内各种天然的和经过人工改造的自然因素的整体，包括该区域范围内的土地、大气、水、动植物等。保护农村环境，有利于农村经济、社会持续、稳定、协调发展，同时也是保障农村居民身体健康的需要。

近年来，我国农村环境出现了一些问题，例如村庄建设缺乏规划、饮用水水体受污染以及乡镇企业污染环境等。对此，有关方面非常重视，出台了一系列法律法规。我国关于农村环境保护的规定主要有土地管理法及其实施细则、《村庄和集镇规划建设管理条例》、《关于加强乡镇、街道企业环境管理的规定》、《关于加强乡镇企业环境保护工作的规定》等。其中，《村庄和集镇规划建设管理条例》规定，乡级人民政府应当采取措施，保护村庄、集镇饮用水源；有条件的地方，可以集中供水，使水质逐步达到国家规定的生活饮用水标准。未经乡级人民政府批准，任何单位和个人不得擅自在村庄、集镇规划区内的街道、广场、市场和车站等场所修建临时建筑物、构筑物和其他设施。

本条第2款明确规定，县、乡级人民政府应当提高农村环境保护公共服务水平，推动农村环境综合整治。这就明确了具体担负起提高农村环保公共服务水平的责任主体是县、乡两级人民政府。县、乡两级政府更加接近基层、更加接地气，方便开展此项工作。关于农村环境综合整治的具体内容，2007 年，原国家环保总局《关于加强农村环境保护工作的意见》列举了一些具体措施，包括切实保护好农村饮用水源地、加大农村生活污染治理力度、严格控制农村地区工业污染、加强畜禽水产养殖污染防治、控制农业面源污染、积极防治农村土壤污染、加强农村生态自然保护、加强农村环境监测和监管等。本款规定的农村环境综合整治，包括但不限于上述内容。

**第三十四条 国务院和沿海地方各级人民政府应当加强对海洋环境的保护。向海洋排放污染物、倾倒废弃物，进行海岸工程和海洋工程建设，应当符合法律法规规定和有关标准，防止和减少对海洋环境的污染损害。**

**【释义】** 本条是关于海洋环境保护的规定。

一、依法加强海洋环境保护，防止和减少对海洋环境的污染损害

海洋是环境的重要组成部分，作为整体环境保护工作的一部分，加强对海洋环境的保护是我国环境保护法的重要内容。考虑到我国海洋环境保护工作的特殊性，我国于 1982 年制定了海洋环境保护领域的专门法律——海洋环境保护法。我国还制定了《中华人民共和国海洋倾废管理条例》、《防治海洋工程建设项目污染损害海洋环境管理条例》、《中华人民共和国防治海岸工程建设项目污染损害海洋环境管理条例》、《防治船舶污染海洋环境管理条例》等海洋环境保护领域的行政法规。在此背景下，海洋环境保护工作应当依照本法和海洋环境保护法等法律法规的规定执行。

为了加强对海洋环境的保护,海洋环境保护法对国务院和沿海地方各级人民政府的职责和义务作出了具体规定。主要包括:(1)在实行海洋功能区划管理方面,国家海洋行政主管部门会同国务院有关部门和沿海省、自治区、直辖市人民政府拟定全国海洋功能区划,报国务院批准。沿海地方各级人民政府应当根据全国和地方海洋功能区划,科学合理地使用海域。(2)在制定和实施海洋环境质量标准方面,国家根据海洋环境质量状况和国家经济、技术条件,制定国家海洋环境质量标准。沿海省、自治区、直辖市人民政府对国家海洋环境质量标准中未作规定的项目,可以制定地方海洋环境质量标准。沿海地方各级人民政府根据国家和地方海洋环境质量标准的规定和本行政区近岸海域环境质量状况,确定海洋环境保护的目标和任务,并纳入人民政府工作计划,按相应的海洋环境质量标准实施管理。(3)在突发事件应急管理方面,国家根据防止海洋环境污染的需要,制订国家重大海上污染事故应急计划。沿海县级以上地方人民政府在本行政区域近岸海域的环境受到严重污染时,必须采取有效措施,解除或者减轻危害。沿海县级以上地方人民政府及其有关部门在发生重大海上污染事故时,必须按照应急计划解除或者减轻危害。(4)在海洋生态保护方面,国务院和沿海地方各级人民政府应当采取有效措施,保护红树林、珊瑚礁、滨海湿地、海岛、海湾、入海河口、重要渔业水域等具有典型性、代表性的海洋生态系统,珍稀、濒危海洋生物的天然集中分布区,具有重要经济价值的海洋生物生存区域及有重大科学文化价值的海洋自然历史遗迹和自然景观。沿海城市人民政府应当建设和完善城市排水管网,有计划地建设城市污水处理厂或者其他污水集中处理设施,加强城市污水的综合整治。

为了保护和改善海洋环境,海洋环境保护法还对其他有关主体保护海洋环境的义务作出了规定,对“海洋生态保护”、“防治陆源污染物对海洋环境的污染损害”、“防治海岸工程建设项目对海洋环境的污染损害”、“防治海洋工程建设项目对海洋环境的污染损害”、“防治倾倒废弃物对海洋环境的污染损害”、“防治船舶及有关作业活动对海洋环境的污染损害”等作出了专章规定。

二、关于向海洋排放污染物、倾倒废弃物

依照海洋环境保护法的有关规定,排放污染物是指“把污染物排入海洋的行为,包括泵出、溢出、泄出、喷出和倒出”;倾倒废弃物是指“通过船舶、航空器、平台或者其他载运工具,向海洋处置废弃物和其他有害物质的行为,包括弃置船舶、航空器、平台及其辅助设施和其他浮动工具的行为”。海洋环境保护法在“防止陆源污染物对海洋环境污染的损害”、“防止倾倒废弃物对海洋环境的污染损害”、“防止船舶及有关作业活动对海洋环境的污染损害”等专章内容中对防止和减少向海洋排放污染物、倾倒废弃物作出了规定。

1.“陆源污染物”是指从陆地污染源向海域排放的污染物。由于陆源污染物种类多、排放数量大,对近岸海域环境会造成很大的有害影响,因此向海域排放陆源污染物,必须严格执行国家或者地方规定的标准和有关规定。禁止向海域排放油类、酸液、碱液、剧毒废液和高、中水平放射性废水。严格限制向海域排放低水平放射性废水;确需排放的,必须严格执行国家辐射防护规定。严格控制向海域排放含有不易降解的有机物和重金属的废水。含病原体的医疗污水、生活污水和工业废水必须经过处理,符合国家有关排放标准后,方能排入海域。含有机物和营养物质的工业废水、生活污水,应当严格控制向海湾、半封闭海及其他自净能力较差的海域排放。向海域排放含热废水,必须采取有效措施，保证邻近渔业水域的水温符合国家海洋环境质量标准，避免热污染对水产资源的危害。沿海农田、林场施用化学农药，必须执行国家农药安全使用的规定和标准等。

2. 向海洋倾倒废弃物（以下简称海洋倾废），是以大海具有自然净化能力以及经济费用低廉为理由，过去用来处理废弃物的一种基本方法。但是最近考虑到对海洋生态系统产生的重大影响，《联合国海洋法公约》等开始对其进行严格规制。对于海洋倾废行为本身进行规制的，当属《伦敦倾废公约》的 1996 年议定书，通过一般性禁止海洋倾废和海上焚烧，并规定采用预防原则，对海洋倾废进行严格的规制。我国作为两部公约的缔约国，为了防止和减轻海洋倾废造成的污染，积极按照公约要求完善国内立法，对海洋倾废行为实行许可制。任何单位未经国家海洋行政主管部门批准，不得向中华人民共和国管辖海域倾倒任何废弃物。需要倾倒废弃物的单位，必须向国家海洋行政主管部门提出书面申请，经国家海洋行政主管部门审查批准，发给许可证后，方可倾倒。禁止中华人民共和国境外的废弃物在中华人民共和国管辖海域倾倒。国家海洋行政主管部门根据废弃物的毒性、有毒物质含量和对海洋环境影响程度，制定海洋倾倒废弃物评价程序和标准。向海洋倾倒废弃物，应当按照废弃物的类别和数量实行分级管理。可以向海洋倾倒的废弃物名录，由国家海洋行政主管部门拟定，经国务院环境保护行政主管部门提出审核意见后，报国务院批准。

3. 防止船舶及有关作业活动对海洋环境的污染损害。在中华人民共和国管辖海域，任何船舶及相关作业不得违法向海洋排放污染物、废弃物和压载水、船舶垃圾及其他有害物质。从事船舶污染物、废弃物、船舶垃圾接收、船舶清舱、洗舱作业活动的，必须具备相应的接收处理能力。国家完善并实施船舶油污损害民事赔偿责任制度；按照船舶油污损害赔偿责任由船东和货主共同承担风险的原则，建立船舶油污保险、油污损害赔偿基金制度。为此，2009 年国务院制定了《防治船舶污染海洋环境管理条例》，2010 年交通运输部颁布了《船舶油污损害民事责任保险实施办法》，对在中华人民共和国管辖海域内航行的船舶如何投保油污损害民事责任保险或者取得其他财务保证，作出了具体规定。

三、关于进行海岸工程和海洋工程建设

所谓“海岸工程”项目，依照《中华人民共和国防治海岸工程建设项目污染损害海洋环境管理条例》的定义，是指位于海岸或者与海岸连接，工程主体位于海岸线向陆一侧，对海洋环境产生影响的新建、改建、扩建工程项目。具体包括：（1）港口、码头、航道、滨海机场工程项目；（2）造船厂、修船厂；（3）滨海火电站、核电站、风电站；（4）滨海物资存储设施工程项目；（5）滨海矿山、化工、轻工、冶金等工业工程项目；（6）固体废弃物、污水等污染物处理处置排海工程项目；（7）滨海大型养殖场；（8）海岸防护工程、砂石场和入海河口处的水利设施；（9）滨海石油勘探开发工程项目；（10）国务院环境保护主管部门会同国家海洋主管部门规定的其他海岸工程项目。

所谓“海洋工程建设”，是对原条文中的“海洋石油勘探开发”的修订，这样修订是为了与海洋环境保护法保持一致。海洋环境保护法于 1982 年制定时使用“海洋石油勘探开发”，1999 年修改时扩大范围到“海洋工程建设”。同时，依照《防治海洋工程建设项目污染损害海洋环境管理条例》的定义，海洋工程是指以开发、利用、保护、恢复海洋资源为目的，并且工程主体位于海岸线向海一侧的新建、改建、扩建工程。具体包括：（1）围填海、海上堤坝工程；（2）人工岛、海上和海底物资储藏设施、跨海桥梁、海底隧道工程;(3)海底管道、海底电(光)缆工程;(4)海洋矿产资源勘探开发及其附属工程;(5)海上潮汐电站、波浪电站、温差电站等海洋能源开发利用工程;(6)大型海水养殖场、人工鱼礁工程;(7)盐田、海水淡化等海水综合利用工程;(8)海上娱乐及运动、景观开发工程;(9)国家海洋主管部门会同国务院环境保护主管部门规定的其他海洋工程。

**第三十五条　城乡建设应当结合当地自然环境的特点,保护植被、水域和自然景观,加强城市园林、绿地和风景名胜区的建设与管理。**

**【释义】** 本条是关于城乡建设中环境保护的规定。

一、城乡建设应当考虑环境保护因素

城乡建设应当考虑环境保护因素,事关我国当前新型城镇化发展道路的成败。以往的城市化过程中伴随着我国的经济高速发展,也出现了城市规模过于庞大、城市交通拥堵和环境污染严重等弊端。当前我国提出新型城镇化发展战略,应当认真总结经验教训,考虑整体环境承载能力,结合当地自然环境的特点,因地制宜搞好城乡建设。2012 年中央经济工作会议给"新型城镇化"定调,要把生态文明理念和原则全面融入城镇化过程,走集约、智能、绿色、低碳的新型城镇化道路。

为了加强城乡规划管理,协调城乡空间布局,改善人居环境,促进城乡经济社会全面协调可持续发展,我国 2007 年制定了城乡规划法。城乡规划法将考虑环境保护规定为重要的法律原则,第 4 条规定:"制定和实施城乡规划,应当遵循城乡统筹、合理布局、节约土地、集约发展和先规划后建设的原则,改善生态环境,促进资源、能源节约和综合利用,保护耕地等自然资源和历史文化遗产,保持地方特色、民族特色和传统风貌,防止污染和其他公害，并符合区域人口发展、国防建设、防灾减灾和公共卫生、公共安全的需要。在规划区内进行建设活动，应当遵守土地管理、自然资源和环境保护等法律、法规的规定。县级以上地方人民政府应当根据当地经济社会发展的实际，在城市总体规划、镇总体规划中合理确定城市、镇的发展规模、步骤和建设标准。”并且，为了实施可持续发展战略，预防因规划和建设项目实施后对环境造成不良影响，促进经济、社会和环境的协调发展，我国2002年制定了环境影响评价法，积极开展对规划、建设项目的环境影响评价。因此，城乡建设应当考虑环境保护因素就落到了实处，有了具体程序上的保障。

二、结合当地自然环境的特点，保护植被、水域和自然景观，加强城市园林、绿地和风景名胜区的建设与管理

城乡建设中考虑环境保护因素，基本原则是要“结合当地自然环境的特点”，特别是要做好事关以下几项环境要素的保护和建设工作：

1. 植被。一般认为植被就是覆盖地球表面或某一地区内的植物及其群落的泛称，例如高山植被、草原植被、海岛植被等。草原法、水土保持法、海岛保护法、水法、防沙治沙法、《森林法实施条例》、《森林防火条例》、《城市绿化条例》等多部法律法规中都对“保护植被”提出了要求。

2. 水域。一般认为水域就是有一定含义或用途的水体所占有的区域，例如江河、湖泊、运河、渠道、水库、水塘及其管理范围，但不包括海域和在耕地上开挖的鱼塘。港口法、水法、海洋环境保护法、野生动物保护法、《太湖流域管理条例》、《南水北调工程供用水管理条例》、《国内水路运输管理条例》等多部法律法规中都对“保护（特定）水域”作出了规定。

3. 自然景观。我国法律法规中常将“自然景观”作为与“人

文景观”相并列的概念。但实际上，自从人类生活在地球表面以来，未受人类影响的景观在有人类生存的地域已经很少存在。我国法律法规中的“自然景观”应当理解为天然景观和人为景观的自然方面的总称，强调景物的自然方面的特征。与其并列的“人文景观”，则是强调景物的经济、社会等方面的特征。

4. 城市园林。城市园林是指在城市一定的地域运用工程技术和艺术手段，通过改造地形（如进一步筑山、叠石、理水）、种植树木花草、营造建筑和布置路园等途径创作而成的美的环境场所，如城市公园、植物园等。

5. 城市绿地。城市绿地是人工绿化的绿色地域系统，包括各种公园绿地、街道绿地、居住绿地、机关单位绿地等共同组成的绿化地域。绿地是城市生态环境系统的重要组成部分，对美化城市、改善城市生态环境质量起着极大的作用。本法沿用了原条文中“城市园林”与“绿地”的概念，海洋环境保护法则是使用了“（沿海城镇）园林和绿地”的概念。

6. 风景名胜区。依照《风景名胜区条例》的定义，风景名胜区是指具有观赏、文化或者科学价值，自然景观、人文景观比较集中，环境优美，可供人们游览或者进行科学、文化活动的区域。国家对风景名胜区实行科学规划、统一管理、严格保护、永续利用的原则。

**第三十六条　国家鼓励和引导公民、法人和其他组织使用有利于保护环境的产品和再生产品，减少废弃物的产生。**

**国家机关和使用财政资金的其他组织应当优先采购和使用节能、节水、节材等有利于保护环境的产品、设备和设施。**

**【释义】**　本条是关于绿色采购、绿色消费的规定。

一、国家鼓励和引导绿色消费

从发达国家的经验来看,废弃物问题不单纯是如何处理废弃物本身的问题,同时还是节约能源、循环利用资源、转变经济发展方式和人民群众生活方式的问题,国家必须从战略高度上予以重视。全国人大及其常委会作为中央立法机关,国务院及其有关部门作为中央人民政府,最高人民法院、最高人民检察院等都应当积极鼓励和引导公民、法人和其他组织使用有利于保护环境的产品和再生产品,减少废弃物的产生。我国 2002 年制定清洁生产促进法,并在 2012 年进行了大规模修订,规定了国家鼓励和促进清洁生产。我国 2008 年还制定了循环经济促进法,规定了国家鼓励和引导公民使用节能、节水、节材和有利于保护环境的产品及再生产品,减少废物的产生量和排放量。与此类似,国务院及其有关部门还应当采取其他措施,从战略上总体布局,提高全社会的环境保护意识,鼓励和引导公民、法人和其他组织使用有利于保护环境的产品和再生产品,减少废弃物的产生。

二、国家机关和使用财政资金的其他组织

财政资金是指以国家财政为中心的预算资金、国债资金及其他财政性资金,既包括中央政府和地方政府的财政收支,还包括与国家财政有关系的企业、事业和行政单位的货币收支。财政资金是一个国家社会资金的主导,它对社会资金的运作有巨大的控制力和影响力。对于财政资金的使用和管理,我国虽然没有一部专门的法律,但是为了提高财政资金的使用效益和加强对财政资金的监督管理,预算法、会计法、政府采购法、审计法等法律对此问题均有所涉及。例如,政府采购法第 9 条规定:"政府采购应当有助于实现国家的经济和社会发展政策目标,包括保护环境,扶持不发达地区和少数民族地区,促进中小企业发展等。”审计法第19条规定：“审计机关对国家的事业组织和使用财政资金的其他事业组织的财务收支，进行审计监督。”因此，本法规定国家机关和使用财政资金的其他组织应当优先采购和使用节能、节水、节材等有利于保护环境的产品、设备和设施。

三、优先采购和使用

在市场经济条件下，市场是所有经济活动的舞台，而供给与需求则是决定市场的主要因素。在市场经济中，国家机关以及使用财政资金的组织也是市场消费者，而且可能占有相当大的市场份额，因此国家机关以及使用财政资金的组织一方面可以用自己的优先采购和使用来引导社会公众的消费行为，另一方面可以通过绿色消费行为本身来影响生产企业供给节能、节水、节材等有利于保护环境的产品、设备和设施。例如，美国环保署公布了若干指导原则，用于政府机关优先采购各类再生产品和对环境与资源友好型产品。目前，美国联邦政府工作人员使用的许多电脑是节能型产品，联邦政府大楼中运行的中央空调大多数是绿色环保型产品。借鉴发达国家的经验，为了发挥政府的绿色消费对公众消费行为的导向作用，清洁生产促进法明确规定，各级人民政府应当优先采购节能、节水、废物再生利用等有利于环境与资源保护的产品。各级人民政府应当通过宣传、教育等措施，鼓励公众购买和使用节能、节水、废物再生利用等有利于环境与资源保护的产品。本法也要求国家机关和使用财政资金的其他组织应当率先垂范，践行绿色采购和绿色消费，优先采购和使用有利于保护环境的产品、设备和设施，促进形成绿色环保化市场。在这种绿色环保化的市场，有利于环境保护的商品和服务才有市场竞争力。于是，讲究环保的企业可以提高品牌价值在竞争中获胜，相反，不讲究环保的商品和企业则会被淘汰，正是立法者希望看到的理想状况。

四、有利于环境保护的产品、设备和设施

一般说来,“有利于环境保护”是一个大概念,有时候体现为节约利用资源,例如节约能源、节约用水、节约材料,即通常所说的“节能、节水、节材”;有时候体现为资源回收利用而来的再生产品等。所谓再生产品,主要是指由回收利用的原料加工成的产品,例如再生纸。将回收使用过的纸张制成再生纸利用,而不是随意丢掉,那么节约出来的部分就可以不用砍伐树木,从而起到了保护森林的效果。关于再生产品,还有个很重要的问题,就是再生产品比用原材料制造出来的商品价格往往要更高,如何确保再生产品能够持续卖出去,关系到废弃物再生利用政策的成败。一些国家(如日本)制定了《绿色采购法》,为鼓励购买有利于环境保护的再生产品创造了巨大的市场需求。

但需要注意的是,绿色采购和绿色消费作为促进环境保护的经济手段,有着需要与环保标志等信息手段配合使用才能发挥效用的特性。如果没有相关信息说明,无论国家机关和使用财政资金的其他组织,还是普通消费者,都很难在购买使用前预知某一种产品、设备和设施是否具有“节能、节水、节材”等有利于环境保护的特征,或者是否属于再生产品等。所谓环保标志,是指环境与资源保护的产品标志,不同于一般商标,它是指通过产品或包装的印记表明这些产品比其他功能和竞争性都类似的产品更有利于环境和资源保护。环保标志代表了对产品的全面环境评价,表明产品具有有利于提高资源利用率,使用后易于回收,可再用,可更新;功能合理,使用寿命长,包装易处理与降解等特征。今后也越来越需要完善环保标志等环境信息管理手段,确保能为消费者提供各类产品在考虑环境保护方面的可信赖信息,为绿色采购和绿色消费提供积极正确的引导。

**第三十七条　地方各级人民政府应当采取措施，组织对生活废弃物的分类处置、回收利用。**

**【释义】**　本条是关于地方政府组织处理生活废弃物的规定。

伴随着城镇化的快速发展，我国13多亿人口产生的废弃物总量不断攀升，2012年全国城市生活垃圾清运量达到1.71亿吨。但是随着人们环保维权意识的持续增强，新建废弃物处理设施的难度越来越大，许多城市现有废弃物处理能力已接近饱和或超负荷。我国很多城市和乡村都可能出现被废弃物包围（垃圾围城）的严峻问题，环境保护立法必须对此有所回应。在已有一些清洁生产、循环经济方面法律法规的基础上，本条进一步规定了地方各级人民政府在组织处理废弃物方面的职责。

一、地方政府在组织处理生活废弃物方面的职责

对于废弃物的产生及其处置，国家应当从战略层面上统筹考虑，例如鼓励绿色采购和绿色消费等能够较好地减少废弃物的产生。但是为了应对“垃圾围城”的危机，处理好生活废弃物（有的法律中称为“生活垃圾”）的具体问题，法律明确规定地方各级人民政府的职责在于积极采取措施组织对生活废弃物的分类处置、回收利用。这是因为考虑到环境正义，一般谁都不愿意外地生活废弃物搬运到本地来，再考虑生活废弃物处理的运输成本等，一般应以生活废弃物的“本区域内处理”为原则。地方各级人民政府应当各尽职守，采取多种多样的措施因地制宜解决生活废弃物的分类处置和回收利用问题。例如一些大城市，不是简单地将城市粪便排放到城市污水处理系统，而是通过粪便处理厂进行单独的收集处理，将城市粪便加工变成有机肥料运往近郊农村，已经积累起不少成功的经验。

二、政府组织处理废弃物问题的基本思路

1. 鼓励绿色消费,减少废弃物产生量

对废弃物管理的首选手段是避免其产生,然后才是循环使用和最终处理。在全社会推行清洁生产和绿色消费,从源头上抑制废弃物的产生、鼓励资源循环利用是十分必要的。我国企业和公民的环保意识不强,实行清洁生产、绿色消费的风气还没有形成。因此处理废弃物问题也必须从生产和消费两个环节由国家进行鼓励、引导和推动。对于实施清洁生产、具有环保意识的企业,国家给予政策扶持;对购买、使用有利于环境保护的产品和再生产品的公民法人和其他组织,国家也应给予鼓励。日本国民生活中遵循"3R"原则,也值得借鉴和推广,能够从源头上有效减少废弃物的产生量。"3R"是减少(Reduce)、再利用(Reuse)、再生利用(Recycle)三个英文单词的首字母,核心意思是尽可能不购买和使用容易产生大量垃圾的物品,尽可能延长物品使用寿命,不轻易抛弃,并尽可能使废弃物品再生利用。

2. 生活废弃物的分类处置和回收利用

"垃圾是放错了地方的资源。"在循环经济崛起并日益发展的今天,这句话已经成为越来越多的人的共识。在许多国家,再生资源的回收利用已经成为一个十分重要的产业。利用再生资源进行生产,很多时候不仅可以节约自然资源,遏制垃圾泛滥,而且要比利用天然原料节约成本,经济上更为划算。在发展循环经济的今天,我国有越来越多的企业开始从垃圾中寻找财富,一些昔日的废弃物如今成了宝贝,这是十分可喜的现象。但需注意的是,只有放对了地方才能成为资源,回收利用首先要依赖于对生活废弃物的分类处置,减少对垃圾进行二次分拣的必要性,提高废弃物回收利用的效率。地方各级人民政府应当及时采取措施,对生活废弃物的分类处置和回收利用提供指导和帮助。

**第三十八条　公民应当遵守环境保护法律法规，配合实施环境保护措施，按照规定对生活废弃物进行分类放置，减少日常生活对环境造成的损害。**

**【释义】** 本条是关于公民环境保护义务的具体规定。

现实中，在享受着极大物质文明便利的日常生活的同时，由于人类自身无意识的行为，正不知不觉导致地球规模的环境恶化。例如，驾驶机动车本身并不是法律所禁止的，也不是道德上要特别加以责难的，但是机动车排放的尾气却是造成全球变暖的一个重要原因，很多人实际上每天都在利用机动车加速全球变暖。当前存在的大面积雾霾、全球变暖等环境问题，每一个公民既是受害者，又是责任人。我国是一个有13亿人口的发展中国家，在我国强调每个公民都履行环境保护义务，意义重大。环境保护法要求公民应当深入思考如何处理人类与环境的关系，自觉履行环境保护义务，努力去做使自身行为符合构筑可持续发展社会需要的理性公民。

一、公民应当遵守环境保护法律法规

首先，公民应当遵守本法的有关规定。本法第6条规定，一切单位和个人都有保护环境的义务；公民应当增强环境保护意识，采用低碳、节俭的生活方式，自觉履行环境保护义务。相应的，本条规定公民应当遵守环境保护法律法规，配合实施环境保护措施，按照规定对生活废弃物进行分类放置，减少日常生活对环境造成的损害。同时公民要依法行使权利，有序参与环境保护活动，真正成为环境保护的践行者。

其次，公民应当遵守环境领域单行法，以及其他所有涉及环境保护的法律的有关规定。(1)大气污染防治法规定，对未划定为禁止使用高污染燃料区域的大、中城市市区内的其他民用炉灶,限期改用固硫型煤或者使用其他清洁能源。禁止在人口集中地区、机场周围、交通干线附近以及当地人民政府划定的区域露天焚烧秸秆、落叶等产生烟尘污染的物质。在上述区域内露天焚烧秸秆、落叶等产生烟尘污染的物质的,由所在地县级以上地方人民政府环境保护行政主管部门责令停止违法行为;情节严重的,可以处 200 元以下罚款。(2)环境噪声污染防治法规定,禁止任何单位、个人在城市市区噪声敏感建筑物集中区域内使用高音广播喇叭。在城市市区街道、广场、公园等公共场所组织娱乐、集会等活动,使用音响器材可能产生干扰周围生活环境的过大音量的,必须遵守当地公安机关的规定。使用家用电器、乐器或者进行其他家庭室内娱乐活动时,应当控制音量或者采取其他有效措施,避免对周围居民造成环境噪声污染。在已竣工交付使用的住宅楼进行室内装修活动,应当限制作业时间,并采取其他有效措施,以减轻、避免对周围居民造成环境噪声污染。(3)固体废物污染环境防治法规定,产生固体废物的单位和个人,应当采取措施,防止或者减少固体废物对环境的污染。禁止任何单位或者个人向江河、湖泊、运河、渠道、水库及其最高水位线以下的滩地和岸坡等法律、法规规定禁止倾倒、堆放废弃物的地点倾倒、堆放固体废物。对城市生活垃圾应当按照环境卫生行政主管部门的规定,在指定的地点放置,不得随意倾倒、抛撒或者堆放。个人有随意倾倒、抛撒或者堆放生活垃圾或者在运输过程中沿途丢弃、遗撒生活垃圾的违法行为的,由县级以上地方政府环境卫生行政主管部门责令停止违法行为,限期改正,处 200 元以下的罚款。(4)循环经济促进法规定,公民应当增强节约资源和保护环境意识,合理消费,节约资源。(5)水法规定,合理开发、利用、节约和保护水资源。单位和个人有节约用水的义务。(6)电力法规定,供电企业和用户应当遵守国家有关规定，采取有效措施，做好安全用电、节约用电和计划用电工作。

另外，行政法规、地方性法规中也有一些关于公民环境保护义务的规定。例如，《北京市大气污染防治条例》中规定，任何单位和个人不得进行露天焚烧秸秆、树叶、枯草、垃圾、电子废物、油毡、橡胶、塑料、皮革等向大气排放污染物的行为。任何单位和个人不得在政府划定的禁止范围内露天烧烤食品或者为露天烧烤食品提供场地。公民应当认真遵守环境保护法律法规，任何违反环境保护法律法规的行为都要承担相应的法律责任。

二、公民应当配合实施环境保护措施

本法对政府保护环境的义务作出了规定，规定政府要采取有效措施，改善环境质量，提高农村环境保护公共服务水平，推动农村环境综合整治，组织对生活废弃物的分类处置、回收利用，统筹建设环境卫生设施等。其他环境保护法律法规中也有一些政府应当采取有效措施保护环境的规定。相应的，公民应当积极学习环境保护知识，提高环境保护意识，配合政府实施好环境保护措施。例如在公民居住的周边地域建设废弃物处置场等环境卫生设施或场所时，一方面要加强规范管理，要求建设单位依法进行环境影响评价，依法进行信息公开接受周边居民的监督，减少周边居民的不安情绪；另一方面要求周边居民克服心理上的排斥情绪，自觉配合实施废弃物处置场的建设等环境保护措施。

三、公民应分类放置废弃物等以减少日常生活对环境造成的损害

对于废弃物实行分类放置、分类处理是各国通行做法。德国早在 1904 年就开始实施城市垃圾分类收集，至今已有 100 多年历史。通常情况下，每栋住宅楼都有三至四个垃圾箱，分别存

放各种包装物、不可回收垃圾、纸制品以及玻璃瓶。废弃物处理公司根据住宅楼的住户密度，决定垃圾箱的大小，确定住户需要缴纳的垃圾处理费用。家电、电池、家具等垃圾则采取定点收集处理。日本通常是将垃圾分为四类：(1)一般垃圾，包括厨余类、纸屑类、草木类、包装袋类、皮革制品类、容器类、玻璃类、餐具类、非资源性瓶类、橡胶类、塑料类、棉质白色衬衫以外的衣服毛线类。(2)可燃性资源垃圾，包括报纸(含传单、广告纸)、纸箱、纸盒、杂志(含书本、小册子)、旧布料(含毛毯、棉质白色衬衫、棉质床单)、装牛奶饮料的纸盒子。(3)不燃性资源垃圾，包括饮料瓶(铝罐、铁罐)、茶色瓶、无色透明瓶、可以直接再利用的瓶类。(4)可破碎处理的大件垃圾，包括小家电类(电视机、空调机、冰箱/柜、洗衣机)、金属类、家具类、自行车、陶瓷器类、不规则形状的罐类、被褥、草席、长链状物(软管、绳索、铁丝、电线等)。然后具体又分为很多小类，分别实行不同的回收处理措施。我国也应当尽快建立和完善废弃物分类的有关规定。

需要注意的是，公民从事个体生产经营的，还应当遵守本法以及其他法律法规规定的生产经营者应当承担的环境保护义务。例如，大气污染防治法规定城市饮食服务业的经营者，必须采取措施，防治油烟对附近居民的居住环境造成污染。

**第三十九条　国家建立、健全环境与健康监测、调查和风险评估制度；鼓励和组织开展环境质量对公众健康影响的研究，采取措施预防和控制与环境污染有关的疾病。**

**【释义】** 本条是关于环境质量与公众健康方面的规定。

一、相关背景

我国一贯重视环境与健康问题，新中国成立伊始即确立了“预防为主”的卫生工作方针，开展轰轰烈烈的爱国卫生运动，大力整治环境卫生，为预防传染病发生和流行，保护人民身体健康，保证国家建设和经济发展顺利进行发挥了积极而不可替代的作用。但是，相对于经济社会发展的形势需要，我国环境与健康工作仍显薄弱，能力和水平存在较大差距。特别是改革开放以来，我国经济迅猛发展，物质文化极大丰富，人民群众对生活环境和健康安全的期望不断提高，而环境污染带来的环境质量下降、生态平衡破坏以及公众健康危害，越来越成为制约经济持续增长和影响社会和谐发展的关键因素，切实加强环境与健康工作，努力解决发展、环境、健康之间的突出矛盾，已经成为当前迫切需要解决的重大问题。

近年来，世界卫生组织、联合国环境规划署及其合作伙伴与成员国密切合作，努力推进环境与健康战略和政策的制定，提出了加强环境与健康工作的一系列建议，强调建立环境与健康部门间制度性长效合作机制，制订国家环境与健康行动计划，促进环境与健康工作积极发展。为了有力推进我国环境与健康工作，积极响应国际社会倡议，针对我国环境与健康领域存在的突出问题，借鉴国外相关经验，2007 年卫生部、环保总局、发改委等 18 个部门联合制定了《国家环境与健康行动计划》(2007 - 2015 年)。《国家环境与健康行动计划》作为中国环境与健康领域的第一个纲领性文件，对指导国家环境与健康工作科学开展，促进经济社会可持续健康发展具有重要意义。有的代表建议增加“环境与健康问题调查制度”、“环境健康风险评估制度”、“环境污染损害补偿制度”等与健康保护相关的制度，落实保障人体健康的立法目的。我们研究吸收了这一意见，用单独一条对环境质量与公众健康作出了规定。

二、国家建立、健全环境与健康监测、调查和风险评估制度

本法第 17 条、第 18 条对国家建立健全环境监测制度和对

环境状况进行调查和评价的制度，具体到关注环境质量与公众健康的问题上，也要通过完善建立健全基础性的监测、调查和风险评估制度来达到保障公众健康的立法目的。根据我国环境与健康工作实际需要，制定统一的国家监测方案和监测规范，在充分利用现有各部门相关监测网络、监测工作和监测力量的基础上，进一步加强监测设备和人员队伍建设，不断充实和优化监测内容，逐步建立和完善包括环境质量监测与健康影响监测的国家环境与健康监测网络。在此基础上建立健全环境与健康监测、调查和风险评估制度，获取丰富的基础数据和成果，系统地掌握我国主要环境污染物水平和人群健康影响状况与发展变化趋势，能为科学指导环境保护和健康保护工作提供有力的技术支持。其中包括建立饮水安全与健康监测网络、空气污染与健康监测网络、土壤环境与健康监测网络、极端天气气候事件与健康监测网络、公共场所卫生和特定场所生物安全监测网络等。

三、国家鼓励和组织环境质量对公众健康影响的研究

当前我国一些主要城市出现了大面积、长时间雾霾天气，以及一些地方暴露出严重的地下水污染、土壤污染问题，都引起人民群众对环境污染与健康关系问题的关注和担心。但是，环境污染与公众健康的关系，目前研究还很不充分，知识不足仍然是制约环境保护工作开展的关键性要素。要想成功实施《国家环境与健康行动计划》，也离不开从多个方面鼓励和组织环境质量对公众健康影响的研究。例如，要想完善环境与健康技术支撑建设，就必须在全国范围内开展主要环境因素及环境所致健康损害调查，基本弄清我国环境污染所致健康损害的种类、程度、性质及分布情况，掌握环境污染所致疾病谱，为环境与健康行动的实施提供科学依据。还要根据国际和国内环境与健康工作需要与发展形势，做好以下几项研究工作：(1)鼓励和组织气

候变化对人体健康影响研究。(2)环境与健康基础性研究和中医药对环境污染健康危害的干预研究。(3)环境污染健康危害评价技术研究。(4)环境污染疾病负担评估体系研究和环境与健康资金需求分析等。

四、国家采取措施预防和控制与环境污染有关的疾病

19世纪60、70年代,日本国内经历了所谓四大公害事件(熊本水俣病、新潟水俣病、富山痛痛病、四日市哮喘病),之后全国各地的环境公害愈演愈烈,府中市的镉金属污染大米、杉并区的光化学烟雾、田子之浦港污泥公害等新型公害也成为社会需要面对的紧迫问题。从日本的教训看来,环境污染有关的疾病多种多样,一旦爆发往往具有受害人群广、受害面积大、受害时间长、受害程度深等"公害"特点。因此,国家采取措施预防控制与环境污染有关的疾病,对于促进我国经济社会可持续发展、维护人民群众健康具有极为重要的意义。

《国家环境与健康行动计划》提出了以下六项行动策略,都是国家应当采取的预防、控制与环境污染有关的疾病的重要措施:(1)建立健全环境与健康法律法规标准体系。贯彻以人为本执政理念,从保护公众健康权益和提高人民生活质量出发指导环境与健康工作,建立健全法律、法规、标准体系,为加强政府监管、规范社会行为、支持百姓维权提供坚实的法律依据。(2)形成环境与健康监测网络。开展实时、系统的环境污染及其健康危害监测,及时有效地分析环境因素导致的健康影响和危害结果,掌握环境污染与健康影响发展趋势,为国家制定有效的干预对策和措施提供科学依据。(3)加强环境与健康风险预警和突发事件应急处置工作。有效实施风险评估、风险预警和突发事件应急处置,提高风险预测和突发事件应急处置能力,避免或降低严重的环境与健康危害。(4)建立国家环境与健康信息共享

与服务系统。信息是环境与健康工作的重要基础,充分发挥信息效能,为决策、管理、研究等提供有力支持,需要良好的信息共享和信息管理保障。(5)完善环境与健康技术支撑建设。掌握国家环境与健康状况,根据面临的形势,开展重点领域的研究,加强科技创新和成果转化,为环境与健康工作的开展提供有力的技术支持。(6)加强环境与健康宣传和交流。开展公众宣传和广泛交流,增强社会对环境与健康工作的普遍认知,争取各方面的有力支持,保证环境与健康政策措施有效实施。

需要注意的是,环境与健康工作是一项系统工程,需要多部门广泛参与、多学科积极支持、多方面协调配合,在立法、制定政策和执行层面采取切实有效的措施,提高环境保护和健康保护两方面成效。

# 第四章　防治污染和其他公害

**第四十条　国家促进清洁生产和资源循环利用。**

**国务院有关部门和地方各级人民政府应当采取措施，推广清洁能源的生产和使用。**

**企业应当优先使用清洁能源，采用资源利用率高、污染物排放量少的工艺、设备以及废弃物综合利用技术和污染物无害化处理技术，减少污染物的产生。**

**【释义】**　本条是关于促进清洁生产和资源循环利用的规定。

本条第1款规定，国家促进清洁生产和资源循环利用。清洁生产，是指不断采取改进设计、使用清洁的能源和原料、采用先进的工艺技术与设备、改善管理、综合利用等措施，从源头削减污染，提高资源利用效率，减少或者避免生产、服务和产品使用过程中污染物的产生和排放，以减轻或者消除对人类健康和环境的危害。资源循环利用是指资源重复使用，减少废物产生，包括废物再利用和资源化。废物再利用是指将废物直接作为产品或者经修复、翻新、再制造后继续作为产品使用，或者将废物的全部或者部分作为其他产品的部件予以使用。废物资源化是指将废物直接作为原料进行利用或者对废物进行再生利用。清洁生产和资源循环利用是从源头上防止污染和其他公害的重要途径。我国十分重视促进清洁生产和资源循环利用，制定了清洁生产促进法、循环经济促进法、可再生能源法、节约能源法等法律。

本条第2款规定，国务院有关部门和地方各级人民政府应当采取措施，推广清洁能源的生产和使用。清洁能源，分为狭义和广义两种概念。狭义的清洁能源是指可再生能源，如水能、生物能、太阳能、风能、地热能和海洋能。广义的清洁能源除包括可再生能源外，还包括天然气、清洁煤（将煤通过化学反应转变成煤气或煤油、通过高新技术严密控制的燃烧转变成电力）和核能等低污染的能源。本法规定的为广义的清洁能源。我国相关法律对清洁能源的推广作了规定。例如，大气污染防治法规定，国家鼓励和支持开发、利用太阳能、风能、水能等清洁能源。国务院有关部门和地方各级人民政府应当采取措施，改进城市能源结构，推广清洁能源的生产和使用。重点城市人民政府划定的区域内的单位和个人应当在规定的期限内停止燃用高污染燃料，改用天然气、液化石油气、电或者其他清洁能源。大、中城市人民政府应当制定规划，对饮食服务企业限期使用天然气、液化石油气、电或者其他清洁能源。固体废物污染环境防治法规定，城市人民政府应当有计划地改进燃料结构，发展城市煤气、天然气、液化气和其他清洁能源。循环经济促进法规定，电力、石油加工、化工、钢铁、有色金属和建材等企业，必须在国家规定的范围和期限内，以洁净煤、石油焦、天然气等清洁能源替代燃料油。国务院有关部门和地方各级人民政府应当依照本法和上述法律，采取措施，推广清洁能源的生产和使用。

本条第3款规定，企业应当优先使用清洁能源，采用资源利用率高、污染物排放量少的工艺、设备以及废弃物综合利用技术和污染物无害化处理技术，减少污染物的产生。关于资源利用率高、污染物排放量少的工艺、设备和技术，国家有关部门公布了《国家重点行业清洁生产技术导向目录》、《资源综合利用目录》、《当前国家鼓励发展的环保产业设备(产品)目录》、《淘汰落后生产能力、工艺和产品的目录》等政策文件,企业应当依照上述文件选择相关的工艺、设备和技术,对废弃物进行综合利用,对污染物进行无害化处理,提高资源利用率,减少污染物的产生。

**第四十一条　建设项目中防治污染的设施,应当与主体工程同时设计、同时施工、同时投产使用。防治污染的设施应当符合经批准的环境影响评价文件的要求,不得擅自拆除或者闲置。**

**【释义】**　本条是关于建设项目防治污染设施“三同时”制度的规定。

“三同时”制度即建设项目中防治污染的设施,应当与主体工程同时设计、同时施工、同时投产使用。“三同时”制度与环境影响评价制度紧密相关,是贯彻“预防为主”原则的重要法律制度。早在1972年国务院批准的《国家计委、国家建委关于官厅水库污染情况和解决意见的报告》中就提出了“工厂建设和三废利用工程要同时设计、同时施工、同时投产”的要求。1973年,经国务院批准的《关于保护和改善环境的若干规定》中规定:“一切新建、扩建和改建的企业,防治污染项目,必须和主体工程同时设计、同时施工、同时投产”。1979年,环境保护法(试行)对“三同时”制度从法律上加以确认:“防治污染和其他公害的设施,必须与主体工程同时设计、同时施工、同时投产”。1989年通过的环境保护法总结经验,进一步完善了“三同时”制度,规定:“建设项目中防治污染的设施,必须与主体工程同时设计、同时施工、同时投产使用。防治污染的设施必须经原审批环境影响报告书的环境保护行政主管部门验收合格后,该建设项目方可投入生产或者使用。”“防治污染的设施不得擅自拆除或者闲置，确有必要拆除或者闲置的，必须征得所在地的环境保护行政主管部门同意。”国务院 1998 年制定的《建设项目环境保护管理条例》将“三同时”制度的对象从“防治污染的设施”扩大为“环境保护设施”。此外，海洋环境保护法、水污染防治法、大气污染防治法、固体废物污染环境防治法等法律也都规定了“三同时”制度。

根据本条规定，建设项目中防治污染的设施，应当与主体工程同时设计、同时施工、同时投产使用。“同时设计”，是指建设项目的初步设计，应当按照环境保护设计规范的要求，编制环境保护篇章，并依据经批准的建设项目环境影响报告书或者环境影响报告表，在环境保护篇章中落实防治污染设施的投资概算。“同时施工”，是在建设项目施工阶段，建设单位应当将防治污染设施的施工纳入项目的施工计划，保证其建设进度和资金落实。“同时投产使用”，是指建设单位必须把防治污染设施与主体工程同时投入运转，不仅指正式投产使用，还包括建设项目试生产和试运行过程中的同时投产使用。

根据本条规定，防治污染的设施应当符合经批准的环境影响评价文件的要求，不得擅自拆除或者闲置。在此次环境保护法修订调研过程中，不少企业反映目前环保领域审批环节多，耗时长，难以适应瞬息万变的市场形势。为了贯彻党的十八届三中全会关于深化行政审批制度改革，规范管理、提高效率的精神，回应企业减少审批环节的呼声，考虑到目前环保单行法中对“三同时”验收已作出明确规定，此次修订没有对“三同时”验收作出专门规定，而是提出了“防治污染的设施应当符合经批准的环境影响评价文件的要求，不得擅自拆除或者闲置”的要求，以便给今后整合环保审批环节、简化审批程序留下余地。根据本法第 45 条的规定，国家依照法律规定实行排污许可管理制度。今后可考虑将“三同时”验收与排污许可管理制度进行衔接。对已实行排污许可管理的，“三同时”验收可以纳入排污许可管理。对未实行排污许可管理的，可以根据环保单行法律的相关规定进行“三同时”验收。无论是否实行排污许可管理，防治污染的设施都应当符合经批准的环评文件的要求，不得擅自拆除或者闲置。

**第四十二条　排放污染物的企业事业单位和其他生产经营者，应当采取措施，防治在生产建设或者其他活动中产生的废气、废水、废渣、医疗废物、粉尘、恶臭气体、放射性物质以及噪声、振动、光辐射、电磁辐射等对环境的污染和危害。**

**排放污染物的企业事业单位，应当建立环境保护责任制度，明确单位负责人和相关人员的责任。**

**重点排污单位应当按照国家有关规定和监测规范安装使用监测设备，保证监测设备正常运行，保存原始监测记录。**

**严禁通过暗管、渗井、渗坑、灌注或者篡改、伪造监测数据，或者不正常运行防治污染设施等逃避监管的方式违法排放污染物。**

**【释义】**　本条是关于排污者防治污染责任的规定。

一、防治各类污染和危害

本条规定的排放污染物的企业事业单位和其他生产经营者，即排污者，包括企业、国有事业单位、民办非企业单位、个体工商户等各类排放污染物的生产经营者。排污者应当采取措施，防治生产经营活动对环境造成的污染和危害。其中包括：

1. 废气，指生产经营过程中产生的二氧化硫、氮氧化物等有毒有害气体。

2. 废水，指生产经营过程中产生的污水和废液，其中含有随水流失的生产用料、中间产物以及各种有毒有害物质。

3. 废渣，指生产经营过程中产生的有毒的、易燃的、有腐蚀性的、传染疾病的以及其他有害的固体废物。

4. 医疗废物，指医疗卫生机构在医疗、预防、保健以及其他相关活动中产生的具有直接或者间接感染性、毒性以及其他危害性的废物。医疗废物中可能含有大量病原微生物和有害化学物质，甚至会有放射性和损伤性物质，因此医疗废物是引起疾病传播或相关公共卫生问题的重要危险性因素。防治医疗废物污染是这次修订新增加的内容。

5. 粉尘，指悬浮在空气中的固体微粒。国际标准化组织将粒径小于 75μm 的固体悬浮物定义为粉尘。

6. 恶臭气体，《恶臭污染物排放标准》（GB14554－93）将其定义为：一切刺激嗅觉器官引起人们不愉快及损坏生活环境的气体物质。工业生产、市政污水、污泥处理及垃圾处置设施等是恶臭气体的主要来源。

7. 放射性物质，指铀、钚等能向外辐射能量，发出 α 射线、β 射线和 γ 射线的物质。

8. 噪声，指生产设备、建筑机械、汽车、船舶、地铁、火车、飞机、家用电器、社会活动等产生的妨碍人们正常休息、学习和工作的声音。

9. 振动，指以弹性波的形式在地面、墙壁等环境中传播的对人体及生物带来有害影响的振动，在建筑施工、轨道交通建设和运营等生产经营活动中时有发生。振动会引起人体内部器官的共振，从而导致疾病的发生。

10. 光辐射，按辐射波长及人眼的生理视觉效应分为紫外辐射、可见光辐射和红外辐射。过量的光辐射对人体健康和生产生活环境带来不良影响，成为光污染。典型的光污染有“白亮污染”、“人工白昼”、“彩光污染”等。白亮污染指太阳光照射强烈时,建筑物的玻璃幕墙、釉面砖墙、磨光大理石和各种涂料等装饰反射的光线白亮刺眼,容易造成交通事故等危害。人工白昼指夜幕降临后建筑物、广场、街道等室外场所过量的照明使夜晚如同白天一样,影响天文观测和人们的正常休息,还可能破坏昆虫在夜间的繁殖。彩光污染指舞厅、夜总会安装的黑光灯、旋转灯、荧光灯以及闪烁的彩色光源造成的污染。防治光辐射污染是这次修订新增加的内容。

11. 电磁辐射,《电磁辐射环境保护管理办法》将其定义为以电磁波形式通过空间传播的能量流,且限于非电离辐射,包括信息传递中的电磁波发射,工业、科学、医疗应用中的电磁辐射,高压送变电中产生的电磁辐射。

二、建立环境保护责任制度

根据本条第2款的规定,排放污染物的企业事业单位(含民办非企业单位),应当建立环境保护责任制度,明确单位负责人和相关人员的责任。单位负责人和相关人员是排污单位承担环境保护责任的人员。其中,单位负责人指排污单位的主要负责人,是排污单位环境保护工作的总负责人,在排污单位内全面负责环境保护工作,对相关责任人员进行指导、监督,落实环境保护管理制度。相关人员指排污单位的环境监督员等人员。环境监督员具体负责排污单位的污染防治、日程检查等环境保护工作。单位负责人和相关人员没有履行环境保护职责,导致发生污染事故的,应当承担相应法律责任。

三、重点排污单位安装使用监测设备

重点排污单位包括国家监控的重点排污单位和地方监控的重点排污单位,具体名录由环保部和地方环保部门公布。

根据本条第3款的规定,重点排污单位应当按照国家有关规定和监测规范安装使用监测设备。重点排污单位可依托自有监测设备及人员开展自行监测,也可委托其他监测机构进行监测。

重点排污单位应当保证监测设备正常运行。根据环保部《国家重点监控企业自行监测及信息公开办法(试行)》的规定,国家重点监控企业自行监测内容包括:(1)水污染物排放监测;(2)大气污染物排放监测;(3)厂界噪声监测;(4)环境影响评价报告书(表)及其批复有要求的,开展周边环境质量监测。采用自动监测的,全天连续监测;采用手工监测的,应当按以下要求频次开展监测,其中,国家或地方发布的规范性文件、规划、标准中对监测指标的监测频次有明确规定的,按规定执行:(1)化学需氧量、氨氮每日开展监测,废水中其他污染物每月至少开展一次监测;(2)二氧化硫、氮氧化物每周至少开展一次监测,颗粒物每月至少开展一次监测,废气中其他污染物每季度至少开展一次监测;(3)纳入年度减排计划且向水体集中直接排放污水的规模化畜禽养殖场(小区),每月至少开展一次监测;(4)厂界噪声每季度至少开展一次监测;(5)周边环境质量监测,按照环境影响评价报告书(表)及其批复要求执行。重点排污单位自行监测应当遵守国务院环境保护主管部门颁布的《环境监测质量管理规定》,确保监测数据科学、准确。

重点排污单位应当保存原始监测记录。自行监测记录应当包含监测各环节的原始记录、委托监测相关记录、自动监测设备运行维护记录。各类原始记录内容应当完整,由相关人员签字,并妥善保存。同时,根据本法第55条的规定,重点排污单位应当如实向社会公众公开其主要污染物的名称、排放方式、排放浓度和总量等情况。

### 四、严禁通过暗管等逃避监管的方式违法排放污染物

本条第 4 款规定，严禁通过暗管、渗井、渗坑、灌注或者篡改、伪造监测数据，或者不正常运行防治污染设施等逃避监管的方式违法排放污染物。实践中，受经济利益驱使，一些不法企业通过各种方式逃避监管，违法排放污染物。例如，2013 年 2 月下旬至 3 月，环境保护部组织北京、天津、河北、山西、山东、河南六省市环保部门，全面排查华北平原地区工业企业废水排放去向和污染物达标排放情况，查处污染地下水的环境违法行为，共发现有 55 家企业存在利用渗井、渗坑或无防渗漏措施的沟渠、坑塘排放、输送或者存贮污水的违法问题，其中天津 5 家、河北 6 家、山西 1 家、山东 14 家、河南 29 家。又如，一些企业为逃避监管，篡改、伪造监测数据，掩盖超标、超总量排污等违法行为。例如破坏采样系统，在在线监测设备的采样管上私接稀释装置，使监测设备采集不到实际排放的污染物样品，又如修改监测设备的参数，将超标排放变成“达标”排放。还有一些不法企业为降低运行成本，只在环保部门检查时运行防治污染设施，平时不运行或者时开时停，造成大量污染物未经处理直接排放，严重污染环境。对这些通过逃避监管的方式违法排放污染物的行为，必须予以严厉打击。根据本法第 63 条、第 69 条的规定，通过逃避监管的方式违法排放污染物的，尚不构成犯罪的，对直接负责的主管人员和其他直接责任人员予以行政拘留；构成犯罪的，依法追究刑事责任。2011 年《刑法修正案（八）》对刑法第 338 条进行了修改，规定了违反国家规定，排放、倾倒或者处置有放射性的废物、含传染病病原体的废物、有毒物质或者其他有害物质，严重污染环境的刑事责任。为依法惩治环境污染犯罪，最高人民法院、最高人民检察院于 2013 年联合发布了《关于办理环境污染刑事案件适用法律若干问题的解释》，对环境污染刑事

案件有关问题的认定等作了解释，将私设暗管或者利用渗井、渗坑等排放、倾倒、处置有放射性的废物、含传染病病原体的废物、有毒物质的行为列为“严重污染环境”的犯罪行为，依法追究刑事责任。

**第四十三条　排放污染物的企业事业单位和其他生产经营者，应当按照国家有关规定缴纳排污费。排污费应当全部专项用于环境污染防治，任何单位和个人不得截留、挤占或者挪作他用。**

**依照法律规定征收环境保护税的，不再征收排污费。**

**【释义】**　本条是关于排污费和环境保护税的规定。

一、排污费

排污费是排污者为其生产和消费活动产生的污染支付的环境成本。1979 年通过的环境保护法（试行）确立了排污收费制度，此后通过的水污染防治法、大气污染防治法、固体废物污染环境防治法、环境噪声污染防治法等环保单行法也规定了排污收费。1982 年国务院《征收排污费暂行办法》对排污费的征收目的、范围、标准和管理使用等作了具体规定。2003 年，国务院制定《排污费征收使用管理条例》，对排污收费制度作了重大改革，从“超标才收费”转变为“排污即收费，超标加倍收费”，由单纯按浓度收费转变为按浓度与总量收费，由单因子收费转变为多因子收费，规定了一系列排污费征收、使用、管理制度。

排放污染物的企业事业单位和其他生产经营者，应当按照《排污费征收使用管理条例》等国家有关规定缴纳排污费。征收排污费，首先要进行排污申报和核定。排污者应当按照国务院环境保护部门的规定，向县级以上地方人民政府环境保护部门申报排放污染物的种类、数量，并提供有关资料。县级以上地方人民政府环境保护部门,应当按照国务院环境保护部门规定的核定权限对排污者排放污染物的种类、数量进行核定。排污者对核定的污染物排放种类、数量有异议的,可以申请复核。其次要确定排污费数额。负责污染物排放核定工作的环境保护部门,应当根据排污费征收标准和排污者排放的污染物种类、数量,确定排污者应当缴纳的排污费数额,并予以公告。最后是按照缴费通知单缴纳排污费。排污费数额确定后,由负责污染物排放核定工作的环境保护部门向排污者送达排污费缴纳通知单。排污者应当自接到排污费缴纳通知单之日起 7 日内,到指定的商业银行缴纳排污费。排污者因不可抗力遭受重大经济损失的,可以申请减半缴纳或者免缴排污费;因有特殊困难不能按期缴纳的,可以申请缓缴。

关于排污费的使用,《排污费征收使用管理条例》设专章规定,排污费必须纳入财政预算,列入环境保护专项资金进行管理,主要用于下列项目的拨款补助或者贷款贴息:(1)重点污染源防治;(2)区域性污染防治;(3)污染防治新技术、新工艺的开发、示范和应用;(4)国务院规定的其他污染防治项目。使用环境保护专项资金的单位和个人,必须按照批准的用途使用。排污费不得用于执法队伍装备等自身能力建设。

二、环境保护税

环境保护税,也称"环境税"、"生态税"、"绿色税",一般是指以保护环境为目的,针对污染、破坏环境的特定行为课征税款的专门税种,不包括在一般性税种中为激励纳税人保护环境而采取的税收优惠等税收调节措施。环境保护税是把环境污染和生态破坏的社会成本,内化到生产成本和市场价格中,再通过市场机制来分配环境资源的一种经济手段。目前,其他国家和地区征收的环境保护税主要有二氧化硫税、氮氧化物税、二氧化碳税、水污染税、噪声税、固体废物税等。

截至2010年年底，经济合作与发展组织(OECD)34个成员国中，对二氧化硫、氮氧化物排放同时征税的有8个国家(或国家内的部分地区)；对二氧化硫排放单独征税的有3个国家，对氮氧化物排放单独征税的有1个国家；对废水排放征税的有18个国家；对固体废弃物征税的有21个国家；对二氧化碳排放征税的有10个国家。不同国家选择的税率不尽相同。环境税的使用一般有两种方式：一是专款专用于环境保护工作，二是纳入一般预算管理。发达国家的实践证明，开征环境保护税，不仅没有影响经济增长，反而可以加快产业升级，促进经济发展。

三、环境税费改革

排污收费制度对环境保护工作发挥了重要作用，但同时也存在若干弊端，严重制约其作用的发挥。一是征收效率低。排污费作为政府非税收入，由环保部门向污染企业征收，实际征收效率始终不高。按照排污费征收程序，排污费征收额测算的基础是排污者申报和环保部门核定，而目前一些地区主要依靠企业自报，申报数据的准确性、真实性难以保证，谎报、瞒报现象较为严重。由于排污费的公示、稽查制度执行不到位，加之地方保护主义，排污费少缴、欠缴、拖缴问题比较突出。二是征收标准低于污染治理成本。理论上排污费标准应不低于污染防治费用，否则污染单位将不会致力于污染的治理。而考虑到企业承受能力，目前排污费征收标准只相当于污染治理成本的一半，收费制度对防治污染的效果甚微，加之对超标处罚的力度不够，一些高污染企业宁愿“交费认罚”，也不愿投资治理污染。三是排污费使用不规范。实践中一些地方截留、挤占、挪用污染防治资金，用于环保部门日常工作经费等其他开支的现象较为普遍，使本就投入不足的污染防治资金更加紧张，极大影响了污染防治工作的开展。

“正税清费”,推进税费改革,优化财政收入结构,逐步建立以税收为主,收费为辅的政府收入分配体系是我国财政体制改革的重要内容。从经济学的角度看,收费和征税没有本质的区别,都可以将环境污染的外部成本内部化,但从实际执行效率上看,征税比收费更具强制性和规范性,可以克服收费的随意性,减少拖欠、拒缴现象,降低征收成本,提高使用效率,对环境保护更为有利。为了更好地发挥经济手段对环境保护的积极作用,促进企业节能减排,有必要逐步取消排污费,开征环境保护税。

目前有关部门已向国务院报送了环境保护税法(草案)。鉴于环境保护税法已经进入立法工作程序,修订后的环境保护法对环境保护税与排污收费制度之间的衔接作出了规定:“依照法律规定征收环境保护税的,不再征收排污费。”在依照法律规定征收环境保护税之前,排放污染物的企业事业单位和其他生产经营者,仍然要按照国家有关规定缴纳排污费。

**第四十四条　国家实行重点污染物排放总量控制制度。重点污染物排放总量控制指标由国务院下达,省、自治区、直辖市人民政府分解落实。企业事业单位在执行国家和地方污染物排放标准的同时,应当遵守分解落实到本单位的重点污染物排放总量控制指标。**

**对超过国家重点污染物排放总量控制指标或者未完成国家确定的环境质量目标的地区,省级以上人民政府环境保护主管部门应当暂停审批其新增重点污染物排放总量的建设项目环境影响评价文件。**

**【释义】**　本条是关于重点污染物排放总量控制及对超总量或者未完成环境质量目标地区暂停新增总量项目环评审批的

规定。

一、重点污染物排放总量控制制度

污染物排放总量控制，简称总量控制，是将某一控制区域作为一个完整的系统，采取措施将排入这一区域的污染物总量控制在一定数量之内，以满足该区域的环境质量要求。总量控制是环保领域的基本制度，也是国际上普遍实施的一项制度。

我国的总量控制的探索开始于 20 世纪 70 年代。一些地方认识到了达标排放不能实现环境质量改善，提出了总量控制的目标，开展了总量控制的试点。1989 年召开的第三次全国环境保护会议，国家环保局提出了同时实行浓度控制和总量控制的污染控制对策，确定了由浓度控制向总量控制的方向。1996 年八届全国人大四次会议批准的“九五”计划和 2010 年远景目标纲要提出要“创造条件实施污染物排放总量控制”。同年，国务院批复同意“九五”期间全国主要污染物排放总量控制计划，总量控制制度在我国正式实施。“九五”期间全国主要污染物排放总量控制计划基本完成。然而“十五”期末，我国经济发展的各项指标大多超额完成，只有环境保护的指标没有完成：二氧化硫排放量比 2000 年大大增加，化学需氧量仅减少了 2%，均未完成“十五”计划削减 10% 的控制目标。2006 年，“十一五”规划纲要首次提出将主要污染物排放总量减少 10% 作为约束性指标。“十一五”期末化学需氧量、二氧化硫排放总量分别下降 12.45%、14.29%，超额完成减排任务。“十二五”期间，污染物减排约束性指标在“十一五”化学需氧量、二氧化硫减排的基础上，新增了氨氮、氮氧化物两项指标。同时，在国家确定的重点区域、流域、海域专项规划中，还要控制重点重金属、总氮、总磷等污染物排放量。根据《国家环境保护“十二五”规划》，到 2015 年，主要污染物排放总量要显著减少，化学需氧量、二氧化硫排放总量要减少8%,氨氮、氮氧化物要减少10%。

在法律上,水污染防治法、大气污染防治法、海洋环境保护法等对总量控制已经作出规定。此次环境保护法修订,将总量控制制度确立为环境保护的一项基本法律制度。

根据本条第1款的规定,化学需氧量、二氧化硫、氨氮、氮氧化物等国家确定的重点污染物排放总量控制指标由国务院下达。实践中,一般采取环境保护部受国务院委托与各省、自治区、直辖市人民政府签订目标责任书的形式。例如,2011年12月20日,受国务院委托,环境保护部部长周生贤与31个省、自治区、直辖市人民政府和新疆生产建设兵团,以及华能、大唐、华电、国电、中电投、国家电网、中石油、中石化(集团)公司主要负责人正式签署"十二五"主要污染物总量减排目标责任书。目标责任书主要内容包括各省(区、市)和企业集团"十二五"主要污染物总量控制目标、主要减排任务和措施等。根据各地情况,目标责任书详细列出了各省(区、市)和企业集团重点减排项目清单,要求必须按照规定的时间完成重点减排项目建设。据统计,目标责任书所列项目包括新建1184座城镇污水处理厂,日处理总能力4570万吨;4亿千瓦火电机组建设脱硝设施,以及一大批造纸、印染、钢铁、水泥等治理工程。

各省、自治区、直辖市人民政府接到国务院下达的总量控制指标后,要逐级分解落实到各排污单位。对实行总量控制的排污单位而言,执行国家和地方污染物排放标准是最基本的要求,除此之外,还应当遵守分解落实到本单位的重点污染物排放总量控制指标的要求。

二、对超总量或者未完成环境质量目标的地区暂停新增总量项目环评审批

对超总量或者未完成环境质量目标的地区暂停新增总量项

目环评审批,即“区域限批”,是一项在环境监管实践中发展起来的、确保环保目标如期完成的重要制度。早在2005年国务院《关于落实科学发展观加强环境保护的决定》就提出,对超过污染物总量控制指标、生态破坏严重或者尚未完成生态恢复任务的地区,暂停审批新增污染物排放总量和对生态有较大影响的建设项目。2007年1月10日,原国家环保总局对外公布了查处环境违法建设项目名单,并宣布将对几个存在严重环境违法的地区和企业集团暂停审批新建项目环评文件,首次实行“区域(企业集团)环评限批”。

2008年修订的水污染防治法作出规定,对超过重点水污染物排放总量控制指标的地区,有关人民政府环境保护主管部门应当暂停审批新增重点水污染物排放总量的建设项目的环境影响评价文件。2011年国务院《关于加强环境保护重点工作的意见》提出,对未完成目标任务考核的地方实施区域限批,暂停审批该地区除民生工程、节能减排、生态环境保护和基础设施建设以外的项目。《国家环境保护“十二五”规划》提出,对未完成环保目标任务或对发生重特大突发环境事件负有责任的地方政府要进行约谈,实施区域限批。

此次环境保护法修订将“区域限批”作为环保部门的一项重要监管措施,明确了适用对象、实施主体和具体内容。

根据本条第2款的规定,“区域限批”适用于对超过国家重点污染物排放总量控制指标或者未完成国家确定的环境质量目标的地区(包括区域、流域)。“国家确定的环境质量目标”是指国家为改善环境质量而确定的具有约束力的阶段性目标,各相关地区必须按时完成。例如,国务院2013年发布的《大气污染防治行动计划》提出,到2017年,全国地级及以上城市可吸入颗粒物浓度比2012年下降10%以上;京津冀、长三角、珠三角等区域细颗粒物浓度分别下降25%、20%、15%左右，其中北京市细颗粒物年均浓度控制在60微克/立方米左右。同时要求，将重点区域的细颗粒物指标、非重点地区的可吸入颗粒物指标作为经济社会发展的约束性指标，构建以环境质量改善为核心的目标责任考核体系；国务院与各省（区、市）人民政府签订大气污染防治目标责任书，对没有完成年度目标任务的，环保部门要对有关地区实施建设项目环评限批。根据本款规定，“区域限批”的实施主体是国务院环境保护主管部门和省、自治区、直辖市人民政府环境保护主管部门。“区域限批”的具体内容是暂停审批该地区新增重点污染物排放总量的建设项目环境影响评价文件，而节能减排、生态保护等不增加重点污染物排放总量的建设项目，不受影响。

**第四十五条　国家依照法律规定实行排污许可管理制度。**

**实行排污许可管理的企业事业单位和其他生产经营者应当按照排污许可证的要求排放污染物；未取得排污许可证的，不得排放污染物。**

**【释义】**　本条是关于排污许可管理制度的规定。

排污许可是主管机关根据企事业单位和其他生产经营者的申请，经依法审查，允许其按照许可证载明的种类、浓度、数量等要求排放污染物的管理制度。

一、我国排污许可有关法律法规

我国的排污许可制度始于20世纪80年代。1988年原国家环保局发布的《水污染物排放许可证管理暂行办法》规定，各地环保部门结合本地区实际情况，在申报登记的基础上，分期分批对重点污染源和重点污染物实行排放许可证制度。

目前，水污染防治法、大气污染防治法两部法律规定了排污许可制度。水污染防治法规定,国家实行排污许可制度,直接或者间接向水体排放工业废水和医疗污水以及其他按照规定应当取得排污许可证方可排放的废水、污水的企事业单位,应当取得排污许可。大气污染防治法规定,大气污染物总量控制区内有关地方人民政府依照国务院规定的条件和程序,核定企事业单位的主要大气污染物排放总量,核发主要大气污染物排放许可证。本条规定的"国家依照法律规定实行排污许可管理制度",就是指上述法律规定及今后可能通过的其他法律规定。

在行政法规层面,《水污染防治法实施细则》规定,地方环保部门根据总量控制实施方案,审核排污单位的重点污染物排放量,对不超过排放总量控制指标的,发给排污许可证;对超过排放总量控制指标的,限期治理,发给临时排污许可证。根据国务院立法工作计划,国务院将制定《排污许可证管理条例》。

在地方层面,除个别省份外,均出台了有关排污许可证管理的地方性法规或者地方政府规章。

二、一些国家和地区的排污许可制度

瑞典是实行排污许可最早的国家,早在 1969 年的《环境保护法》中就规定了排污许可制度。随后,澳大利亚在 1970 年、法国在 1973 年也开始实行排污许可制度。目前,美国、日本、德国等国家都实行排污许可制度。美国《清洁水法》、《清洁空气法》分别规定了水污染物、空气污染物排放许可制度。此外,美国还立法确立了噪声和振动的排放许可制度。日本的《大气污染防治法》、《水体污染防治法》等法律规定了排污设施许可制度,即计划新建或者改建排放污染物的设施,应当提前 60 日向都道府县知事申报。知事经审查认为该设施不符合排放标准的,可以自申报之日起 60 日内下达变更设计或者废止计划的命令。德国的《防止有害物质入侵法》也规定了对可能造成环境损害的设施实施许可的制度。

我国台湾地区“环境基本法”规定，政府对于环境污染行为，应建立事前许可、机动查核及事业自动申报制度，以有效管制污染源。“水污染防治法”规定，事业排放废（污）水于地面水体者，应向主管机关申请，经审查登记，发给排放许可证或简易排放许可文件后，始得排放废（污）水。“空气污染防制法”规定，公私场所具有经公告之固定污染源，应于设置或变更前，检具空气污染防制计划，向主管机关申请核发设置许可证，并依许可证内容进行设置或变更。“噪音管制法”规定，在指定管制区内之营建工程或其他公私场所使用易发生噪音设施，应先向主管机关申请许可证后，始得设置或操作。

三、排污许可与其他相关制度的关系

（一）排污许可与排污申报登记。排污申报登记是指根据水污染防治法、大气污染防治法等法律的规定，排污单位向环保部门申报登记拥有的污染物排放设施、处理设施和在正常作业条件下排放污染物的种类、数量和浓度，并提供防治污染方面的有关技术资料。排污申报登记的内容与排污许可证记载的内容类似，但性质上不同于排污许可，排污申报登记只是排污单位对污染物种类和数量等情况的报告，不属于行政许可行为。排污申报登记主要是为排污收费制度服务的。

（二）排污许可与建设项目环评审批。根据环境影响评价法，环境影响评价是指对规划和建设项目实施后可能造成的环境影响进行分析、预测和评估，提出预防或者减轻不良环境影响的对策和措施，进行跟踪监测的方法与制度。建设项目的环境影响评价文件，由建设单位按照规定报有审批权的环保部门审批。建设项目环评审批与排污许可的适用对象不同，前者适用于某个建设项目,例如三峡水利工程;而后者适用于某个排污单位,例如化工厂、火电厂。建设项目与排污单位二者并非完全对应。建设项目完成后一般会成为排污单位,申请排污许可,但也有的建设项目,完成后并不会成为排污单位,申请排污许可,例如《建设项目环境影响评价分类管理名录》中的引水工程、农田改造项目、防沙治沙工程等。对一个新建、改建、扩建多个建设项目的排污单位而言,需要每个建设项目申请一个环评审批,但按照目前一些地方的做法,排污许可只需申请一个,新建、改建、扩建项目的,只需要对排污许可进行变更。

(三)排污许可与污染物排放总量控制。某一区域的总量控制目标最终要分解到各排污单位。而排污许可证是颁发给排污单位的载明其可以排放的污染物种类、浓度、数量等信息的法律凭证,因此可以成为总量控制的工具。一些地方的排污许可证管理办法已经明确规定,排污单位有污染物排放总量控制任务的,其排污许可证上应当载明污染物排放总量控制指标、削减数量和时限。

本法只对排污许可管理制度作了原则性规定:实行排污许可管理的企业事业单位和其他生产经营者应当按照排污许可证的要求排放污染物;未取得排污许可证的,不得排放污染物。排污许可管理制度的具体内容由环保单行法律及有关行政法规作出规定。

**第四十六条 国家对严重污染环境的工艺、设备和产品实行淘汰制度。任何单位和个人不得生产、销售或者转移、使用严重污染环境的工艺、设备和产品。**

**禁止引进不符合我国环境保护规定的技术、设备、材料和产品。**

**【释义】** 本条是关于对严重污染环境的工艺、设备和产品实行淘汰制度以及引进技术和设备的禁止性规定。

一、对严重污染环境的工艺、设备和产品的淘汰制度

对严重污染环境的生产工艺和设备、产品实行淘汰制度是我国环境保护的一项重要法律制度,是国家有效推进节能减排的重要法律和行政手段。20 世纪 70 至 80 年代工业企业的实际经济技术状况,在环境保护法(试行)和修订前的环境保护法中均未对淘汰作出明确的规定。20 世纪 90 年代以来,国家在制定和修订的一系列有关环境和资源保护的法律和法规中,对生产技术、工艺、设备、材料和产品的生产、销售和使用,作出了有关限制和淘汰的规定。目前,水污染防治法第 41 条、第 42 条、第 43 条;海洋环境保护法第 13 条;固体废物污染环境防治法第 27 条、第 28 条;水法第 51 条;电力法第 14 条;节约能源法第 7 条、第 16 条、第 17 条;环境噪声污染防治法第 18 条;清洁生产促进法第 11 条、第 12 条;循环经济促进法第 18 条均对落后的产品、设备和工艺实施淘汰制度作出了相同或类似的规定。

这一制度的核心内容是推动企业提高管理水平、生产工艺、技术和设备水平,提高能源和资源的利用率,从根本上解决工业污染问题。我国的环境污染,一个重要的来源就是工业污染,很大程度上是由于企业在生产过程中,使用落后的生产工艺和落后的设备所导致的。这些落后的生产工艺和设备的大量使用,导致污染物的产生量和排放量居高不下,增加了末端处置的压力。目前大多数企业的末端治理措施,只能在一定程度上控制污染的进一步恶化,不能从根本上改变或缓解污染环境的现状,其危害也很难通过源头得到控制。从国外环境保护的发展趋势来看,对工业污染的排放控制仅仅停留在“末端治理”上已远远不够。针对这一问题,本条规定,国家对严重污染环境的工艺、

技术和设备实行淘汰制度。这是制止低水平重复建设，加快产业结构调整，促进生产工艺、设备和产品的升级换代，从源头上减少污染物的产生，推动我国社会经济可持续发展的重要措施和必然要求。

国家为了推动企业实施清洁生产，对那些原材料消耗高，资源、能源浪费严重，污染严重的工艺和设备则实行强制淘汰制度。其实施是通过国家有关部门公布限期禁止采用的严重污染环境的工艺名录和禁止生产、销售、进口、使用严重污染环境的设备名录来实现的。循环经济促进法规定，国务院循环经济发展综合管理部门会同国务院环境保护等有关主管部门，定期发布鼓励、限制和淘汰的技术、工艺、设备、材料和产品名录。禁止生产、进口、销售列入淘汰名录的设备、材料和产品，禁止使用列入淘汰名录的技术、工艺、设备和材料。《促进产业结构调整暂行规定》（国发〔2005〕40 号）规定淘汰类主要是不符合有关法律法规规定，严重浪费资源、污染环境、不具备安全生产条件，需要淘汰的落后工艺技术、装备及产品。按照以下原则确定淘汰类产业指导目录：(1)危及生产和人身安全，不具备安全生产条件；(2)严重污染环境或严重破坏生态环境；(3)产品质量低于国家规定或行业规定的最低标准；(4)严重浪费资源、能源；(5)法律、行政法规规定的其他情形。对淘汰类项目，禁止投资。各金融机构应停止各种形式的授信支持，并采取措施收回已发放的贷款；各地区、各部门和有关企业要采取有力措施，按规定限期淘汰。在淘汰期限内国家价格主管部门可提高供电价格。对国家明令淘汰的生产工艺技术、装备和产品，一律不得进口、转移、生产、销售、使用和采用。依据这一规定，国务院发展改革委员会于同年发布了《产业结构调整指导目录》。2013 年，发改委会同国务院有关部门对《产业结构调整指导目录（2011

年本)》有关条目进行了调整,形成了《国家发展改革委关于修改〈产业结构调整指导目录(2011 年本)〉有关条款的决定》。目录分为鼓励类、限制类、淘汰类三大类,涉及农林业、水利、煤炭、电力、核能、石油天然气、钢铁、有色金属、化工、建材、医药、机械、汽车、船舶、航空航天、轻工、纺织、建筑、城市基础设施及房地产、铁路、公路、水运、航空运输、信息产业、其他服务业、环境保护与资源节约综合利用、黄金、烟草、消防、印刷 30 个行业近千项项目。环境保护部颁布的《环境保护综合名录》(2013 年版)对"高污染、高环境风险"产品名录列有 722 项;重污染工艺与环境友好工艺名录列有 88 项。

淘汰类名录中规定的,都是国家明令限期淘汰的工艺、设备和产品,因此,凡是列入淘汰名录的工艺、设备和产品,任何单位和个人不得继续采用,不得继续生产、销售、进口、转移或者使用。有关生产者、销售者、进口者或者使用者应当在规定的期限内分别停止生产、销售、进口、转移或者使用列入淘汰名录中的设备。如未按照本条的要求,对列入淘汰类名录中的工艺、设备和产品继续使用、生产、销售或转移的,按照相关的单行法律承担相应的法律责任。

二、引进技术和设备的禁止性规定

该款禁止性规定主要是为了防止国外污染源的转嫁,即防止国外、境外的一些厂商,将污染严重的设备、技术、工艺或者有毒有害废弃物,转移给境内没有污染防治能力的单位和个人进行生产、加工、经营或者处理,造成环境污染。防止污染转嫁的目的是从根本上杜绝污染转移的行为,其行为构成的要件是引进的设备、技术、材料、产品和工艺因对环境的污染危害严重而为法律所禁止。

**第四十七条 各级人民政府及其有关部门和企业事业单位，应当依照《中华人民共和国突发事件应对法》的规定，做好突发环境事件的风险控制、应急准备、应急处置和事后恢复等工作。**

**县级以上人民政府应当建立环境污染公共监测预警机制，组织制定预警方案；环境受到污染，可能影响公众健康和环境安全时，依法及时公布预警信息，启动应急措施。**

**企业事业单位应当按照国家有关规定制定突发环境事件应急预案，报环境保护主管部门和有关部门备案。在发生或者可能发生突发环境事件时，企业事业单位应当立即采取措施处理，及时通报可能受到危害的单位和居民，并向环境保护主管部门和有关部门报告。**

**突发环境事件应急处置工作结束后，有关人民政府应当立即组织评估事件造成的环境影响和损失，并及时将评估结果向社会公布。**

**【释义】** 本条是关于突发环境事件的风险控制、应急准备、应急处置、事后恢复等工作的规定。

突发环境事件，指突然发生，造成或者可能造成重大人员伤亡、重大财产损失和对全国或者某一地区的经济社会稳定、政治安定构成重大威胁和损害，有重大社会影响的涉及公共安全的环境事件。随着社会经济的不断发展，我国面临的环境风险正在逐步加大，突发环境事件进入高发期，造成了巨大的生态破坏和经济损失，严重威胁人民群众生命财产安全和身体健康。自1993年有环境统计数据以来，我国已经发生近3万起突发环境事件，其中重、特大突发环境事件1000多起，突发环境事件已成为影响社会和谐稳定的重要问题。为了提高对突发环境事件的应对处置能力，尽可能控制、减少、消除环境污染事故产生的危害，切实维护广大人民群众的生命财产安全，维护国家和社会稳定，本法在修改前的环境保护法第31条的基础上进行了修改，明确了政府、部门、企业在处置突发环境事件中的责任。

一、建立环境污染公共监测预警机制

突发事件的早发现、早报告、早预警，是及时做好应急准备、有效处置突发事件、减少人员伤亡和财产损失的前提。是建立健全应对突发环境事件的救助体系和运行机制，规范和指导应急处理工作，一旦发生突发环境事件，能够有效的组织、快速反应，及时控制突发环境事件，高效开展应急救援工作，最大限度地减少突发环境事件的危害，保障人民群众身体健康与生命安全，维护正常社会秩序的重要制度。预警机制不健全，就会导致突发事件发生后处置不及时，造成人员和经济损失。针对这一问题，突发事件应对法规定，“国家建立健全突发事件的预警制度”。县级以上地方政府应当及时发布相应级别的警报，决定并宣布有关地区进入预警期，并及时上报；发布三级、四级警报，宣布进入预警期后，县级以上地方各级人民政府应当采取措施，启动应急预案，加强监测、预报和预警工作，加强对突发事件信息的分析评估，定时向社会发布与公众有关的突发事件预测信息和分析评估结果，并对相关信息的报道工作进行管理，及时向社会发布警告，宣传避免、减轻危害的常识，公布咨询电话；发布一级、二级警报，宣布进入预警期后，县级以上地方各级人民政府还应当责令应急救援队伍和有关人员进入待命状态，调集应急救援所需物资、设备、工具，准备应急设施和避难场所，加强对重点单位、重要部位和重要基础设施的安全保卫，及时向社会发布有关避免或者减轻损害的建议、劝告，转移、疏散或者撤离易受危害的人员并予以妥善安置，转移重要财产，关闭或者限制使用易受危害的场所，控制或者限制容易导致危害扩大的公共场所的活动;发布警报的人民政府应当根据事态发展适时调整预警级别并重新发布,有事实证明不可能发生突发事件或者危险已经解除的,应当立即宣布解除警报、终止预警期并解除已采取的有关措施。各级人民政府在突发环境事件预防与应对工作中有统一组织和领导职责。在环境保护法中明确突发环境事件应对工作中政府及其有关部门职责的法定义务,对在国务院统一领导下,建立健全分类管理,分级负责、条块结合、属地管理为主的环境应急管理体制具有重要意义。

根据突发事件应对法关于"国务院制定国家突发事件总体预案,组织制定国家突发事件专项应急预案"、"地方各级人民政府和县级以上各级人民政府有关部门根据有关法律、法规、规章、上级人民政府及其有关部门的应急预案以及本地区的实际情况,制定相应的突发事件应急预案"的要求,国务院已经制定了国家突发环境事件应急预案。按照突发事件严重性和紧急程度,突发环境事件分为特别重大环境事件(Ⅰ级)、重大环境事件(Ⅱ级)、较大环境事件(Ⅲ级)和一般环境事件(Ⅳ级)四级,并对适用范围、工作原则、组织指挥与职责、预防和预警、突发环境事件应急响应、应急保障以及后期处置作了规定。县级以上地方人民政府对本行政区域内的环境安全保护负总责,有制定本行政区域突发环境事件应急预案的义务。地方人民政府制定应急预案既需要充分考虑本地实际情况,又需要做好本地的应急预案与上级的应急预案的衔接工作;既要符合实际,又要统一实施。为了保证应急预案的合法性和合理性,形成全国统一、协调、高效的突发环境事件应急预案体系。

县级以上地方人民政府接收到突发环境事件预警后,应立即启动分级响应机制,责令有关部门、专业机构、监测网点和负有特定职责的人员及时收集、报告有关信息,向社会公布反映突发事件信息的渠道。地方各级人民政府按照有关规定全面负责突发环境事件应急处置工作，环保部及国务院相关部门根据情况给予协调支援。按突发环境事件的可控性、严重程度和影响范围，突发环境事件的应急响应分为特别重大（Ⅰ级响应）、重大（Ⅱ级响应）、较大（Ⅲ级响应）、一般（Ⅳ级响应）四级。超出本级应急处置能力时，应及时请求上一级应急救援指挥机构启动上一级应急预案。Ⅰ级应急响应由环境保护部和国务院有关部门组织实施。

有的地方性法规对应急措施已经作出了规定，如《北京市大气污染防治条例》第 21 条规定，市人民政府应当制定空气重污染应急预案并向社会公布。在大气受到严重污染，发生或者可能发生危害人体健康和安全的紧急情况时，市人民政府应当及时启动应急方案，按照规定程序，通过媒体向社会发布空气重污染的预警信息，并按照预警级别实施相应的应对措施，包括：责令有关企业停产或者限产、限制部分机动车行驶、禁止燃放烟花爆竹、停止工地土石方作业和建筑拆除施工、停止露天烧烤、停止幼儿园和学校户外体育课等。

二、企业事业单位在预防突发环境事件中的责任

为了切实落实企业的防范处置突发环境事件的主体责任，这次修订环保法增加了相关内容，要求企事业单位认真履行环境风险隐患排查、治理的主体责任，加强环境风险管理和突发事件的应急处置。

按照突发事件应对法、《国家突发环境事件应急预案》、《突发环境事件应急预案管理暂行办法》的规定，企业事业单位，应当编制环境应急预案，并报环境保护主管部门和有关部门备案。企业事业单位的环境应急预案包括综合环境应急预案、专项环境应急预案和现场处置预案。其中，对环境风险种类较多、可能

发生多种类型突发环境事件的,应当编制综合环境应急预案;对某一种类的环境风险,企业事业单位应当根据存在的重大危险源和可能发生的突发事件类型,编制相应的专项环境应急预案;对危险性较大的重点岗位,企业事业单位应当编制重点工作岗位的现场处置预案。环境应急预案的编制还应当包括以下内容:(1)本单位的概况、周边环境状况、环境敏感点等;(2)本单位的环境危险源情况分析,主要包括环境危险源的基本情况以及可能产生的危害后果及严重程度;(3)应急物资储备情况,针对单位危险源数量和性质应储备的应急物资品名和基本储量等。

一旦发生或者可能发生突发环境事件,企业事业单位处在第一线,掌握第一手材料,其反应是否快速,采取的措施是否得当,直接影响突发环境事件的涉及面和危害程度,因此,责任单位有义务及时、主动、有效地采取应急处置措施,控制事态。突发环境事件后,责任单位和责任人以及负有监管责任的单位应在发现突发环境事件后1小时内向所在地县级以上人民政府报告,同时向上一级相关专业主管部门报告,并立即组织进行现场调查。

负责确认环境事件的单位,在确认重大(Ⅱ级)环境事件后,1小时内报告省级相关专业主管部门,特别重大(Ⅰ级)环境事件立即报告国务院相关专业主管部门,并通报其他相关部门。地方各级人民政府应当在接到报告后1小时内向上一级人民政府报告。省级人民政府在接到报告后1小时内,向国务院及国务院有关部门报告。重大(Ⅱ级)、特别重大(Ⅰ级)突发环境事件,国务院有关部门应立即向国务院报告。

三、突发环境事件后的评估工作

突发环境事件应急处置工作结束后,有关人民政府应当立即组织评估事件造成的环境影响和损失。突发环境事件污染损害评估工作包括制订工作方案、现场勘查与监测、访谈调查、损害确认、损害量化、编制评估报告等基本工作程序。污染损害评估范围包括人身损害、财产损害、环境损害、应急处置费用、调查评估费用，以及其他应当纳入评估范围内的损害。应急处置阶段应当对突发环境事件造成的人身损害和经济损失进行评估，经济损失评估范围包括财产损害、应急处置费用、调查评估费用以及应急处置阶段可以确定的其他损害。突发环境事件污染损害评估所依据的环境监测报告及其他书证、物证、视听资料、当事人陈述、鉴定意见、调查笔录、调查表等有关材料应当符合相关规定。评估结果作出后要及时向社会公布。

各级人民政府及有关部门和企业事业单位违反本条规定，未做好突发环境事件的风险控制、应急准备、应急处置和事后恢复工作的，依照突发事件应对法、《国家突发环境事件应急预案》、《突发环境事件应急预案管理暂行办法》的规定承担相应的法律责任。

**第四十八条　生产、储存、运输、销售、使用、处置化学物品和含有放射性物质的物品，应当遵守国家有关规定，防止污染环境。**

**【释义】**　本条是关于化学物品和含有放射性物质物品安全控制和管理的规定。

一、化学物品的管理

随着社会的发展，我国化学物品应用增长迅速，化学品的应用越来越广泛，生产及使用量也随之增加，因而生活在现代社会的人类都有可能通过不同途径，不同程度地接触到各种化学物质。由此也给我们的生活带来了一定的危险性和危害性。一些化学污染物质进入环境后难以降解并长期存在,对人体健康和环境造成重大威胁。管控不当,对环境会造成不可逆转的损害,引发突发环境事件,因此,必须严格管理。

对于化学物品的控制和管理,我国制定了一系列防止化学品污染的法律、法规、规章,对化学物品的安全标准和环境标准、使用、保存、处置等都有相关条款加以规定。如水污染防治法第29条规定,禁止向水体排放油类、酸液、碱液或者剧毒废液。禁止在水体清洗装贮过油类或者有毒污染物的车辆和容器。大气污染防治法第42条规定,运输、装卸、贮存能够散发有毒有害气体或者粉尘物质的,必须采取密闭措施或者其他防护措施。海洋环境保护法第49条规定,海洋工程建设项目,不得使用含有超标准放射性物质或者易溶出有毒有害物质的材料。道路交通安全法第48条规定,机动车载运爆炸物品、易燃易爆化学物品以及剧毒、放射性等危险物品,应当经公安机关批准后,按指定的时间、路线、速度行驶,悬挂警示标志并采取必要的安全措施。我国颁布的一些行政法规、规章也对化学物品的管控作出了规定,如《危险化学品安全管理条例》、《易制毒化学品管理条例》、《监控化学品管理条例》、《易燃易爆化学物品消防安全监督管理办法》、《农药管理条例》、《消耗臭氧层物质管理条例》等。任何单位、组织和公民个人在生产、储存、运输、销售、使用、处置化学物品的过程中,都应当遵守这些法律的规定,防止对环境造成污染。如未按照法律规定的要求使用、处置化学物品的,需要按照相关法律的规定承担法律责任。情节严重构成犯罪的还应追究刑事责任。我国刑法第338条规定,违反国家规定,排放、倾倒或者处置有放射性的废物、含传染病病原体的废物,有毒物质或者其他有害物质,严重污染环境的,处3年以下有期徒刑或者拘役,并处或单处罚金;后果特别严重的,处3年以上7年以下有期徒刑,并处罚金。

本次修订环境保护法,将修订前的环境保护法第33条中规定的“有毒化学物品”修改为“化学物品”。主要考虑是修订前的环境保护法仅针对有毒化学物品的管控作出规定范围较窄,按照《危险化学品安全管理条例》的规定,危险化学品,是指具有毒害、腐蚀、爆炸、燃烧、助燃等性质,对人体、设施、环境具有危害的剧毒化学品和其他化学品。也就是说按照化学品的危害性,除了有毒化学品外还包括易燃易爆、腐蚀性等其他化学品。因此,经过研究将“有毒化学品”修改为“化学物品”,使其更具有操作性。

二、放射性物质的监管

随着我国核能与核技术的开发利用,由此产生的安全问题和放射性污染防治问题,也越来越突出。如果监管不严或者处置不当,其遗留的放射性物质将对环境和公众健康构成威胁。近年来因放射源使用不当或者丢失放射源导致的放射性污染事故不断发生,造成严重后果。我国已产生了不少放射性废物,虽然国家有放射性废物处置政策,但是,由于缺乏强制性的法律制度和措施,致使对放射性废物的处置监管不力,在一定程度上对环境和公众健康构成了威胁。因此,对于含有放射性的物质必须严格控制,保护环境和人体健康。对于放射性物质的监管,2003年通过的放射性污染防治法,对放射性物质污染防治监管的各方面作出了详细规定。该法规定,生产、销售、使用放射性同位素和射线装置的单位,应当按照国务院有关放射性同位素与射线装置放射防护的规定申请领取许可证,办理登记手续。转让、进口放射性同位素和射线装置的单位以及装备有放射性同位素的仪表的单位,应当按照国务院有关放射性同位素与射线装置放射防护的规定办理有关手续。生产、销售、使用放射性同位素和加速器、中子发生器以及含放射源的射线装置的单位，应当在申请领取许可证前编制环境影响评价文件，报省、自治区、直辖市人民政府环境保护行政主管部门审查批准；未经批准，有关部门不得颁发许可证。生产、销售、使用、贮存放射源的单位，应当建立健全安全保卫制度，指定专人负责，落实安全责任制，制定必要的事故应急措施。发生放射源丢失、被盗和放射性污染事故时，有关单位和个人必须立即采取应急措施，并向公安部门、卫生行政部门和环境保护行政主管部门报告。公安部门、卫生行政部门和环境保护行政主管部门接到放射源丢失、被盗和放射性污染事故报告后，应当报告本级人民政府，并按照各自的职责立即组织采取有效措施，防止放射性污染蔓延，减少事故损失。当地人民政府应当及时将有关情况告知公众，并做好事故的调查、处理工作。放射性物质和射线装置设置明显的放射性标识和中文警示说明。生产、销售、使用、贮存、设置有毒化学物品和放射性物质的场所，以及运输有毒化学物品和放射性物质的工具，应当设置明显的标识。固体废物污染环境防治法、水污染防治法等核心环保法律也对含有放射性物质的管理作出了规定。我国颁布的《放射性物品道路运输管理规定》、《放射性物品运输安全许可管理办法》、《放射性固体废物贮存和处置许可管理办法》、《放射性同位素与射线装置安全许可管理办法》、《放射防护器材与含放射性产品卫生管理办法》、《铁路运输放射性货物核查办法》等一系列与放射性物质管理有关的法规，都对含有放射性物质的物品的生产、储存、运输、销售、使用、处置作了具体的规定。无论是公民个人、单位还是社会组织都应按照法律规定的具体要求处置、使用含有放射性物质的物品。未按照法律规定的要求运输、储存、销售、使用、处置含有放射性物质的，按照相关法律承担相应的法律责任，情节严重的按照刑法第338条的规定依法追究刑事责任。

**第四十九条　各级人民政府及其农业等有关部门和机构应当指导农业生产经营者科学种植和养殖，科学合理施用农药、化肥等农业投入品，科学处置农用薄膜、农作物秸秆等农业废弃物，防止农业面源污染。**

**禁止将不符合农用标准和环境保护标准的固体废物、废水施入农田。施用农药、化肥等农业投入品及进行灌溉，应当采取措施，防止重金属及其他有毒有害物质污染环境。**

**畜禽养殖场、养殖小区、定点屠宰企业等选址、建设和管理应当符合有关法律法规规定，从事畜禽养殖和屠宰的单位和个人应当采取措施，对畜禽粪便、尸体和污水等废弃物进行科学处置，防止污染环境。**

**县级人民政府负责组织农村生活废弃物的处置工作。**

**【释义】**　本条是关于农业、农村环境污染防治的规定。

我国是农业大国，农村地域广阔、人口众多，农业、农村环境保护事关广大农民的切身利益，事关全国人民的福祉，事关国家的可持续发展。加强农业、农村环境保护是建设生态文明的必然要求。随着我国社会经济的发展，农业集约化经营程度的不断提高、规模化养殖业的快速发展和乡村城镇化的迅速推进，造成了对土壤、地下水的污染，同时也造成湖泊、水库、河流水质的富营养化、水质恶化，土壤质量退化等一系列环境安全隐患问题，环境形势不容乐观。为了解决农业、农村的环境污染问题，加强农业、农村的环境保护，本法在修订前的环境保护法的基础上又做了细化，增加了三条规定，即本法第49条至第51条的规定，对各级人民政府在农业、农村环境污染防治中的职责以及农业生产经营者在使用农业投入品、处置农业废弃物方面的责任作了具体规定。

本条共分为 4 款,从不同主体责任的角度作了规定。

一、各级人民政府及其农业等有关部门和机构的职责

本条第 1 款的规定,是要求各级人民政府及其农业等有关部门和机构有对农业生产经营者进行指导的义务。随着我国农业现代化的不断推进,现代农业高度依赖化肥、农药等农业投入品。化肥、农药、农用薄膜和饲料添加剂等农业投入品的不合理使用,是造成农业环境污染的重要原因。未被利用的化肥养分通过径流、淋溶、反硝化、吸附和侵蚀等方式进入环境,污染水体、土壤和大气,引起水体富营养化,造成地下水硝酸盐污染等一系列问题。农用薄膜的主要成分是塑料,其中的有害物质主要是有机氯化合物,在自然环境中很难降解,易造成土地退化。秸秆焚烧也是大气污染的主要原因,大量的秸秆在田间焚烧,造成严重的大气污染,并直接威胁机场和高速公路的交通安全。因此应按相关标准或规范严格使用或处置。在广大的农村由于长期忽视对安全使用农业投入品、合理处置农业废弃物的宣传、教育和指导,导致不按照操作规程安全、合理使用、违反国家规定使用禁止限用的农业投入品和农业废弃物的现象非常普遍。从事农产品生产的大多数是农民,他们获得信息的能力弱,特别是农民科学文化素质相对较低,环境保护意识薄弱,对科学种植、养殖,合理使用化肥、农药的知识及其危害性知之甚少,没有相应的指导,是难以做到安全合理使用农业投入品及合理处置农业废弃物的。因而加强农业投入品及农业废弃物的安全使用的指导是必要的,让农业生产经营者懂得如何合理使用化肥、农药,如何处置农业废弃物,减少农业面源上的污染。

二、农业生产经营者在环境污染防治方面的责任

据有关统计，目前全国受污染的耕地约有1.5亿亩，污水灌溉污染耕地3250万亩，固体废弃物堆存占地和毁田200万亩，合计约占耕地总面积的1/10以上，其中多数集中在经济较为发达的地区。由于污水灌溉、堆置固体废弃物，农村地区承受了大量工业污染转移，农村土壤的重金属污染已经延伸到了食品污染。化肥、农药等农用化学物质过量或不合理使用，导致土壤、地下水等环境污染问题也日益突出。因此，有必要从法律上加以约束。必须对这种污染农田的行为加以禁止。要求农业生产经营者应当严格按照化肥、农药、兽药、农用薄膜等化工产品的使用说明，有关安全使用准则及相关标准进行规范化使用和必要的处置，不能盲目滥用。目前，我国已经制定了多项有关农用标准和环境保护标准，如《农田灌溉水质标准》、《土壤环境质量标准》、《城镇垃圾农用控制标准》、《农用污水水质标准》、《农用污泥中污染物控制标准》、《农用粉煤灰中污染物控制标准》、《化肥使用环境安全技术导则》、《农药使用环境安全技术导则》等。农业生产经营者要严格按照相关标准的要求科学种植、灌溉，防止污染环境。

三、畜禽养殖场、养殖小区、定点屠宰企业以及从事畜禽养殖的单位和个人的责任

畜禽养殖和屠宰产生的畜禽粪便、废水含有大量的水分和有机物，含有较多的致病菌和寄生虫卵，养殖废弃物处理不当，不仅会带来地表水的有机污染和富营养化，还会产生大气恶臭污染甚至地下水污染，畜禽粪便中所含病原体会威胁人体健康。近年来，随着畜牧业的迅速增长，畜禽养殖业产生的固体废物污染环境问题日益突出。据了解，全国畜禽粪便年产生量约30亿吨，是工业废物的2.7倍。其中主要污染成分为氮、磷、化学需

氧量(COD)。畜禽粪便进入水体流失率高达25%～30%，COD排放总量及粪便中的氮、磷流失量已经超过化肥。据调查,80%以上的养殖场没有综合利用和污水治理设施。部分地区如北京、上海、山东等地呈现出严重或者接近严重的环境压力水平。畜禽养殖污染已成为农业污染源之首。针对这个问题,我国多部法律、法规对畜禽养殖、养殖小区、定点屠宰场所的设置和管理作了规定。如水污染防治法第49条规定,畜禽养殖场、养殖小区应当保证其禽畜粪便、废水的综合利用或者无害化处理设施正常运转,保证污水达标排放,防止污染水环境。《畜禽规模养殖污染防治条例》第11条规定,禁止在下列区域内建设畜禽养殖场、养殖小区:(1)饮用水水源保护区、风景名胜区;(2)自然保护区的核心区和缓冲区;(3)城镇居民区、文化教育科学研究区等人口集中区域;(4)法律、法规规定的其他禁止养殖区域。第22条规定,畜禽养殖场、养殖小区应当定期将畜禽养殖品种、规模以及畜禽养殖废弃物的产生、排放和综合利用等情况,报县级人民政府环境保护主管部门备案。环境保护主管部门应当定期将备案情况抄送同级农牧主管部门。《畜禽养殖污染防治管理办法》对畜禽养殖过程中,如何防治畜禽养殖污染作出具体规定。《生猪屠宰管理条例》第8条规定,生猪定点屠宰厂(场)应当具备下列条件:(1)有与屠宰规模相适应、水质符合国家规定标准的水源条件;(2)有符合国家规定要求的待宰间、屠宰间、急宰间以及生猪屠宰设备和运载工具;(3)有依法取得健康证明的屠宰技术人员;(4)有经考核合格的肉品品质检验人员;(5)有符合国家规定要求的检验设备、消毒设施以及符合环境保护要求的污染防治设施;(6)有病害生猪及生猪产品无害化处理设施;(7)依法取得动物防疫条件合格证。环境保护部还印发了《畜禽养殖业污染防治技术政策》、《畜禽养殖业污染治理工程技术规范》、《畜禽养殖场(小区)环境守法导则》等。从事畜禽养殖和屠宰的单位和个人,要按照相关法律、法规规定的要求采取措施,对畜禽粪便、尸体和污水等废弃物进行科学处置,防止污染环境。

四、农村生活废弃物的处置

农村生活废弃物主要指生活垃圾。生活垃圾已经成为了我国农业面源污染中的一个主要污染来源。据环保部有关资料显示,全国农村每年产生生活垃圾约2.8亿吨,生活污水约90多亿吨,粪便2.6亿吨。过去农村生活垃圾主要是灰土、渣土以及极少量的动、植物残渣,几乎对环境不造成影响。随着经济的发展和农民生活水平的提高,农村生活垃圾的构成发生了显著的变化:一是增加大量难以降解的废物;二是在垃圾中出现了有毒有害物质;三是在一些经济发达地区的农村,家庭垃圾排放量大量增加;四是一些地方已不再使用粪便作为肥料,粪便成为废物。变化后的农村生活垃圾对环境的压力明显增加。一些小城镇和农村聚居点的生活垃圾因为基础设施和管制的缺失一般直接排入周边环境中,造成严重的"脏、乱、差"现象。大多数村镇没有无害化垃圾填埋场,大部分垃圾未经处理,直接堆放在田头、路旁,甚至抛掷到沟渠、水塘,造成河流淤积,污染水体,影响环境卫生和农村景观。绝大部分生活污水未经处理直接渗入地下或者直排沟渠、水塘,使农村聚居点周围的环境质量严重破坏。从目前固体废物污染环境防治法的规定看,对生活垃圾的清扫、收集、运输、处置仅适用于城市,对农村的生活垃圾授权地方性法规规定。这次修订环境保护法,从征求意见和调研的情况看,生活垃圾在很多地方已经构成比较严重的污染,有必要加强对农村生活垃圾处置工作。因此,这次修订增加规定县级人民政府负责组织农村生活废弃物的处置工作。

**第五十条 各级人民政府应当在财政预算中安排资金，支持农村饮用水水源地保护、生活污水和其他废弃物处理、畜禽养殖和屠宰污染防治、土壤污染防治和农村工矿污染治理等环境保护工作。**

**【释义】** 本条是关于农村环境污染防治资金支持的规定。

我国农村和农业环境污染严重，根据2010年完成的第一次全国污染源普查，农村的污染排放中COD占43%，总氮占57%，总磷占67%。农村和农业的污染排放已经占到了全国的半壁江山。污染主要来源于：(1)农业生产污染，主要是化肥、农药、农用薄膜、秸秆的污染，已成为水体和大气污染源之一。农业投入品的不合理使用，对土壤、水、大气和人体健康产生了很多不利影响：一是增加了土壤重金属与有毒元素；二是导致土壤硝酸盐积累；三是破坏土壤结构，使土壤酸化；四是降低土壤微生物活动；五是加剧湖泊和海洋等水体的富营养化，造成地下水污染，影响土壤自净能力；六是危害生物多样性。(2)农村生活污染。农村生活污水和固体废弃物成为了我国农业面源污染中的一个主要污染来源。(3)农村地区的工业污染。城市工业污染向农村转移趋势加剧，主要是农村工矿污染突出。大量掠夺式采石开矿、挖河取沙、毁田取土、陡坡垦殖、围湖造田、毁林开荒等行为，使很多生态系统功能遭到严重损害。土壤污染程度加剧，严重影响食品安全，威胁人体健康，威胁国家生态安全。

解决农村环境污染问题，缺少资金是不行的。但长期以来，国家投资不足，扶持政策难以到位，环保工作重城市、轻农村、重工业、轻农业，城乡环境保护差距较大，严重影响了农村环境保护防治工作。从地方调研了解到的情况是，中央和地方获得的农村和农业环保经费都是跟着环保项目走的，没有项目就没有经费。日常性的农村和农业环保经费得不到保障。乡镇财政收支纳入县统管,乡自主支配的资金很少,乡级农村环保资金缺口很大。村目前是自筹资金搞环保,如村垃圾收集的费用一年要20万~30万元,钱都是村民自己出。环保投资水平是消减污染物总量、改善环境质量的第一动力源和主导力量。考虑到农村环境污染的严重性,必须加强农村的环境污染防治工作,使农村的环境污染防治工作能够得以开展。因此,本条规定各级人民政府应当在财政预算中安排资金,支持农村饮用水水源地保护、生活污水和其他废弃物处理、畜禽养殖和屠宰污染防治、土壤污染防治和农村工矿污染治理等环境保护工作。

**第五十一条　各级人民政府应当统筹城乡建设污水处理设施及配套管网,固体废物的收集、运输和处置等环境卫生设施,危险废物集中处置设施、场所以及其他环境保护公共设施,并保障其正常运行。**

**【释义】** 本条是关于农村环境卫生设施和环境保护公共设施建设的规定。

近年来,城市环保广受关注,大量的污染处理设施及配套管网的建设,固体废物的收集、运输和处置等环境卫生设施,危险废物集中处置设施、场所建成运营,有相应的法律、法规对设施的建设、管理、运营做了具体规定。如水污染防治法第44条规定,城镇污水应集中处理。县级以上地方人民政府应当通过财政预算和其他渠道筹集资金,统筹安排建设城镇污染集中处理设施及配套管网,提高本行政区域城镇污水的收集率和处理率。固体废物污染环境防治第54条规定,国务院环境保护行政主管部门会同国务院经济综合宏观调控部门组织编制危险废物集中处置设施、场所的建设规划,报国务院批准后实施。县级以上地方人民政府应当依据危险废物集中处置设施、场所的建设规划组织建设危险废物集中处置设施、场所。《“十二五”全国城镇污水处理及再生利用设施建设规划》、《“十二五”全国城镇生活垃圾无害化处理设施建设规划》都对城镇的污水设施配套管网、城镇生活垃圾无害化处理设施建设提出了具体的目标和任务。城市环保设施的建成和运营极大地改善了城市的人居环境，提升城市居民的生活品质。但与此对应的是，各地对农村环保认识不高、重视不够、管理不力、处置失当，环境污染问题日益严重。

长期以来环保工作只注重城市和工业，而忽视农村和农业，导致农村和农业环保的历史欠账很多。城乡的二元结构带来城市和乡村的管理体制上的互不衔接，城市开展环境保护管理制度和措施无法延伸至农村，致使农村的环境保护工作远远滞后于城市。农村环境保护基础设施严重滞后，基层政府提供环保基础设施等公共服务的能力非常薄弱，加之缺乏有效的政策，农村环境保护基础设施建设总体上处于空白状态，许多地区成为污染治理的盲区和死角。大多数农村生活垃圾乱堆、生活污水横流。据统计，农村每年产生生活污水 90 多亿吨，生活垃圾 2. 8 万吨，因没有建生活污水处理厂、垃圾处理厂和中转站，其中大部分垃圾、污水未经处理随意排放，不少地区还处于“垃圾靠风刮，污水靠蒸发”的状态。全国 4 万个乡镇、60 多万个行政村，绝大部分没有环保基础设施。随着我国社会经济的发展，中国特色工业化、城镇化、农业现代化加快推进，农村的环境保护工作也面临着众多新情况和新问题。然而，我国农业当前的发展方式依然是粗放型的，农业基础设施和技术装备落后，农业源污染形势严峻。在这种严峻的形势面前，大力加强农业农村环境保护工作意义重大。加强农业面源污染防治，控制工业污染向农村转移,加强农村基础设施和公共服务建设,大力发展生态农业,是改善农村面貌、提高农民生活质量,保障国家粮食安全、食品安全的重要举措。这些工作必须在城乡统筹的管理体制下,才有可能顺利、有效地开展。

**第五十二条　国家鼓励投保环境污染责任保险。**

**【释义】**　本条是关于环境污染责任保险的规定。

所谓责任保险,也称为第三者责任险,根据保险法第 65 条第 4 款规定,责任保险是指以被保险人对第三者依法应负的赔偿责任为保险标的的保险。责任保险根据投保人是否为自愿,可以分为自愿投保的责任保险和强制投保的责任保险。责任保险一般为自愿投保,但如果法律、行政法规强制性规定从事某种行为的人必须投保责任保险,则为强制责任保险。

一、我国法律、行政法规关于环境责任保险的有关规定

保险法第 11 条第 2 款规定:"除法律、行政法规规定必须保险的外,保险合同自愿订立。"目前我国有 1 件法律和 4 件行政法规规定了环境污染强制责任保险。

1. 海洋环境保护法第 66 条规定,国家建立船舶油污保险制度,具体办法由国务院规定。为此,2009 年国务院制定了《防治船舶污染海洋环境管理条例》。该条例按照国际惯例,采用了"责任保险"与"提供担保"二者选其一的制度。该条例第 53 条规定,在中华人民共和国管辖海域内航行的船舶,其所有人应当按照国务院交通运输主管部门的规定,投保船舶油污损害民事责任保险或者取得相应的财务担保。但是,1000 总吨以下载运非油类物质的船舶除外。船舶所有人投保船舶油污损害民事责任保险或者取得的财务担保的额度应当不低于中华人民共和国海商法、中华人民共和国缔结或者参加的有关国际条约规定

的油污赔偿限额。承担船舶油污损害民事责任保险的商业性保险机构和互助性保险机构，由国家海事管理机构征求国务院保险监督管理机构意见后确定并公布。为实施该条例，2010 年交通运输部颁布了《船舶油污损害民事责任保险实施办法》，对船舶如何投保油污损害民事责任保险或者取得其他财务保证，作了具体规定。

2. 1983 年国务院制定了《海洋石油勘探开发环境保护管理条例》，也是采用了"责任保险"与"提供担保"二者选其一的制度。该条例第 9 条规定："企业、事业单位和作业者应具有有关污染损害民事责任保险或其他财务保证。"

3. 2006 年国务院制定了《防治海洋工程建设项目污染损害海洋环境管理条例》。该条例第 27 条规定："海洋油气矿产资源勘探开发单位应当办理有关污染损害民事责任保险。"

4. 2002 年国务院制定了《危险化学品安全管理条例》，2011 年对该条例进行了修订。该条例也是参照国际惯例，采用了"责任保险"与"提供担保"二者选其一的制度。该条例第 57 条第 2 款规定："通过内河运输危险化学品的船舶，其所有人或者经营人应当取得船舶污染损害责任保险证书或者财务担保证明。船舶污染损害责任保险证书或者财务担保证明的副本应当随船携带。"

二、我国环境责任保险的实践情况

2007 年，原国家环保总局和中国保监会联合发布了《关于环境污染责任保险工作的指导意见》，开展环境污染责任保险试点工作，鼓励企业自愿投保环境污染责任保险。为此，我国有的行政法规，以及大量的地方性法规都规定了鼓励企业自愿投保环境污染责任保险。例如，国务院 2011 年颁布的《太湖流域管理条例》规定："国家鼓励太湖流域排放水污染物的企业投保环境污染责任保险,具体办法由国务院环境保护主管部门同国务院保险监督管理机构制定。”地方立法层面,据不完全统计,有诸如《江西省环境污染防治条例》等20部地方性法规有鼓励企业购买环境污染责任保险的规定。以上规定对于污染企业降低风险,以及受害人及时、充分获得赔偿无疑具有极其重要的意义。

虽然国家出台了很多鼓励企业购买环境污染责任保险的规定,但企业为了节约成本,投保此项保险的企业甚少。为此,国家近几年出台的一些文件开始探讨开展环境污染强制责任保险试点。例如,《重金属污染综合防治“十二五”规划》、《“十二五”节能减排综合性工作方案》、《关于加强环境保护重点工作的意见》和《国家环境保护“十二五”规划》等文件明确要求,开展环境污染强制责任保险试点。目前,强制责任保险试点相关工作主要是由政府规范性文件推进,2013年环保部和保监会联合下发了《关于开展环境污染强制责任保险试点工作的指导意见》,明确了环境污染强制责任保险的试点企业范围,规定要合理设计环境污染强制责任保险条款和保险费率,建立健全环境风险评估和投保程序、环境风险防范和污染事故理赔机制,强化信息公开,完善促进企业投保的保障措施。

三、如何理解环境保护法关于环境污染责任保险的规定

在环境保护法修改过程中,有的意见认为,为建立环境风险管理的长效机制,应对环境风险的严峻形势,有必要建立强制重点污染企业投保责任保险的制度。建立环境强制责任保险制度,以社会化、市场化途径解决环境污染损害,有利于促进企业加强环境风险管理,减少污染事故发生,也有利于迅速应对污染事故,及时补偿,有效保护受害者权益。但也有的意见认为,目前在我国不宜普遍建立环境污染强制责任保险制度。一是会普

遍增加企业的负担;二是并不是所有企业的排污行为都是高度危险作业的行为。从国外和我国台湾地区的规定来看,一般都是对高度危险作业的行为规定了强制责任保险的制度,或者要求从事对环境有高度危险行为的企业在责任保险与提供担保二者选其一的制度。我国台湾地区的"毒性化学物质管理法"规定了强制责任保险,"海洋污染防治法"和"核子损害赔偿法"规定了"责任保险"与"提供担保"二者选其一的制度,而从我国目前有关海洋环境保护和危险化学品的管理方面的制度来看,也是与国外和我国台湾地区的立法接近。因此,在我国全面建立环境污染强制责任保险制度需慎重。在建立健全我国的环境污染责任保险制度的问题上,除目前已有的法律、行政法规规定的环境污染强制责任保险之外,还是应当鼓励企业自愿购买环境责任保险,这样比较稳妥。如果不分青红皂白,要求所有重点排污企业一律投保环境污染强制责任保险,可能会使社会认为政府在帮助保险公司强迫推销产品,对于市场经济和政府形象都是极大的破坏,也有可能造成投保企业怠于认真履行环保义务等道德风险。因此本条规定"国家鼓励投保环境污染责任保险"。

# 第五章　信息公开和公众参与

**第五十三条　公民、法人和其他组织依法享有获取环境信息、参与和监督环境保护的权利。**

**各级人民政府环境保护主管部门和其他负有环境保护监督管理职责的部门，应当依法公开环境信息、完善公众参与程序，为公民、法人和其他组织参与和监督环境保护提供便利。**

**【释义】** 本条是关于有关环境权利及其保障机制的规定。

近年来，公民的环境权利受到越来越多的关注，这次环境保护法的修改首次以法律的形式确认了获取环境信息、参与环境保护和监督环境保护三项具体的环境权利。有关环境权利入法是本次环境保护法修改众多亮点之一，为完善信息公开和公众参与制度奠定了更为明确和坚实的权利基础。

一、加强公众参与的重要性

目前，我国的环境形势严峻，大气、水、土壤等污染严重，多年来粗放发展带来的环境问题集中爆发。环境问题已经成为影响我国经济社会可持续发展、人民群众身体健康和社会稳定的突出问题。面对环境领域的严峻形势，按照党的十八大精神和要求，这次环境保护法修改对环境保护制度进行了全面的梳理和总结，确立环境保护新理念，引入经济社会可持续发展、生态文明建设和全民参与的理念，强化公众参与机制，明确公众环保的权利义务。

强化公众参与机制，既是对行政监管力量有限、行政管理效果参差不齐等现状的反思，也是对社会公众环境关切的回应。环境保护涉及广大群众的切身利益，属于公共利益的范畴，是政府行政管理的重要组成部分。实践经验表明，环境保护离不开政府的主导，但仅靠行政机关也是不现实的。一方面，城市和农村生活垃圾大量产生，机动车尾气是城市PM2.5超标的重要原因，环境污染不仅来自于工业污染，生活污染不可小视。要缓解生活污染，主要靠公众增强环境保护意识，采用低碳、节俭的生活方式，自觉履行环境保护义务。另一方面，相对于企业数量而言，行政执法力量是有限的，监管疏漏在所难免。同时，出于地方保护和行政干预，环境保护领域中的行政不作为、乱作为现象并不少见，仅靠行政系统内部上下级的主动监督和纠正效果并不好。公众参与作为社会监督机制，有利于在源头解决社会矛盾，有利于尽早发现环境污染行为，有利于解决体制内循环的弊端，防止行政监督缺位、失效等问题。近年来，公众对雾霾等环境污染越来越关注，因环境问题引发的社会矛盾越来越激烈，环境群体性事件不断发生，环境问题成为影响社会和谐稳定的社会问题。强化公众参与，使地方政府的决策更为科学、民主，在参与过程中，有利于公众了解情况，促进理解和信任，避免误会误判和过激行为的发生。

为了做实公众参与机制，增强制度可执行性，本次环境保护法修改主要从三个方面作了具体规定：一是规定了环境相关权利，为公众参与机制奠定法理基础，公众参与不只是行政机关保障行政决策科学、民主的内部程序，还是公众的一项法定权利。二是明确事前、事中参与机制，依法应当编制环境影响报告书的建设项目，建设单位应当在编制时向可能受影响的公众说明情况，充分征求意见。三是疏通事后参与机制，公众可以对环境违法行为进行举报，有关社会组织可以依法提起环境公益诉讼。

可见，如果把公众参与作为改善环境质量、遏制环境污染的新武器，明确环境相关权利为其提供了法理基础和权利源泉，将大大提高公众参与机制的法律地位和实际作用。

二、有关环境权利的内容

实践中，环境能否作为一项私权利一直有争议。有人提出环境权概念，主张公众拥有在健康优美的环境中生活的权利，建议在法律中作出规定。对此，也有不同意见，主要是认为环境权的概念过于抽象笼统，环境权应当是一些具体的权益而不是某种抽象的权利；保护公民的环境权应当通过保护其与环境有关的具体权益加以实现，我国民事法律对人身权、财产权的保护也能够涵括其主要内容，不引入不影响对公民合法权益的保护。从国外情况看，做法也不尽一致，如日本经过反复讨论，在立法中没有采用环境权的概念，考虑到各方意见不一致，这次修改未采用环境权概念。

环境问题涉及所有人的生存空间和生活质量，属于公共利益范畴，任何企业和行政机关有环境污染行为的，应当受到行政制裁，承担行政责任直至刑事责任。同时，环境问题涉及公众的切身利益，针对环境保护领域的行政管理行为，应当赋予公众一些行政程序上的权利。本条规定的依法获取环境信息权利、参与和监督环境保护的权利属于程序性权利，是公众环境权益的重大进展。所谓“依法”，既可依照本法，也可依照其他相关法律。获取环境信息权，就是公众对行政机关所持有的环境信息拥有适当的获得权利，途径包括行政机关主动公开相关环境信息和申请行政机关公开相关环境信息。参与环境保护的权利，包括依法编制环境影响报告书的建设项目，建设单位在编制报告书草案时，应当向可能受影响的公众说明情况，充分征求意见等。监督环境保护的权利，包括对污染环境和破坏生态行为，以及行政不作为，公众有权举报；有关社会组织有权就污染环境、破坏生态，损害社会公共利益的行为，提起公益诉讼等。

三、保障有关环境权利实现的机制

获取环境信息权利、参与和监督环境保护一旦成为公民的权利，环境保护主管部门和其他负有环境保护监督管理职责的部门等行政机关应当予以重视和依法保障。环境权利的顺利实现除需要当事人主张、权利受损后的救济外，一般还需要行政机关的配合，建立制度、完善程序和履行职责，如公民要实现获取环境信息权利，就需要环境保护主管部门履行信息公开职责，建立环境信息公开目录，依法主动公开相关信息或者依申请公开。因此，为了更好地实现环境相关权利，本条明确了环境保护主管部门和其他负有环境保护监督管理职责的部门的法定义务，包括依法公开环境信息、完善公众参与程序，同时，通过各种行政措施来为公民、法人和其他组织参与和监督环境保护提供便利。

**第五十四条　国务院环境保护主管部门统一发布国家环境质量、重点污染源监测信息及其他重大环境信息。省级以上人民政府环境保护主管部门定期发布环境状况公报。**

**县级以上人民政府环境保护主管部门和其他负有环境保护监督管理职责的部门，应当依法公开环境质量、环境监测、突发环境事件以及环境行政许可、行政处罚、排污费的征收和使用情况等信息。**

**县级以上地方人民政府环境保护主管部门和其他负有环境保护监督管理职责的部门，应当将企业事业单位和其他生产经营者的环境违法信息记入社会诚信档案，及时向社会公布违法者名单。**

**【释义】**　本条是关于环境信息公开的规定。

环境信息公开是本次环境保护法修改中改动较大且各方意见较为一致的内容。修改前的环境保护法只规定了国务院和省级人民政府环境保护主管部门定期发布环境状况公报。这次修改明确了环境信息公开制度，将公开的内容作了较大程度的扩展，不再限于宏观的环境总体状况。各方对明确环境信息公开取得共识的原因主要有：一是政府信息公开已经深入人心，相关工作开展多年有了很好的实践基础。环境信息是政府信息中与群众关系较为紧密的部分，政府信息公开条例规定环境保护的监督检查情况是重点公开的政府信息。二是环境信息公开是公众参与和监督环境保护的基础，是促进环境决策科学、合理，改善环境质量的新武器。公众获取相关环境信息后，才能有效的参与环境保护工作，形成对环境保护工作的社会压力。这也是本次修改的着力点之一。三是环境与公众息息相关，公众对环境信息的需求很大，社会推动力的作用不可忽视。环境信息的公开透明有利于消除误解、建立信任，可以防止形成环境群体性事件，维护社会稳定。四是环境信息公开已是国际普遍做法，多部国际条约都明确规定了环境信息公开原则。

一、环境信息公开的主体

政府信息是指行政机关在履行职责过程中制作或者获取的，以一定形式记录、保存的信息。在环境保护领域中，环境保护主管部门对环境保护工作实施统一监督管理，县级有关部门和军队环境保护部门依照有关法律的规定对资源保护和污染防治等环境保护工作实施监督管理。因此，本条规定环境信息公开的主体除了国务院环境保护主管部门、县级以上地方人民政府环境保护主管部门外，还包括县级以上地方人民政府其他负有环境保护监督管理职责的部门，如水利、农业、林业、公安、交通、国土等。

需要指出的是，环境信息一方面要依法公开，另一方面要正确、统一,环境信息涉及多部门,如果一些环境信息内容“打架”,就会给社会带来困扰,不利于环境保护工作的开展,也不利于政府公信力的树立。因此,本条第 1 款规定了一些重要信息由国务院环境保护主管部门和省级以上人民政府环境保护主管部门统一发布。这与水污染防治法中有关国务院环境保护主管部门统一发布国家水环境状况信息的规定是一致的。

二、环境信息公开的内容

修改前的环境保护法只规定了定期发布环境状况公报,这次修改大大扩大了主动公开的环境信息范围,不仅包括环境保护主管部门的环境信息,还包括其他负有环境保护监督管理职责部门的环境信息;不仅包括宏观层面的国家环境质量信息、环境状况公报,也包括中观的重点污染源监测信息、环境监测信息、排污费的征收和使用情况,还有微观的环境行政许可、行政处罚、突发环境事件;不仅要公开环境行政处罚信息,还要向社会公布违法者名单;不仅要将环境信息向社会公布,还要将环境违法信息记入社会诚信档案,通过社会诚信档案向社会公开。

本条第 1 款中“国家环境质量信息”、“重点污染源监测信息”、“其他重大环境信息”由国务院环境保护主管部门统一发布。环境保护系统建立的环境质量监测网络和污染源监督性监测网络基本形成。截至 2013 年年初,在全国十大水系布设了水质环境监测网,在沿海近岸海域布设了近岸海域环境监测网,在 113 个国家环保重点城市和 416 个其他城市开展了环境空气质量监测,对 392 个城市的区域环境噪声、384 个城市道路交通噪声和功能区噪声开展了监测。这些环境监测信息经过整理形成国家环境质量信息,如城市空气质量公报和日报等。每年对 3945 家国家废水重点监控企业、3715 家国家废弃重点监控企业和 1296 家城镇生活污水处理厂开展了监督性监测。这些污染源监测信息经过整理形成国家重点污染源监测信息。环境状况公报是环境质量的综合性报告,定期对全国和各地的环境总体状况进行发布。

需要指出的是,环境信息公开作为政府信息公开的组成部分,除了适用本法规定外,还要适用《政府信息公开条例》以及环境保护主管部门、其他负有环境保护监督管理职责的部门出台的相关具体规定。本条规定是将一些重要的环境信息纳入主动公开的范围,是环境信息公开的最低要求,其他法律、法规、规章规定较宽的主动公开环境信息以及依申请公开的环境信息仍有效。2007 年,原国家环保总局出台的《环境信息公开办法(试行)》规定了环境保护部门应当向社会主动公开环境保护规划、主要污染物排放总量指标分配及落实情况等近 20 项政府环境信息,这在本法出台后仍然适用。

三、环境信息公开的方式

本条规定了环境信息的主动公开方式。按照《政府信息公开条例》的规定,政府信息公开包括主动公开和依申请公开两类。主动公开,是由行政机关将纳入主动公开范围的政府信息,通过政府公报、政府网站、新闻发布会以及报刊、广播、电视等便于公众知晓的方式公开。主动公开是行政机关建设法治政府、透明政府的重要举措,体现了行政自我约束和行政公开原则,主动公开范围的宽窄一定程度上体现了一国政府的透明度。考虑到目前环境的严峻形势,环境信息涉及广大群众的切身利益,因此本条重点对环境信息主动公开作了规定,对行政机关提出明确且较为严格的要求。

四、关于公布违法者名单

推进建立社会诚信体系加快完善现代市场体系的重要方面,十八大三中全会报告中明确提出:建立健全社会征信体系,褒扬诚信，惩戒失信。环保领域的社会征信系统建设已经起步，2007年原国家环保总局与中国人民银行、银监会等联合发布了《关于落实环保政策法规防范信贷风险的意见》等，有超过4万条环保信息进入中国人民银行征信管理系统，一些商业银行据此对一些相关企业进行了限贷或者回收贷款。同时，环保领域已经建立违法"黑名单"公布制度。清洁生产促进法规定，省级人民政府负责清洁生产综合协调的部门、环境保护部门，根据促进清洁生产工作的需要，在本地区主要媒体上公布未达到能源消耗控制指标、重点污染物排放控制指标的企业名单，为公众监督企业实施清洁生产提供依据。本条第3款进一步规定，及时向社会公布环境违法者名单。将环境违法信息记入社会诚信档案以及向社会公布环境违法者名单，属于信息公开的特定方式，也是从企业社会名誉角度来加强环境保护管理的行政手段，将对违法者形成极大的威慑力，有利于遏制环境违法行为的高发。这两项制度在法律中得到进一步明确将为下一步实施提供法律依据，相关部门可以规定具体措施，如环境违法"黑名单"的公布时间、公布范围、公布载体、公布程序等。

**第五十五条　重点排污单位应当如实向社会公开其主要污染物的名称、排放方式、排放浓度和总量、超标排放情况，以及防治污染设施的建设和运行情况，接受社会监督。**

**【释义】**　本条是关于企业环境信息公开的规定。

企业环境信息公开是环境信息公开的重要组成部分。2008年原国家环保总局出台的《环境信息公开办法（试行）》明确了企业环境信息公开制度，对企业环境信息公开的形式、内容和方式作了规定。实践证明，企业环境信息公开在促进企业自觉减少排污、增强社会责任方面取得了较好的效果。本次环境保护法修改正式将企业环境信息公开以法律形式确定下来，作了较为明确的规定。

一、企业环境信息公开的意义

当前，工业排污是造成环境污染的重要原因，排污企业是环境保护领域的重要监管对象。环境保护法修改抓住主要矛盾、着力解决突出问题，将加大企业的环境保护责任作为修改重点之一。加大企业责任，主要从两个方面入手：一是提高违法成本，增强对环境违法行为的惩治力度，包括引入按日计罚、赋予地方性法规更大的行政处罚设定权、增加查封扣押等强制措施等；二是通过企业环境信息的公开，增加重点排污企业排污行为的透明度和公开性。应该说，通过企业环境信息公开制度，让排污企业自我公开排污情况，能对排污行为起到较好的遏制作用，也便于环境行政主管部门的监管，利于社会舆论的监督。

二、企业环境信息公开的主体

本条明确了重点排污单位是企业环境信息公开的实施主体。也就是说，所有重点排污单位都应当依法主动公开本企业的相关环境信息，这是法定义务，必须履行。重点排污单位的概念源于水污染防治法，该法第 23 条规定，应当安装水污染物排放自动监测设备的重点排污单位名录，由设区的市级以上人民政府环境保护主管部门根据本行政区域的环境容量、重点水污染物排放总量控制指标的要求以及排污单位排放水污染物的种类、数量和浓度等因素，商同级有关部门确定。实践中，大气等领域也参照该规定，确定了相应的重点排污单位。这次修法也增加了重点排污单位的规定，第 42 条第 3 款规定：重点排污单位应当按照国家有关规定和监测规范安装使用监测设备，保证监测设备正常运行，保存原始监测记录。本次环境保护法修改将企业环境信息公开主体规定为重点排污单位，一是对象更为明确，各地都有重点排污单位的名单；二是对象范围要宽，扩大了公开的范围；三是更可易操作，重点排污单位都需要安装使用监测设备，可以取得相关的排污数据；四是对于超标超总量的排污信息也予以了公开，其纳入了有关政府环境信息公开的范围。

在环境保护法修改过程中，曾有人建议明确重点排污企业以外的排污企业的环境信息公开义务。考虑到实际执行中的可操作性，本法对此未作规定。其他排污单位的环境信息公开可以按照《环境信息公开办法（试行）》的规定执行。《环境信息公开办法（试行）》规定，国家鼓励企业自愿公开企业排放污染物种类、数量、浓度和去向等 9 类企业环境信息，并规定了奖励措施。

三、企业环境信息的内容

企业环境信息涉及企业在环保方面的各方面信息，范围较宽，如企业环境保护方针、年度环境保护目标、年度资源消耗总量、环保投资、环境技术开发情况、排放污染物情况、环保设施的建设运行情况、企业在生产过程中产生的废物的处理情况、废弃产品的回收综合利用情况、企业履行社会责任情况等。考虑到企业环境信息中排放污染物情况以及环保设施的建设、运行情况直接关系到该企业的排污行为以及对环境的影响，属于企业环境信息中的核心部分，也是行政监管的重点、社会关心的焦点，因此本条明确企业环境信息公开必须要向社会公开主要污染物的名称、排放方式、排放浓度和总量、超标排放情况，以及防治污染设施的建设和运行情况。这些信息都有如实公开的要求，不得造假或者篡改。除此之外，企业也可以同时公布其他企业环境信息。

**第五十六条　对依法应当编制环境影响评价书的建设项目，建设单位应当在编制时向可能受影响的公众说明情况，充分征求意见。**

**负责审批建设项目环境影响评价文件的部门在收到建设项目环境影响报告书后，除涉及国家秘密和商业秘密的事项外，应当全文公开；发现建设项目未充分征求公众意见的，应当责成建设单位征求公众意见。**

**【释义】**　本条是关于公众参与建设项目环境影响评价、环境影响评价书全文公开的规定。

本次环境保护法修改明确了公众参与是一项环境保护原则，公众参与建设项目环境影响评价是公众参与原则的具体化和重要体现，也是国际上一种普遍做法。建设项目，特别是一些对可能造成重大环境影响的建设项目，直接关系到周围公众的环境权益，应当引入公众参与，以便环境影响评价结果更为客观和可接受。环境影响评价，本身是一种预测性的行为，需要听取方方面面的意见，收集各种数据，进行论证、评估，让公众参与也是十分必要的。

一、公众参与建设项目环境影响评价的情况

我国在 20 世纪 90 年代初就开始在环境影响评价过程中推行公众参与，1996 年水污染防治法以及环境噪声污染防治法都规定了建设项目的环境影响报告书中应当有建设项目所在地单位和居民的意见。在这一阶段，公众参与制度才刚刚起步，法律规定较为原则，公众参与的具体要求不明确，实施中很多项目在建设前一般不向公众公布相关情况，公众参与度不高。2002 年环境影响评价法将公众参与建设项目环境影响评价向前推了一大步，明确规定：除国家规定需要保密的情形外，对环境可能造成重大影响、应当编制环境影响评价报告书的建设项目，建设单位应当在报批建设项目环境影响评价报告书前，举行论证会、听证会，或者采取其他形式，征求有关单位、专家和公众的意见。建设单位报批的环境影响报告书应当附具对有关单位、专家和公众的意见采纳或者不采纳的说明。

二、本条对公众参与建设项目环境影响评价的发展

环境影响评价法实施以来，公众参与有了长足进步，但也存在公众参与走过场、不透明、被操纵的情况，特别是在一些环境群体性事件中，公众因为不了解导致的不信任、严重对立引起了社会的关注。公众参与需要更为明确和有效的法律规定。本次环境保护法修改回应了社会呼声，在环境影响评价法规定的基础上，对公众参与建设项目环境影响评价作了进一步规定。理解本条需要注意“一个坚持”和“三个新发展”。本条坚持了环境影响评价法中公众参与的建设项目范围，不是所有建设项目的环境影响评价都要执行公众参与程序，只有对环境可能造成重大影响，也就是需要依法编制环境影响评价报告书的建设项目必须有公众参与环节。对于只需编制环境影响报告表和登记表的建设项目，本法没有对公众参与作出强制性要求。三个新发展包括：第一，公众参与的时间提前。环境影响评价法规定在报批建设项目环境影响报告书前要征求公众意见。实践中，建设单位往往在起草完环境影响报告书后再征求公众意见，公众参与作为报批前的最后一个环节，公众意见不易被吸收，公众参与容易走过场。因此，本次环境保护法修改明确在编制环境影响报告书时就要征求公众意见，将公众参与环节提前，以利于发挥公众参与实效。第二，明确了参与公众的范围。环境影响评价法规定征求有关公众的意见，实践中一些建设单位对“有关公众”进行选择，征求一些关系不大或者明显支持建设项目的公众的意见，达不到公众参与的本来目的。因此，本次环境保护

法修改明确，只要可能受到建设项目影响的公众，尚要征求其意见。第三，强调了应当充分征求公众意见，对公众参与的程度作了要求。

三、公众参与的保障机制

环境影响评价法为了保证公众参与，规定环境影响报告书应当附具对有关公众意见采纳或者不采纳的说明。在此基础上，本次环境保护法修改增加了两项公众参与的保障机制。一是环境影响评价报告书全文公开。负责审批建设项目环境影响评价报告书的部门在收到建设项目环境影响评价报告书后，除涉及国家秘密和商业秘密的事项外，应当全文公开。全文公开是全部公开，不能只公开报告书的提纲或者简略本。在本次环境保护法修改过程中，不少社会公众和环保组织对如何公开环境影响评价报告书提出了不少意见，实践中这方面较弱，有些建设单位只公开报告书的提纲或者简略本，详细信息无从知道，影响了社会公众的了解和判断。全文公开可以采用书面或者电子数据等形式。全文公开方便受建设项目影响的公众知晓建设项目的存在和基本情况，如果建设项目的环境影响评价报告书编制未征求公众意见或者征求意见不充分的，可以向审批机关反映情况、提出要求参与的诉求。二是审批机关发现建设项目未充分征求公众意见的，应当责成建设单位征求公众意见。也就是说，审批机关应当将送审的建设项目环境影响评价书退回建设单位，要求重新编制，并开展公众参与相关工作，向可能受影响的公众说明情况，充分征求意见。

**第五十七条　公民、法人和其他组织发现任何单位和个人有污染环境和破坏生态行为的，有权向环境保护主管部门或者其他负有环境保护监督管理职责的部门举报。**

**公民、法人和其他组织发现地方各级人民政府、县级以上人民政府环境保护主管部门和其他负有环境保护监督管理职责的部门不依法履行职责的，有权向其上级机关或者监察机关举报。**

**接受举报的机关应当对举报人的相关信息予以保密，保护举报人的合法权益。**

**【释义】**　本条是关于举报的规定。

举报是人民群众自发对违法乱纪行为向有权机关反映的制度。环境保护法作为环境保护领域基础性地位的法律，本次环境保护法修改增加了举报制度，赋予公民举报权利，并明确了对举报人的保护。

公民有权举报。宪法第 41 条规定，中华人民共和国公民对于任何国家机关和国家工作人员的违法失职行为，有向有关国家机关提出申诉、控告或者检举的权利，但是不得捏造或者歪曲事实进行诬告陷害。据此，有不少法律法规在不同管理领域赋予了公民举报的权利。如水污染防治法、固体废物污染环境防治法都规定了任何单位和个人有权对污染损害环境的行为进行检举。举报体现了依靠群众原则，是行政机关发现问题、纠正违法的重要途径。多数行政管理领域中都建立了相应的举报制度，引导和接受群众举报。

环境保护关系到广大人民群众的切身利益，公众关心环境保护，对良好环境的需求越来越迫切。面临严峻的环境形势，环境违法行为普遍存在和环境执法人员有限之间存在矛盾，环境保护主管部门和其他负有环境保护监管职责的部门只有依靠群众、为了群众才能做好环境保护工作。环境保护部门很重视举报制度建设，1997 年原国家环保总局就发布了《关于建立全国环境保护举报制度的指导意见》，对环境保护制度的重点和工作推进作了要求和部署，不少地方都相应出台了举报规定，建立了“12963”电话。环境保护领域中的举报有了较好的制度和实践基础。

事后举报的本质是公众就环境保护中的现象和行为发表意见、表达诉求，属于公众参与的范畴，也是社会监督的重要形式。本次环境保护法修改将举报作为公众参与的一种重要形式，从加强公众参与的角度对举报作了明确规定。一是明确了公众举报权利。举报主体是没有限制的，任何公民都可以举报环境违法行为。举报不一定要求内容完全客观、准确，但也不能滥用，更不得捏造或者诬告。有关行政机关应当依法保护公众的举报权利，建立举报的具体制度，方便公众举报。二是举报可以对企业违法行为，也可以对行政乱作为、不作为提出。对于企业违法排污行为，可以向环境保护主管部门和其他负有环境保护职责的部门举报。对于政府、环境保护主管部门和其他负有环境保护职责的部门在环境保护工作中的违法行政行为或者不作为，可以向上级机关或者监察机关举报。三是增加了对举报人的保护机制，加大对举报人的保护。建立举报人保护机制是完善举报制度的重要方面，只有举报人的相关信息不泄露，得到很好的保密，才能让举报人没有后顾之忧，防止被举报人对举报人打击报复。另外，本法还规定了对保护和改善环境有显著成绩的单位和个人由政府给予奖励。一些地方在有关环境保护举报的规定中规定了对举报者奖励，这是对举报制度的细化和完善，有利于举报制度的运行和发挥实际作用。

**第五十八条　对污染环境、破坏生态，损害社会公共利益的行为，符合下列条件的社会组织可以向人民法院提起诉讼：**

**（一）依法在设区的市级以上人民政府民政部门登记；**

**（二）专门从事环境保护公益活动连续五年以上且无违法**

**记录。**

**符合前款规定的社会组织向人民法院提起诉讼，人民法院应当依法受理。**

**提起诉讼的社会组织不得通过诉讼牟取经济利益。**

**【释义】** 本条是关于环境公益诉讼的规定。

一、如何确定环境民事公益诉讼的原告资格

2012 年民事诉讼法修订时增加了民事公益诉讼制度。该法第 55 条规定："对污染环境、侵害众多消费者合法权益等损害社会公共利益的行为，法律规定的机关和有关组织可以向人民法院提起诉讼。"之所以将本条公益诉讼的主体限于法律规定的机关和有关组织，是考虑到民事公益诉讼是一项新制度，需要循序渐进地发展。为了防止滥诉，因此没有实行起诉主体多元化。

2012 年 8 月，初次审议的环境保护法修正案（草案）没有规定环境民事公益诉讼制度。在征求意见的过程中，很多意见提出，民事诉讼法已经明确法律规定的机关和组织可以对损害社会公共利益的污染环境行为提起公益诉讼，因此应当在环境保护法中将环境民事公益诉讼制度进一步细化，明确哪些主体具有提起环境民事公益诉讼的原告资格。

在民事诉讼法确立民事公益诉讼制度之前，我国司法实践中已经出现环境民事公益诉讼的案例，关于原告模式大体有以下几种：一是检察机关作为原告，例如 2010 年重庆市璧山县检察院起诉重庆某畜禽养殖专业合作社污染环境的公益诉讼案；二是行政机关作为原告，例如 2011 年昆明市环保局诉昆明三农农牧有限公司污染水源案；三是环保组织作为原告，例如 2009 年中华环保联合会诉江苏省江阴市集装箱公司污染环境案。

关于环境民事公益诉讼原告资格，一些意见提出负有环境保护职责的部门可以提起环境民事公益诉讼。首先，民事诉讼法规定“法律规定的机关”可以提起环境民事公益诉讼，这个机关就应当是负有环境保护职责的部门；其次，海洋环境保护法第90条第2款规定，行使海洋环境监督管理权的部门可以代表国家，对破坏海洋生态、海洋水产资源、海洋保护区，给国家造成重大损失的责任者，提出损害赔偿要求。理论界一般认为这就是行使海洋环境监督管理权的部门代表国家提起的环境公益诉讼。另外，一些意见赞同依法登记的从事环境保护的社会团体可以提起环境民事公益诉讼。还有一些意见建议规定检察机关也有权提起环境民事公益诉讼。环境保护法草案一审后关于规定环境民事公益诉讼制度已经是大势所趋，但如何确定环境民事公益诉讼的原告主体资格，仍需要冷静思考。

1. 是否应当赋予行政机关原告资格

我国行政强制法对环境污染规定了代履行制度。环境保护行政机关可以责令污染者治理污染、恢复原状。当污染者不履行或不能履行时，环境保护行政机关可以代履行或委托他人代履行，代履行的费用由污染者负担。而当污染者不支付代履行费用时，行政机关可以申请人民法院强制执行。有些意见认为，从以上规定来看，负有环保职责的部门不用通过环境民事公益诉讼的途径向污染者索取治理污染、恢复原状的费用。至于学界有的观点认为海洋环境保护法第90条第2款的规定就是行使环境保护职责的部门提起的环境民事公益诉讼；持反对的观点认为，负有环境保护职责的部门是国家利益的代表者，其代表国家向污染者提出赔偿损失的诉讼请求，符合民事诉讼法关于原告资格的“直接利害关系原则”，而公益诉讼是与损害行为无直接利害关系的主体为了维护公共利益而提起诉讼，因此负有环境保护职责的部门为了国家利益所提起的损害赔偿之诉属于普通的民事诉讼，而不属于公益诉讼。由于存在不同的认识，修订后的环境保护法没有赋予行政机关提起环境民事公益诉讼的原告资格。

2. 是否应当赋予检察机关原告资格

从司法实践看，2000 年，最高人民检察院发布了《关于强化检察职能、依法保护国有资产的意见》，强调"检察机关应充分发挥检察职能，对侵害国家利益、社会公共利益的民事违法行为提起诉讼"。各地检察机关根据最高人民检察院的要求，进行了公益诉讼的实践，其中包括环境公益诉讼的实践。如江苏省无锡市中级人民法院和人民检察院共同出台了《关于办理环境民事公益诉讼案件的试行规定》，2003 年山东省乐陵市检察院针对某化工厂污染环境的行为，提起一起环境公益诉讼。

在环境保护法修改过程中，关于检察机关能否提起民事公益诉讼，有不同意见。有的意见认为，人民检察院作为宪法规定的法律监督机关，如果企业违法排污造成环境损害，检察机关可以督促政府有关部门加强执法，或者支持受害人起诉，没有必要通过提起诉讼的形式来解决环境损害问题。另外，在一些诉讼程序和诉讼制度上还有很多问题难以解决，如举证责任如何分担、诉讼费用如何缴纳等。由于存在不同的认识，修订后的环境保护法没有赋予检察机关提起环境民事公益诉讼的原告资格。

3. 哪些社会组织可以提起环境民事公益诉讼

2013 年 6 月再次审议的环境保护法（修正案草案）第 48 条规定："对污染环境、破坏生态，损害社会公共利益的行为，中华环保联合会以及在省、自治区、直辖市设立的环保联合会可以向人民法院提起诉讼。"以上规定虽然增加了环境公益诉讼制度，但只赋予中华环保联合会及在省级民政部门登记的环保联合会以提起环境民事公益诉讼的主体资格，引起一些的争议。2013年10月审议的环境保护法修订草案第53条规定："依法在国务院民政部门登记，专门从事环境保护公益活动连续五年以上且信誉良好的全国性社会组织可以向人民法院提起诉讼。"以上规定虽然有限度地扩大了提起公益诉讼原告资格的范围，但只赋予全国性社会组织有起诉的资格，很多意见认为还是太窄，不利于调动专门从事环境保护的社会组织的积极性，不利于我国环保事业的发展。立法机关在科学立法、民主立法精神指引下，高度重视社会各方面的意见，最后通过的环境保护法将提起环境民事公益诉讼的原告资格扩大到在设区的市级以上人民政府民政部门登记的社会公益性组织，拓宽了提起环境民事公益诉讼的主体范围，回应了社会呼声。需要说明的是，本法所称的"设区的市级以上人民政府"，包括设区的市、自治州、盟、地区（如西藏的阿里地区），以及不设区的地级市，如广东的东莞等。

我国台湾地区在2003年2月7日修改的"民事诉讼法"中增加了一条规定，即第44条之三规定："以公益为目的之社团法人或财团法人，经其目的事业主管机关许可，于章程所定目的范围内，得对侵害多数人利益之行为人，提起不作为之诉。前项许可及监督办法，由司法院会同行政院定之。"我国台湾地区在2003年增加民事公益诉讼制度时也考虑了如何防止滥行起诉的问题。为了防止滥诉，我国台湾地区对有资格起诉的社团法人或财团法人设定了三项条件：一是以公益为目的；二是经目的事业主管机关许可，许可的办法，由"司法院"会同"行政院"定之；三是社团法人或财团法人的章程中要有明确的规定。通过以上三项条件可以看出，其核心是"许可"。从我国台湾地区的规定来看，防止滥诉，事关防止司法资源的浪费及维护社会稳定问题，行政许可是比较切实可行的措施。在环境保护法修改过程中，也有些意见建议通过行政许可的办法来确定哪些公益性组织可以提起环境公益的原告资格，以防止滥诉。具体建议是由最高人民法院和民政部联合制定环保组织提起环境民事公益诉讼资格的许可办法。但是在全国行政审批制度改革的大背景下，还是不要轻易在法律中设立一项新的行政许可，因此没有采纳上述意见。

二、环境公益组织能提出什么诉讼请求

修订后的环境保护法只规定符合条件的社会组织可以提起公益诉讼，没有规定可以提出哪些诉讼请求。社会公益性组织由于不是直接的受害人，与损害结果没有直接的利害关系，所以其能提出诉讼请求的范围实属环境民事公益诉讼的焦点问题之一。

目前在我国台湾地区，经过许可的公益性的社团法人和财团法人只能对污染企业提起不作为之诉，即请求法院对污染企业下发禁令，要求企业停止某些行为或者禁止从事某些行为。美国的公民为了维护公共利益，可以对污染企业提起诉讼，此制度被称为民众诉讼。民众诉讼的诉讼请求包括恢复原状和排除妨害。例如，美国《清洁水法》第 505 条规定，民众诉讼中原告可以要求被告赔偿环境本身的损害，即治理污染的费用。也可以提出排除妨害的诉讼请求，主要是要求法院颁发禁令以制止违法行为，这些禁令包括禁止性禁令、预防性禁令。印度的环境民事公益诉讼，主要借鉴了美国的民众诉讼制度，但是作为公民能够提起的诉讼请求仅限于要求企业不作为。

社会公益性组织所提出的诉讼请求的范围，也就是要求污染者承担侵权责任方式的范围。侵权责任法第 15 条规定，承担侵权责任的方式主要有：(1) 停止侵害；(2) 排除妨碍；(3) 消除危险；(4) 返还财产；(5) 恢复原状；(6) 赔偿损失；(7) 赔礼道歉;(8)消除影响、恢复名誉。以上承担侵权责任的方式,可以单独适用,也可以合并适用。

经过对以上承担侵权责任方式进行研究后认为,“返还财产”属于典型的物上请求权,“消除影响、恢复名誉”属于典型的人格权范畴,根据环境损害行为的特点,一般可不适用。社会公益性组织可以提出停止侵害、排除妨碍、消除危险的诉讼请求。“停止侵害”就是要求停止侵权行为;“排除妨碍”,例如某环保组织起诉,要求某企业移走长期堆放在公共场所的建筑垃圾;“消除危险”可以理解为包括类似于美国的预防性禁令,如某企业准备进行某种排污行为,环保组织可以向法院申请禁止其从事该行为。另外,环保组织可以提出恢复原状的诉讼请求。根据环境损害行为的特点,主要要求损害者承担治理污染和修复生态的责任,如果损害者不治理、修复或者没有能力治理、修复的,按照民事诉讼法第252条规定,法院可以委托有关单位代履行,费用由损害者承担。还有,环保组织可以单独或附带提出赔礼道歉的诉讼请求。赔礼道歉在司法实践中虽多出现在人格权侵权的领域,但在侵犯财产权的案件中提出赔礼道歉的诉讼请求,也在情理之中。

环保组织在公益诉讼中能否提出赔偿损失的诉讼请求?首先申明一点:如果环保组织自己或委托他人对受损的环境进行了治理,而向法院提出诉讼请求,要求污染者支付治理污染的费用,不属于赔偿损失的诉讼请求,而应属于恢复原状的诉讼请求。从法理上讲,能够提起赔偿损失的诉讼请求,应该是基于污染行为而使自己的财产直接受害才能提起。环保组织自己的财产没有直接受害,因此原则上不能提出赔偿损失的诉讼请求。有的意见提出,环保组织可以代表不特定的受害人提出赔偿损失的诉讼请求。在获得赔偿后,环保组织将赔偿费用设立一个赔偿基金,如果有受害人申报,环保组织在考虑其具体损失后,从该赔偿基金中分出一定比例返还给受害人。这样可减轻受害人另行起诉所带来的诉累,也减轻法院的负担。也有意见认为以上做法存在理论上的缺陷,主要有两点:一是违反了当事人的处分原则。当事人有权对自己的实体权利和诉讼权利进行处分,如果不允许当事人向法院提起诉讼,而只能从赔偿基金中获得一定比例的赔偿,则侵害了当事人的诉权,并且也侵害了当事人的实体权利。二是违反了诉讼代理的一般原则。诉讼代理需要委托人的明确授权,这是诉讼代理的一般原则。环保组织在没有受害人委托的情况下,就为其主张实体权利,不但违反诉讼代理的一般原则,也与公益诉讼的目的不符。我国台湾地区消费者保护团体能提出的公益诉讼的诉讼请求一般限于要求企业不作为,但其"消费者保护法"第 50 条第 1 款规定,消费者保护团体对于同一之原因事件,致使众多消费者受害时,得受让 20 人以上消费者损害赔偿请求权后,以自己之名义,提起诉讼。通过以上规定可以看出,公益性组织如果在公益诉讼中提出损害赔偿的诉讼请求,实际上也要有一定数量的受害人授权。因此在我国目前情况下,环保公益性组织在没有授权的情况下,不能代理公民、法人或者其他组织等不特定的受害人提出损害赔偿的诉讼请求。至于国家利益受损,如重大污染导致国家所有的自然资源遭受灭顶之灾,国务院有关部门或者县级以上地方人民政府有关部门只是罚款了事而不代表国家主张权利的话,环保公益性组织能否为维护国家利益而代表国家提起损害赔偿之诉,可以在以后的司法实践中进一步总结经验。需要说明的是,环保组织无论提出什么诉讼请求,均不得牟取经济利益。例如环保组织要求污染者支付治理污染的费用,在获得法院的支持后,污染者支付的治理费用不能由环保组织私分挪用,原则上应交给负有环保职责的部门设立一个专项治理污染的基金。还需要说明的是，如果地方政府或者政府有关部门的行为直接导致环境污染、生态破坏的，社会公益性组织也可以对其提起诉讼。

# 第六章　法律责任

**第五十九条　企业事业单位和其他生产经营者违法排放污染物,受到罚款处罚,被责令改正,拒不改正的,依法作出处罚决定的行政机关可以自责令改正之日的次日起,按照原处罚数额按日连续处罚。**

**前款规定的罚款处罚,依照有关法律法规按照防治污染设施的运行成本、违法行为造成的直接损失或者违法所得等因素确定的规定执行。**

**地方性法规可以根据环境保护的实际需要,增加第一款规定的按日连续处罚的违法行为的种类。**

**【释义】**　本条是关于按日计罚制度的规定。

在环境保护法修订过程中,违法成本低是各方面反映突出的问题。造成这一问题的原因,一方面是有关法律法规规定的处罚数额相对较低,另一方面是法律执行中出现了一些问题。从法律本身规定来看,由于环境违法行为受到的处罚相对于巨大的污染防治成本,造成比例失衡,普遍存在"守法成本高、违法成本低"的现象,导致企业宁可选择违法,承担相对轻微的法律责任,也不愿遵守法律,承担相对较高的污染治理成本。

实践中,超标超总量排污、偷排污水、排放有毒物质、夜间违规建设噪声扰民等违法排放污染物的现象较为普遍。这类环境违法行为,具有一个共同特性,即持续性。它表现为企业的同一环境违法行为持续多日,甚至长达数月乃至数年。对这类具有持续性的违法行为，环保执法人员面临两难：如果只认定为一个违法行为予以处罚，有违过罚相当的原则；如果认定为多个违法行为予以处罚，又缺乏法律依据。为解决这一问题，本法规定了按日计罚制度，规定对于违法排放污染物，受到罚款处罚，被责令改正，拒不改正的，依法作出处罚决定的行政机关可以自责令改正之日的次日起，按照原处罚数额按日连续处罚。

一、有关国家和地区的按日计罚制度

在国外的环境立法中，按日计罚制度被广泛采用，美国、英国、加拿大、印度、新加坡、菲律宾等国的环境立法中都规定了按日计罚。总体分为两种模式：一种是对持续的违法行为直接进行按日计罚，即英美法模式。美国、加拿大和我国香港特别行政区均采用这一模式。美国《清洁空气法》规定，可以对违法行为人违法的每一天，处以最高25000美元的罚款。加拿大《水法》规定，对每个违法行为处5000加元以下罚款；某个违法行为如果被实施或者被持续达一天以上者，则每一天的行为，均被视为一个单独的违法行为。我国香港特别行政区《水污染管制条例》规定，任何人未经许可向香港水域及内陆水域排放污水，即构成违法。如该项违法属持续违法，则可在该违法行为持续期间，另处每天罚款1万港币；向公用污水渠和公用排水渠排污的，每天罚款4万港币。另一种是企业违法行为发生后，先对其进行一定处罚并责令限期改正，逾期不改正的，再实施按日计罚，即大陆法模式。采用这一模式的有法国和我国台湾地区。我国台湾地区已经在环境立法方面全面实施了按日计罚制度，其“水污染防治法”、“空气污染防治法”、“噪音管制法”、“环境影响评估法”、“土壤及地下水污染整治法”、“资源回收再利用法”、“海洋污染防治法”、“废弃物清理法”等，都规定了按日连续处罚，并且还制定了详细的执行准则。如“水污染防治法”规定，企业或污水下水道系统排放废水违反相关规定的，处新台币6万元以上60万元以下罚款，并通知限期改善，届期仍未完成改善的，按日连续处罚。情节重大的，责令停工或停业，必要时可以废止排污许可证或勒令歇业。

二、我国地方立法与实践

目前我国有些地方也对按日计罚制度进行了探索和实践。《重庆市环境保护条例》规定，违法排污拒不改正的，环保部门可按罚款额度按日累加处罚。《深圳经济特区环境保护条例》规定，对违反排污许可、环境影响评价、试生产、“三同时”制度或者超标超总量排污等违法行为，可以实施按日计罚，额度为每日1万元。《宁夏回族自治区环境保护条例》规定，排污单位违法排污拒不改正的，环境保护行政主管部门可以按照本条例规定的处罚额度按日累加处罚。据了解，重庆从2007年实施按日计罚制度以来，共在69起案件中对违法企业进行了按日计罚，主要集中在无证排污或者超证排污领域，个案罚款额最高可达3000多万元，违法行为改正率大幅提高。按日计罚制度有效遏制了环境违法高发态势，对排污企业起到了很好的震慑效果。

三、按日计罚的具体模式

1. 按日计罚的适用情形。按日计罚具有严格的适用条件，禁止滥用。根据本条规定，按日计罚适用于企业事业单位和其他生产经营者违法排放污染物，受到罚款处罚，被责令改正，拒不改正的情形。首先，企业事业单位和其他生产经营者应当存在违法排放污染物的行为，包括超标超总量排污，未批先建排污，未取得排污许可证排污，通过暗管、渗井等逃避监管的方式排污等。其次，执法部门应当先依照有关法律法规的规定责令企业改正。按日计罚是为了弥补一般性处罚威慑力不足的缺陷，因此在发现企业违法排污的行为后，行政机关应当先责令其改正，而不是直接进行按日计罚。可以规定责令改正期限，但不宜过长。最后，企业需有拒不改正的情形。按日计罚针对的是企业拒不执行行政处罚决定的主观恶性较大的行为，因此，如果企业在责令改正期限内改正违法排污行为的，不适用按日计罚的规定。

根据行政处罚法的规定，法律、行政法规对违法行为已经作出行政处罚规定，地方性法规需要作出具体规定的，应当在法律、行政法规规定的给予行政处罚的行为、种类和幅度的范围内规定。但在本法规定按日计罚制度之前，一些地方立法已经对按日计罚制度作了有益探索，并不仅限于违法排污的情形。如《深圳经济特区环境保护条例》规定，未编制环境影响评价文件或者环境影响评价文件未经审批，擅自开工建设或者投入生产、经营、使用的也可以进行按日计罚。鉴于当前严峻的环境形势，为了适应各地方环境污染状况的特点，满足各地方环境保护管理的不同需要，为地方环保立法留有空间，本法赋予了地方性法规更大的行政处罚设定权，为按日计罚的适用情形开了口子，授权地方性法规可以根据环境保护的实际需要，增加本条第1款规定的按日连续处罚的违法行为的种类，即除违法排放污染物的情形外，可以增加规定对其他环保违法行为实施按日计罚。但仅限于增加按日计罚的种类，不能改变按日计罚的计算标准。

2. 按日计罚的起始期限。本条规定，依法作出处罚决定的行政机关可以自责令改正之日的次日起按日连续处罚。从国际上规定按日计罚的两种模式来看，对持续的违法行为直接进行按日计罚的模式对违法行为的威慑力更直接、处罚额度更高，但这种模式对环保部门的监测能力要求较高，并且容易导致“放水养鱼”的现象，从目前我国环保执法能力和执法水平来看，先作出处罚决定再按日计罚的模式更符合我国实际，也更容易操作。执法部门可以责令企业限期改正，到期仍未改正的，可以推断企业自责令改正之日的次日起，一直存在违法行为。因此，按日计罚的起始时间为责令改正之日的次日。

3. 按日计罚的计算标准。国际上规定按日计罚的数额一般有两种模式：一种是直接规定按日计罚的数额，另一种是根据行政处罚的额度来规定。考虑到我国各地经济社会发展水平差异较大，各种环境违法行为的情节轻重也有所不同，难以确定一个科学的统一额度；如果规定跨度较大的罚款幅度，又使环保执法部门自由裁量权过大，易导致执法腐败。因此，本法规定按照原处罚的数额按日连续处罚。

我国有关环境保护单行法确定违法排放污染物的罚款数额一般有四种方式：一是规定定额或是一定幅度的金额。如大气污染防治法第48条规定，违法向大气排放污染物超过国家和地方规定排放标准的，处1万元以上10万元以下罚款。二是按照直接损失确定。如水污染防治法第83条第2款规定，对造成一般或者较大水污染事故的，按照水污染事故造成的直接损失的20%计算罚款；对造成重大或者特大水污染事故的，按照水污染事故造成的直接损失的30%计算罚款。三是按照违法所得确定。例如，大气污染防治法第53条规定，制造、销售或者进口超过污染物排放标准的机动车船的，由依法行使监督管理权的部门责令停止违法行为，没收违法所得，可以并处违法所得1倍以下的罚款；对无法达到规定的污染物排放标准的机动车船，没收销毁。四是按照缴纳排污费的数额确定。如水污染防治法第74条规定，违法排放水污染物超过国家或者地方规定的水污染物排放标准，或者超过重点水污染物排放总量控制指标的，处应缴纳排污费数额2倍以上5倍以下的罚款。可以看出，目前有关法律法规对违法排污的罚款处罚，是按照违法行为的直接损失、违法所得、排污量等因素来确定的，这些因素都直接关系着违法排污行为对环境造成的损失，应当作为确定罚款数额的依据。此外，守法成本法高、违法成本低是实践中的一个突出问题，违法排污的罚款数额往往会低于正常运行防治污染设施的成本，所以企业大都选择违法排污，这也反映出目前在确定罚款数额时忽视了运行防治污染设施成本这一因素。在今后的立法和执法中，在确定违法排污的罚款时，应当加以考虑。因此，本条第 2 款规定，前款规定的罚款处罚，依照有关法律法规按照防治污染设施的运行成本、违法行为造成的直接损失或者违法所得等因素确定的规定执行。

需要注意的是，实施按日计罚的根本目的不是罚款，而是督促企业改正违法行为。因此按日计罚不能无限期计罚，实行按日计罚仍不能有效抑制违法排污行为的，对于其中超标超总量的排污行为，应属本法第 60 条规定的情节严重的违法排污行为，应当采取进一步措施予以制止。根据本法第 60 条规定，企业事业单位和其他生产经营者超过污染物排放标准或者超过重点污染物排放总量控制指标排放污染物的，县级以上人民政府环境保护主管部门可以责令其采取限制生产、停产整治等措施；情节严重的，报经有批准权的人民政府批准，责令停业、关闭。有行政处罚权的有关行政机关应当严格执行本条的规定，认真履行监管职责，加强监督性检查，防止违法行为人逃避本条规定的处罚，更不得以任何方式如随意放宽责令改正期限等包庇、帮助违法行为人逃避处罚。

**第六十条　企业事业单位和其他生产经营者超过污染物排放标准或者超过重点污染物排放总量控制指标排放污染物的，县级以上人民政府环境保护主管部门可以责令其采取限制生**

**产、停产整治等措施；情节严重的，报经有批准权的人民政府批准，责令停业、关闭。**

**【释义】**　本条是关于企业事业单位和其他生产经营者超标超总量的法律责任的规定。

本条是对修订前环境保护法规定的限期治理制度的修改。1979 年颁布的环境保护法（试行）第一次从法律上确定了限期治理制度。1989 年环境保护法正式施行，确立了限期治理制度的基本内容和模式，并为其他单行法所采纳。修订前环境保护法第 29 条规定："对造成环境严重污染的企业事业单位，限期治理……被限期治理的企业事业单位必须如期完成治理任务。"第 39 条规定："对经限期治理逾期未完成治理任务的企业事业单位，除依照国家规定加收超标准排污费外，可以根据所造成的危害后果处以罚款，或者责令停业、关闭。"大气污染防治法、水污染防治法、环境噪声污染防治法、固体废物污染环境防治法、海洋环境保护法等单行法中也都对限期治理制度作了规定。但各单行法与环境保护法对限期治理制度的条件、决定机关、超过限期治理期限的处罚存在不一致。

限期治理制度的确立，主要是为了适应我国经济发展的实际水平及环境保护工作的实际需要。一方面，当时我国工业还不发达，工业技术、设备相对落后，特别是一些老工业企业，由于历史的原因，技术、设备、原材料等方面都不能适应环境保护的要求，环境污染不可避免，如果要一步到位的治理，则会把企业"卡死"；另一方面，环境的压力越来越大，不能因为经济发展的需要而破坏环境，治理老污染源、重点污染源已迫在眉睫。因此，必须找到既能促进环境保护，又给企业发展留有余地的管理方法。限期治理就是其中一种有效的管理方法。

限期治理制度实施以来，在促进污染治理方面发挥了重要作用。但在实践中,也发现了利用限期治理作为企业超标排污"护身符"等现象,给违法者违法行为网开一面。为了满足地方经济增长的需要,一些地方对于必须关停的高耗能、高污染企业,能拖一天就拖一天,早晚要关的尽量晚关;限期可长可短的,尽量拉长。限期治理期间的企业,反而可以更加肆无忌惮地排放污染物。最终,限期治理难以起到督促企业治理的作用。

在修订过程中,有的意见提出,限期治理制度作为特殊时代背景下的产物,是为了适应环保制度从宽松到严格的过渡而设立的,不应作为环境管理手段的常态,应当对超标超总量排污的企业实行更加严格的措施。经过反复研究、论证、调研,我们认为,对于一些严重的违法排污行为,允许其在较长一段期限内打着治理的名义继续违法排污,存在一定的不合理性,应当避免企业利用限期治理制度放任违法行为。另外,随着经济社会的发展,环境保护意识的增强,环境法律法规制度的完善,环境管理的手段从单一走向多元,从末端控制走向事前预防,应当通过环境影响评价、排污许可、责令改正、按日计罚等多种手段综合惩治环境违法行为,迫使企业自行治理。在治理期间也不得超标超总量排污。因此,在修订环境保护法时对限期治理制度未作出具体规定。同时,为了对超标超总量排污的企业实施更加严格的措施,本条规定,对于企业事业单位和其他生产经营者超过污染物排放标准或者超过重点污染物排放总量控制指标排放污染物的,县级以上人民政府环境保护主管部门可以责令其采取限制生产、停产整治等措施;情节严重的,报经有批准权的人民政府批准,责令停业、关闭。这样既能保留限期治理制度中较为积极的一部分功能,督促企业整改,又能避免被限期治理的企业迟迟不进行治理,限期治理决定难以落实的问题。目前,在环境保护单行法律中对限期治理的规定还可继续执行,但在治理期间不得超标超总量排污。不得将有关法律中规定的治理期限，作为按日计罚的责令改正违法排污行为的期限，以变相允许违法排污者逃避法律制裁。

本条规定的法律责任的适用情形是企业事业单位和其他生产经营者超过污染物排放标准或者超过重点污染物排放总量控制指标排放污染物。有权决定责令限制生产、停产整治的执法主体是县级以上环保部门。由于责令停业、关闭是非常严厉的处罚措施，决定着企业的生杀大权，应当慎之又慎，所以责令停业、关闭的应当报经有批准权的人民政府批准。

需要说明的是，按日计罚的前提条件是违法排污行为，包括了本条规定的超标超总量的情形，对于超标超总量的违法行为，可以在实施按日计罚的同时，责令限制生产、停产整治，更严重的，可以责令停业、关闭。换句话说，在责令限制生产、停产整治期间，也不能违法排污，如果符合违法排污的情形，一样要处以罚款、按日计罚。这样才能彻底解决实践中限期治理制度变相为违法排污行为打“保护伞”的问题。

**第六十一条　建设单位未依法提交建设项目环境影响评价文件或者环境影响评价文件未经批准，擅自开工建设的，由负有环境保护监督管理职责的部门责令停止建设，处以罚款，并可以责令恢复原状。**

**【释义】**　本条是关于建设单位未依法提交建设项目环境影响评价文件或者环境影响评价文件未经批准，擅自开工建设的法律责任的规定。

近年来，建设项目未批先建的现象屡禁不止。这些建设项目有的没有依法提交建设项目环境影响评价文件就开工建设，有的环境影响评价文件未经批准就违法上马建设投产，造成既定事实后，再补办手续，交少量罚款。造成未批先建现象严重的原因有三：一是地方政府对经济增长的需求，导致建项目时开绿灯，对违法的建设项目睁一只眼闭一只眼，忽视建设项目环境影响评价这一重要前置条件。二是违法成本低，利益驱动下项目顶风上马，有些建设项目投资回报高，几十万罚款根本起不到任何作用，因此，一些企业宁愿受罚，未经环评项目也要上马。三是现有的允许未批先建者“限期补办”的规定，被一些违法企业利用，导致一些建设项目“先上车后买票”，实行未批先建，使环境影响评价失去了事前预防的功能。四是行政审批程序烦琐，耗时过长。建设项目的环评审批程序短则数月，长至半年一年，建设单位等不及审批手续办完，只能冒险开工，边建设边报批，等到项目完工，手续才批下来。

建设项目不进行环境影响评价，就无法对项目建设是否符合国家法律法规、发展规划、产业政策，污染物排放量是否符合总量控制要求，污染防治措施是否到位作出科学评价，许多未批先建项目建成后会直接加重当地或区域环境污染。违法项目未经环评审批开工建设，公众无法通过环评的信息公开和公众参与了解项目的基本情况和环保措施，无法得知项目建成后可能产生的环境影响，更无法表达自己的环境诉求，造成政府部门环境管理的被动局面。因此本法第19条规定，建设对环境有影响的项目，应当依法进行环境影响评价。未依法进行环境影响评价的建设项目，不得开工建设。对于违反这一规定的，本条规定应当承担相应的法律责任。

这一条是在此次修订环境保护法时新增加的内容，此前对于未批先建的法律责任只在单行法和行政法规中有规定。根据环境影响评价法第31条规定，建设单位未依法报批建设项目环境影响评价文件，擅自开工建设的，由有权审批该项目环境影响评价文件的环境保护行政主管部门责令停止建设,限期补办手续;逾期不补的,可以处5万元以上20万元以下的罚款;建设项目环境影响评价文件未经批准,建设单位擅自开工建设的,由有权审批该项目环境影响评价文件的环境保护行政主管部门责令停止建设,可以处5万元以上20万元以下的罚款。这次修订,堵住了现有规定中“限期补办”的漏洞,直接规定对于未评先建的,责令停止建设,处以罚款,并可以责令恢复原状。未评先建的违法项目,不能再通过补办手续的方式“补票”,可以直接处以罚款。环境影响评价法的规定与本条规定不一致的,适用本法。

承担法律责任的情形有两种:一种是建设单位未依法提交建设项目环境影响评价文件,擅自开工建设的;另一种是环境影响评价文件未经批准,擅自开工建设的。承担法律责任的形式有停止建设、处以罚款和恢复原状。建设项目环境影响评价文件包括环境影响报告书、环境影响报告表和环境影响登记表等法律法规规定的文件。

执法主体是有环境保护监督管理职责的部门。这里不限于环境保护部门,还包括其他有环境影响评价文件审批权的部门,如海洋环境保护部门;也不限于审批环境影响评价文件的部门,有可能是审批环境影响评价文件部门的上级部门,或者是受原审批环境影响评价文件部门委托的部门。

恢复原状,是指通过拆除等手段使已经建成的设施或项目恢复到开工建设之前的状态。对于一般的未批先建行为,负责审批建设项目环境影响评价文件的部门应当责令停止建设,处以罚款;对于情形恶劣,项目环境影响较大,严重不符合环保管理要求的,在被责令停止建设,处以罚款的同时,还应当拆除已经建成的部分,消除对环境造成的影响,属于更进一步的严厉处罚。

**第六十二条　违反本法规定，重点排污单位不公开或者不如实公开环境信息的，由县级以上地方人民政府环境保护主管部门责令公开，处以罚款，并予以公告。**

**【释义】**　本条是关于重点排污单位不公开或者不按照规定公开环境信息的法律责任的规定。

近年来，我国因环保问题引发的群体性冲突时有发生，社会矛盾尖锐。其中一个重要原因，是公众得不到相关环境信息。公众作为环境损害的直接受害者，对涉及其切身利益的环境信息享有知情权。企业是环境信息资源的占有者，具有天然的话语权优势，但由于担心遭到公众反对，有的企业往往对其排污、设施建设和运行等环境信息一概采取垄断和封闭态度，导致公众在信息获取方面完全被动，使公众难以对项目的实际影响作出科学客观的评价，在对企业具体的排污情况和实际危害程度并不清楚的情况下，一律选择恐慌和不信任心态。随着公民生活水平和文化素质的提高，公众环保意识日渐增强，民主法制的建立健全，公民关注公共事务的程度越来越高，获取政务信息的方式越来越主动，参与社会管理的愿望越来越强烈，对信息公开的需求愈加强烈。这就要求排污单位尤其是重点排污单位，如实、全面、及时地公开自身的环境信息，便于公众了解和监督。

对企业环境信息公开进行正式规范的是2008 年施行的《环境信息公开办法(试行)》。该办法规定企业环境信息公开实行自愿公开与强制公开相结合的原则。对污染物排放超过国家或地方排放标准，或污染物排放总量超过地方政府核定的排放总量控制指标的污染严重的企业，要强制公开环境信息。修订后环境保护法将重点排污单位的环境信息公开义务首次纳入法律规范,本法第 55 条规定:“重点排污单位应当如实向社会公开其主要污染物的名称、排放方式、排放浓度和总量、超标排放情况,以及防治污染设施的建设和运行情况,接受社会监督。”违反这一规定的,本条规定应当承担法律责任。

重点排污单位的环境信息是信息公开的核心内容,是保障公众有效参与环境监督的必要保障。企业向社会公开其排放的主要污染物、排放方式、排放浓度和总量、超标排放情况,以及防治污染设施的建设和运行情况,有利于公众科学判断该企业对环境所造成的影响,加强对企业排污治污行为的监督,督促企业依法排污。公开企业环境信息也是树立企业形象,获得社会认同感的一种途径,使公众监督和了解自己购买商品或服务的企业是否具备与其商誉相应的社会责任,有利于公众作出消费的理性选择,从而迫使企业改进生产和管理水平,提高整体生产效率,淘汰落后技术和设备,更好地促进企业自觉履行环境保护的义务。

本条规定的违法情形有两种:

一是不公开环境信息。目前我国企业环境信息公开的总体意识不强,一些企业出于自身发展和逃避监督的考虑,对公开环境信息比较抗拒,按照要求进行环境信息公开的企业和行业数量不多,大多数企业对环境信息公开都选择了沉默或者逃避态度。不公开环境信息,其中包括公开环境信息不全面的情形。根据本法第 55 条的规定,企业应当公开的环境信息包括主要污染物的名称、排放方式、排放浓度和总量、超标排放情况,以及防治污染设施的建设和运行情况。对于这些信息,重点排污单位都应当公开,不能选择性公开。

二是不如实公开环境信息。一些企业由于自身排放污染物不达标,对人体和环境产生危害,担心公开信息后会引发公众的抗议,通过篡改、伪造监测数据等弄虚作假的方式,公开虚假的污染物名称、排放浓度和总量,隐瞒超标情况等,逃避公众监督,必须要承担相应的法律责任。

重点排污单位不公开或者不如实公开环境信息的,环保部门应首先责令其公开,并处以罚款,但单一的罚款难以有效威慑违法企业,实现惩戒目的,因此在此之外,还应当对企业的该违法行为予以公告,让公众知晓。

**第六十三条　企业事业单位和其他生产经营者有下列行为之一,尚不构成犯罪的,除依照有关法律法规规定予以处罚外,由县级以上人民政府环境保护主管部门或者其他有关部门将案件移送公安机关,对其直接负责的主管人员和其他直接责任人员,处十日以上十五日以下拘留;情节较轻的,处五日以上十日以下拘留:**

**(一)建设项目未依法进行环境影响评价,被责令停止建设,拒不执行的;**

**(二)违反法律规定,未取得排污许可证排放污染物,被责令停止排污,拒不执行的;**

**(三)通过暗管、渗井、渗坑、灌注或者篡改、伪造监测数据,或者不正常运行防治污染设施等逃避监管的方式违法排放污染物的;**

**(四)生产、使用国家明令禁止生产、使用的农药,被责令改正,拒不改正的。**

**【释义】**　本条是关于对严重的环境违法行为处以行政拘留的规定。

对于一般的环境违法行为,由环保部门通过责令改正、处以罚款等处罚方式可以实现管理和制止的目的,但对于一些严重的环境违法行为，必须要对有关责任人员处以人身处罚，才能形成有效威慑。因此，本次修订环境保护法时增加了行政拘留的规定，主要有以下四种情形：

1. 建设项目未依法进行环境影响评价，被责令停止建设，拒不执行的。本法第 19 条规定，建设对环境有影响的项目，应当依法进行环境影响评价。未依法进行环境影响评价的建设项目，不得开工建设。建设项目未依法进行环境影响评价，既包括未依法提交环境影响评价文件即开工建设，也包括环境影响评价文件虽提交但尚未获得批准即开工建设。对于这种情形，根据本法第 61 条的规定负有环境保护监督管理职责的部门可以责令停止建设，处以罚款。但罚款数额相对于违法获得的利益相差甚远，所以罚款难以形成有效威慑，建设单位往往对责令停止建设的处罚决定置之不理，继续开工建设。对这种主观恶意的情形，必须规定更严厉的处罚措施，建设单位拒不改正，继续开工建设的，县级以上人民政府环境保护主管部门或者其他有关部门应当将案件移送公安机关，对其直接负责的主管人员和其他直接责任人员处以拘留。

2. 违反法律规定，未取得排污许可证排放污染物，被责令停止排污，拒不执行的。本法第 45 条规定，国家依照法律规定实行排污许可管理制度。凡是需要向环境排放各种污染物的单位或个人，都必须事先向主管部门办理申领排污许可证手续，经主管部门核发排污许可证后，才能向环境排放污染物。排污许可证实现了对排污行为的事前控制，对企业的排污行为预先提出具体要求，科学配置排放主体的排污指标，减轻或者消除排放污染物对公众健康、财产和环境质量的损害，是排污单位守法、环保部门执法和公众进行监督的重要凭证，企业必须依法获得排污许可证后才能进行排污。无许可证排污被责令停止排污拒不执行的，其直接负责的主管人员和其他直接责任人员应当承担拘留的法律责任。

3. 通过暗管、渗井、渗坑、灌注或者篡改、伪造监测数据，或者不正常运行防治污染设施等逃避监管的方式违法排放污染物的。实践中一些排污企业为了逃避监管，通过暗管、渗井、渗坑、灌注等方式排放污染物，将违法行为转移到地下，给环境带来的损害更加难以恢复，影响更为恶劣，是比一般的超标排污行为更为严重的违法行为。有的直接篡改、伪造监测数据，干扰环境监督执法。有的虽然有防治污染的设施，但只是摆设，并不正常运行，只在应付检查的时候开启。本法第 42 条规定，严禁通过暗管、渗井、渗坑、灌注或者篡改、伪造监测数据，或者不正常运行防治污染设施等逃避监管的方式违法排放污染物。对这类违法行为，应当给予更严厉的处罚，对其直接负责的主管人员和其他直接责任人员予以拘留。

4. 生产、使用国家明令禁止生产、使用的农药，被责令改正，拒不改正的。本法第 49 条规定，各级人民政府及其农业等有关部门和机构应当指导农业生产者科学种植和养殖，合理施用农药、化肥等农业投入品，科学处置农用薄膜、农作物秸秆等农业废弃物，防止农业面源污染。为确保农产品质量安全，农业部陆续公布了一批国家明令禁止使用的农药，包括六六六，滴滴涕、毒杀芬，二溴氯丙烷，杀虫脒，二溴乙烷，除草醚，艾氏剂，狄氏剂，汞制剂，砷、铅类，敌枯双，氟乙酰胺，甘氟，毒鼠强，氟乙酸钠，毒鼠硅，甲胺磷、甲基对硫磷、对硫磷、久效磷，磷胺等。生产、使用国家严禁生产、使用的农药，不仅破坏了农村环境，还直接影响着农业安全和人体健康，对这种违法行为主管部门应责令改正；拒不改正的，对其直接负责的主管人员和其他直接责任人员予以拘留。

本条规定的拘留是行政拘留，是对违法公民在短期内限制其人身自由的一种处罚措施，属于行政处罚的一种，是对尚未构成犯罪的一般违法行为给予的一种最为严厉的制裁，由此决定了这类行为只能由法律设定，行政法规、地方性法规、规章等都不能设定，本法设定时也对其适用条件作了严格限定，只适用于建设项目未依法进行环境影响评价，被责令停止建设，拒不执行的；未取得排污许可证排放污染物，被责令停止排污，拒不执行的；通过暗管、渗井、渗坑、灌注或者篡改、伪造监测数据等逃避监管的方式违法排放污染物的；生产、使用国家明令禁止生产、使用的农药，被责令改正，拒不改正的四种情形。这四种情形是对我国目前环境领域中存在的较为突出的问题而作出的有针对性的规定，主观恶意较强，一般处罚难以制止。行政拘留的最高期限为 15 日，本条又进一步作了区分，符合法定情形的，对其直接负责的主管人员和其他直接责任人员，处 10 日以上 15 日以下拘留；情节较轻的，处 5 日以上 10 日以下拘留。

由于涉及对公民人身自由的限制，因此行政拘留权只能由县级以上公安机关才能行使，对本条规定的四种行为尚不构成犯罪的，县级以上人民政府环境保护主管部门或者其他有关部门无权直接拘留，应当将案件移送公安机关，由公安机关依法处以拘留。如果构成犯罪的，应当依法追究刑事责任。

应当说明的是，本条规定的对四种行为实施行政拘留，并不排除依照有关法律法规规定对其予以处罚，而是在其他法律法规规定的处罚之上，新增加了行政拘留的法律责任，加重了对这些行为的处罚。同时，本条规定也与我国刑法的规定作了较好的衔接，将在本法第 69 条的解释中予以释明。

**第六十四条　因污染环境和破坏生态造成损害的，应当依照《中华人民共和国侵权责任法》的有关规定承担侵权责任。**

**【释义】** 本条是关于因污染环境和破坏生态而承担侵权责任的规定。

修订后的环境保护法关于环境损害责任的规定采取了类似于国际私法中“转致”的立法技术，不再具体规定归责原则、免责事由等，而是直接适用侵权责任法的相关规定。为什么要选择这样的立法技术，因为环境保护法以及水污染防治法、大气污染防治法等环保领域的单行法都是制定在侵权责任法之前，而侵权责任法设专章对“免责事由”和“环境污染责任”作了规定。修改前的环境保护法第 41 条与侵权责任法相比，在免责事由、因果关系推定等规定方面有许多欠缺，因此关于环境损害责任直接适用侵权责任法的相关规定，以保证在法律适用上的准确性。在修改环境保护法的过程中，关于如何修改第 41 条也曾经有以下两个思路：一是借鉴侵权责任法和其他环境保护单行法律的规定，对第 41 条予以补充完善；二是删除第 41 条，规定一个衔接性的条款，即关于环境损害责任直接适用侵权责任法的相关规定。最终，从立法技术要求文字简练的角度考虑，修订后的环境保护法采取了第二种方案。

关于本条的适用，有以下几个问题需要说明：

第一，侵权责任法只设专章规定了“环境污染责任”。本条对破坏生态的行为造成环境损害也适用侵权责任法第六章的相关规定。环境污染和破坏生态是既有重合部分又有区别的两个概念，二者合起来就是对环境的损害。例如，某人从南美引进食人鱼，对我国传统的渔业品种造成了严重威胁。这种破坏生物多样性的行为就是破坏生态的行为，但难说是污染环境的行为。基于污染环境和破坏生态都是对环境的损害，因此，破坏生态行为给他人造成损害的,其也应按照侵权责任法的规定承担严格责任(无过错责任),并且应当就法律规定的不承担责任或者减轻责任的情形及其行为与损害之间不存在因果关系承担举证责任。

第二,由于侵权责任法对"免责事由"和"环境污染责任"是分章规定的,在环境损害责任中到底有哪些免责事由和减责事由,即污染者或者生态破坏者在哪些情形下可以不承担责任或者减轻责任,还需要一个有机的结合,因此对本条的适用应把握以下几层要素:

(1)因损害环境造成损害的,损害者应当承担侵权责任。损害者能够证明损害是因不可抗力造成的,不承担责任,但法律另有规定的除外,例如2007年国务院《关于核事故损害赔偿责任问题的批复》规定,民用核设施的经营人在发生核事故的情况下造成他人损害的,只有能够证明损害是因战争、武装冲突、敌对行动或者暴乱所引起,或者是因受害人故意造成的,才免除其责任。因不可抗拒的自然灾害造成他人损害的,不能免除核设施经营人的责任。

(2)因损害环境造成损害的,损害者应当承担侵权责任。损害者能够证明损害是因受害人故意造成的,不承担责任;损害者能够证明受害人对损害的发生也有过失的,可以减轻责任。

(3)因损害环境发生纠纷,损害者应当就其行为与损害之间不存在因果关系承担举证责任。

(4)因第三人的过错损害环境造成损害的,受害人可以向损害者请求赔偿,也可以向第三人请求赔偿。损害者赔偿后,有权向第三人追偿。

第三,关于解决环境侵权纠纷的途径。修改前的环境保护法第41条第2款规定行政机关应当事人的请求,对平等主体之间的民事纠纷作出处理。这种立法理念是20世纪80、90年代我国立法的一种传统，进入21世纪后，这个理念正在悄然改变，这在大气污染防治法和水污染防治法修改中已经得到了体现。考虑到大气污染防治法和水污染防治法已经将负有环境保护职责的部门对环境侵权纠纷的“裁决者”身份修改为“调解者”身份，适用这些单行法律就足够了，所以修订后的环境保护法删除了修改前的环境保护法第41条第2款的规定。

第四，本条虽然规定直接适用侵权责任法的相关规定，但侵权责任法第5条规定，“其他法律对侵权责任另有特别规定的，依照其规定”。现行的环保单行法律关于环境侵权责任的规定与侵权责任法还是有些不同。例如按照侵权责任法第26条规定，被侵权人对损害的发生也有过错的，可以减轻侵权人的责任。而水污染防治法第85条第3款规定，水污染损害是由受害人重大过失造成的，可以减轻排污方的赔偿责任。因此，关于环境污染侵权责任在适用侵权责任法的时候，如果遇到上述水污染防治法与侵权责任法规定不一致时，还是要适用水污染防治法的规定。

**第六十五条　环境影响评价机构、环境监测机构以及专门从事环境监测设备和防治污染设施维护、运营的机构，在有关服务活动中弄虚作假，对造成的环境污染和生态破坏负有责任的，除依照有关法律规定予以处罚外，还应当与造成环境污染和生态破坏的其他责任者承担连带责任。**

**【释义】**　本条是关于有关环境服务机构与污染者承担连带责任的规定。

一、连带责任

所谓连带责任，根据我国侵权责任法第13条、第14条规定,法律规定承担连带责任的,被侵权人有权请求部分或者全部连带责任人承担责任。连带责任人根据各自责任大小确定相应的赔偿数额;难以确定责任大小的,平均承担赔偿责任。支付超出自己赔偿数额的连带责任人,有权向其他连带责任人追偿。

根据侵权责任法的一般理论,承担连带责任的前提是共同侵权行为。共同侵权行为分为典型的共同侵权行为和非典型的共同侵权行为。典型的共同侵权行为是指两个或者两个以上的行为人,基于共同故意或者共同过失,侵害他人合法民事权益造成损害,应当承担连带责任的侵权行为。我国侵权责任法第 8 条规定:“二人以上共同实施侵权行为,造成他人损害的,应当承担连带责任。”非典型的共同侵权行为主要指无意思联络的共同侵权。所谓无意思联络的共同侵权,根据侵权责任法第 11 条的规定,“二人以上分别实施侵权行为造成同一损害,每个人的侵权行为都足以造成全部损害的,行为人承担连带责任”。最高人民法院《关于审理人身损害赔偿案件适用法律若干问题的解释》第 3 条第 1 款对有意思联络的共同侵权和无意思联络的共同侵权作了规定。该款规定,二人以上共同故意或者共同过失致人损害,或者虽无共同故意、共同过失,但其侵权行为直接结合发生同一损害后果的,构成共同侵权,应当依照民法通则第 130 条规定承担连带责任。

二、环评机构的连带责任

就本条而言,如果环境影响评价机构接受委托后,与委托人恶意串通,在环境影响评价活动中弄虚作假,致使评价结果严重失实,或者环境影响评价机构虽未与委托人恶意串通,但为了保住自己的市场地位,明知委托人提供的材料虚假,却故意作出有利于委托人的评价,致使评价结果严重失实。无论是前一种有共同故意的行为,还是后一种无共同故意的分别行为,委托人在环境影响评价文件获得审批后，其经营行为造成了环境污染或者生态破坏，除依照有关法律规定对委托人和环评机构予以处罚外，环评机构还应当与委托人对给第三人造成的损害承担连带责任。

三、环境监测机构的连带责任

我国目前已经建立了重点排污单位的自行监测制度。本法第42条第3款规定："重点排污单位应当按照国家有关规定和监测规范安装使用监测设备，保证监测设备正常运行，保存原始监测记录。"2013年7月30日，环境保护部发布了《国家重点监控企业自行监测及信息公开办法(试行)》。所谓企业自行监测，该办法第2条第2款规定，企业自行监测是指企业按照环境保护法律法规要求，为掌握本单位的污染物排放状况及其对周边环境质量的影响等情况，组织开展的环境监测活动。但是如果企业自行监测有困难的，按照该办法第11条规定，应当委托经省级环境保护主管部门认定的社会检测机构或环境保护主管部门所属环境监测机构进行监测。无论受委托的公立监测机构还是社会检测机构，如果与委托人恶意串通，在环境监测活动中弄虚作假，故意隐瞒委托人超过污染物排放标准或者超过重点污染物排放总量控制指标的事实，或者受托人出现重大过失，致使监测结果严重失实。无论是前一种有共同故意的行为，还是后一种无共同故意的分别行为，在委托人的排污行为造成了环境污染或者生态破坏以后，除依照有关法律规定对委托人和受托人予以处罚外，受托人还应当与委托人对给第三人造成的损害承担连带责任。

四、从事环境监测设备和防治污染设施维护、运营的机构的连带责任

现实经济生活中，有些企业将自己的污染监测设备委托给

监测设备的生产商、代理商等机构维护、调试，而由自己的人员实施监测。从性质上讲这种行为仍属于自行监测，而不属于委托监测。但是如果受托人在监测设备的维护、调试过程中，与委托人恶意串通，致使监测结果严重失实，给他人造成污染损失的情况下，除依照有关法律规定予以处罚外，还应当与委托人对给第三人造成的损害承担连带责任。

现实经济生活中，有些企业将自己的防治污染的设施委托给专门从事污染防治的环保企业维护、运营。例如某印染企业在主体工程建设的同时，按照本法第 41 条规定的“三同时”的要求，建设了一个污水处理厂，该污水处理厂与主体工程同时投产使用，但却委托给某从事污水治理的企业维护、运营。该污水治理企业排放的污水如果超过污染物排放标准或者超过重点污染物排放总量控制指标，应当与委托人对给第三人造成的损害承担连带责任。

**第六十六条　提起环境损害赔偿诉讼的时效期间为三年，从当事人知道或者应当知道其受到损害时起计算。**

**【释义】** 本条是关于受到环境损害提起赔偿的诉讼时效期间的规定。

一、本条规定的诉讼时效属于特殊诉讼时效

诉讼时效是权利人请求人民法院保护其民事权利而提起诉讼的法定期间。权利人超过诉讼时效期间内向人民法院请求保护其民事权利，就丧失了胜诉权，即实体意义上的诉权。但民法通则第 138 条规定：“超过诉讼时效期间，当事人自愿履行的，不受诉讼时效限制。”即债务人自愿履行后，又以自己不了解诉讼时效的规定为理由，要求债权人返还的，人民法院不予支持。

诉讼时效分为一般诉讼时效和特殊诉讼时效。一般诉讼时效又称为普通诉讼时效，按照民法通则第135条、第137条规定，向人民法院请求保护民事权利的诉讼时效期间为2年，从知道或者应当知道权利被侵害时起计算。特殊诉讼时效，是指普通诉讼时效2年以外的诉讼时效期间。民法通则规定为1年的诉讼时效期间有：(1)身体受到伤害要求赔偿的；(2)出售质量不合格的商品未声明的；(3)延付或者拒付租金的；(4)寄存财物被丢失或者损毁的。此外，民法通则第141条规定："法律对诉讼时效另有规定的，依照法律规定。"民法通则以外的其他法律规定的长于或短于普通诉讼时效2年的诉讼时效期间，也是特殊的诉讼时效。本条规定的"提起环境损害赔偿诉讼的时效期间为三年，从当事人知道或者应当知道受到损害时起计算"即属于特殊的诉讼时效。

二、本条规定3年的诉讼时效仅指对损害赔偿提起诉讼的时效

环境损害的受害人向人民法院请求保护民事权利，也就是要求损害者承担侵权责任。我国侵权责任法第15条规定，承担侵权责任的方式主要有：(1)停止侵害；(2)排除妨碍；(3)消除危险；(4)返还财产；(5)恢复原状；(6)赔偿损失；(7)赔礼道歉；(8)消除影响、恢复名誉。以上承担侵权责任的方式，可以单独适用，也可以合并适用。如果受害人要求损害者承担"赔偿损失"的侵权责任，则受3年的诉讼时效期间限制，从受害人知道或者应当知道受到损害损害时起计算。但如果受害人要求损害者承担停止侵害、排除妨碍、消除危险、恢复原状、赔礼道歉的侵权责任，则不受诉讼时效的限制。举例如下：

例一：甲企业于2001年1月1日开始向乙承包的鱼塘偷排污水，偷排5个月后被乙发现，乙对甲提出警告，但甲置若罔闻。由于甲每日排放的污水量不是很大，只是导致乙的产量略减，乙

就开始默默忍受。甲向乙的鱼塘排污一直持续到 2014 年 6 月 1 日，乙实在忍无可忍，将甲诉至法院，要求甲停止侵害并赔礼道歉。请问乙的诉讼请求受民法通则规定的 2 年或者本条规定的 3 年的诉讼时效期间的限制吗？当然不受限制。因为甲的侵权是一种连续状态，不能因为乙在 14 年前已知道自己权利被侵害的事实，就说乙的起诉已超过诉讼时效从而丧失胜诉权。如果这样理解，对乙是非常不公平的。因此，乙在被连续侵权 14 年后提出要求甲承担停止侵害并赔礼道歉的诉讼请求，不受诉讼时效的限制。但是如果乙同时还提出了赔偿 14 年渔业损失的要求，则不会被法院所支持。

例二：甲企业于 2001 年 1 月 1 日突发事故，将大量含有重金属的污水排入乙承包的农田。乙找甲交涉，未果。乙此后将此地撂荒，带领全家人进城打工。14 年后的 2014 年 1 月 1 日，乙认为被污染的承包地的地力会自然恢复，就带领全家回乡复耕，但秋末打出来的粮食仍含有非常高的重金属。乙将甲企业起诉到法院，要求甲对其污染的承包地恢复原状。请问乙的诉讼请求受民法通则规定的 2 年或者本条规定的 3 年的诉讼时效期间的限制吗？当然不受限制。因为该承包地的损害状态一直延续，即时至今日仍对乙的权利构成损害，所以乙起诉甲企业，要求其承担恢复原状的民事责任，不受诉讼时效期间的限制。但是如果乙同时还提出了赔偿 14 年农作物损失的要求，则不会被法院所支持。

需要说明的是，如果受害人要求污染者承担停止侵害、排除妨碍、消除危险、恢复原状、赔礼道歉的侵权责任，应当受民法通则规定的 20 年的最长诉讼时效的限制。在上例中，如果乙从污染之日起超过 20 年才向法院起诉，要求甲企业承担恢复原状的侵权责任，则不会得到法院的支持。因为法律规定最长诉讼时效期间的目的,在于维护法律关系的稳定,督促当事人及时行使权利,且民事纠纷历时过久,证据不易收集,案件难以审理。

**第六十七条　上级人民政府及其环境保护主管部门应当加强对下级人民政府及其有关部门环境保护工作的监督。发现有关工作人员有违法行为,依法应当给予处分的,应当向其任免机关或者监察机关提出处分建议。**

**依法应当给予行政处罚,而有关环境保护主管部门不给予行政处罚的,上级人民政府环境保护主管部门可以直接作出行政处罚的决定。**

**【释义】**　本条是关于环境保护工作中上级对下级进行监督的规定。

我国目前的环境保护工作的形势是严峻的。造成我国目前整体环境恶化的原因有很多,但其中一个重要原因是我国的一些地方党政领导"唯 GDP"的政绩观,甚至对招商引资的项目放宽环保标准。而环保执法体制是"条块结合,以块为主",地方环保部门的人、财、物均由地方政府撑控,环保执法难免不受制于外部因素,出现"不敢执法"或者"执法不到位"的情况。有些地方党政领导干预、阻碍环保执法的情况也不鲜见。为改变我国的环境现状,本条关于环境保护工作中上级对下级进行监督的规定,无疑具有非常重要的意义。

一、上级人民政府对下级人民政府环境保护工作的监督

按照我国宪法第 89 条规定,国务院统一领导全国地方各级国家行政机关的工作,有权改变或者撤销地方各级国家行政机关的不适当的决定和命令。按照地方各级人民代表大会和地方各级人民政府组织法第 59 条的规定,县级以上的地方各级人民政府领导下级人民政府的工作,有权改变或者撤销下级人民政

府的不适当的决定、命令。因此,上级人民政府对下级人民政府的环境保护工作进行监督,于法有据。

按照我国宪法第 89 条规定,国务院有权依照法律规定任免、培训、考核和奖惩行政人员。按照地方各级人民代表大会和地方各级人民政府组织法第 59 条的规定,县级以上的地方各级人民政府,依照法律的规定任免、培训、考核和奖惩国家行政机关工作人员。因此,上级人民政府发现下级人民政府工作人员在环境保护工作中有违法行为的,有权给予处分。

二、上级人民政府所属环境保护主管部门对下级环境保护主管部门的监督

地方各级人民代表大会和地方各级人民政府组织法第 66 条规定:"省、自治区、直辖市的人民政府的各工作部门受人民政府统一领导,并且依照法律或者行政法规的规定受国务院主管部门的业务指导或者领导。自治州、县、自治县、市、市辖区的人民政府的各工作部门受人民政府统一领导,并且依照法律或者行政法规的规定受上级人民政府主管部门的业务指导或者领导。"因此,上级人民政府所属环境保护主管部门对下级环境保护主管部门的工作进行监督,于法有据。

上级人民政府所属环境保护主管部门发现下级环境保护主管部门有关工作人员有违法行为,依法应当给予处分的,应当向其任免机关或者监察机关提出处分建议。

有一个问题是:上级人民政府所属环境保护主管部门能否对下级人民政府的环境保护工作进行监督?这个问题在宪法和地方各级人民代表大会和地方各级人民政府组织法中没有规定。但有的观点认为,上级人民政府所属环境保护主管部门可以对下级人民政府的环境保护工作进行一定程度的监督,如水污染防治法第 19 条第 1 款规定:"国务院环境保护主管部门对

未按照要求完成重点水污染物排放总量控制指标的省、自治区、直辖市予以公布。省、自治区、直辖市人民政府环境保护主管部门对未按照要求完成重点水污染物排放总量控制指标的市、县予以公布。”以上规定就体现了这种监督。另外，按照本条规定，上级人民政府所属环境保护主管部门发现下级人民政府有关工作人员有违法行为，依法应当给予处分的，应当向其任免机关或者监察机关提出处分建议。

三、上级人民政府环境保护主管部门直接作出行政处罚的决定

我国环境污染之所以越来越严重，原因之一是有些地方负有环境保护职责的部门，为了促进本地区所谓的经济发展，对一些超标准排放或者超总量排放的污染大户“睁一只眼闭一只眼”，甚至对一些未批先建企业的排污行为视而不见。环保部门出现“不敢执法”或者“执法不到位”的情况，也不排除是受到当地党政领导的干预。为克服环保执法中的地方保护主义，本条第2款规定，依法应当给予行政处罚，而有关环境保护主管部门不给予行政处罚的，上级人民政府环境保护主管部门可以直接作出行政处罚的决定。

**第六十八条　地方各级人民政府、县级以上人民政府环境保护主管部门和其他负有环境保护监督管理职责的部门有下列行为之一的，对直接负责的主管人员和其他直接责任人员给予记过、记大过或者降级处分；造成严重后果的，给予撤职或者开除处分，其主要负责人应当引咎辞职：**

**（一）不符合行政许可条件准予行政许可的；**

**（二）对环境违法行为进行包庇的；**

**（三）依法应当作出责令停业、关闭的决定而未作出的；**

**（四）对超标排放污染物、采用逃避监管的方式排放污染物、造成环境事故以及不落实生态保护措施造成生态破坏等行为，发现或者接到举报未及时查处的；**

**（五）违反本法规定，查封、扣押企业事业单位和其他生产经营者的设施、设备的；**

**（六）篡改、伪造或者指使篡改、伪造监测数据的；**

**（七）应当依法公开环境信息而未公开的；**

**（八）将征收的排污费截留、挤占或者挪作他用的；**

**（九）法律法规规定的其他违法行为。**

**【释义】**　本条是关于地方各级人民政府、县级以上人民政府环境保护主管部门和其他负有环境保护监督管理职责的部门应当承担的法律责任的规定。

地方各级人民政府、县级以上人民政府环境保护主管部门和其他负有环境保护监督管理职责的部门享有环境监督管理的权利，同时承担相应的环境监管职责，对于不依法履行监管职责的，应当承担相应的法律责任，主要有以下情形：

1. 不符合行政许可条件准予行政许可的。涉及环保部门的行政许可事项主要有环境影响报告审批，大气、水排污许可证核发，危险废物（医疗废物）经营许可证核发，辐射安全许可证核发，废弃电器电子产品处理资格许可证核发等。每一项许可都分别规定了相应的许可条件。环保部门在受理行政许可申请后，应当进行认真审查，只有在申请人具备从事行政许可事项的资格或者条件的情况下，才可以作出准予行政许可的决定，对不符合条件的准予行政许可，应当承担法律责任。

2. 对环境违法行为进行包庇的。环保监管部门本应是监督环境违法行为的主体，但实践中，出于地方保护主义、政府施压、经济利益诱惑等诸多因素，政府和环保部门对企业环境违法行为不仅不依法履行监管职责，还帮助弄虚作假，瞒报监测数据，掩盖违法事实，既对环境造成了严重损害，又对其他的守法企业造成了不公平竞争，严重损害了政府公信力和形象。对于这种包庇行为应当严惩。

3. 依法应当作出责令停业、关闭的决定而未作出的。本法第60条规定企业事业单位和其他生产经营者超过污染物排放标准或者超过重点污染物排放总量控制指标排放污染物的，县级以上人民政府环境保护主管部门可以责令其采取限制生产、停产整治等措施；情节严重的，报经有批准权的人民政府批准，责令停业、关闭。水污染防治法、大气污染防治法等单行法也规定了对于符合法定条件的企业，环保部门可以依法责令停业、关闭。责令停业、关闭是法律赋予地方政府和环保部门的一项重要职责，是督促企业停止环境违法行为、停止对环境侵害的一项重要手段，如果怠于履行这一职责，对于符合停业、关闭条件却不作出责令停业、关闭决定的，应当承担本条规定的法律责任。

4. 对超标排放污染物、采用逃避监管的方式排放污染物、造成环境事故以及不落实生态保护措施造成生态破坏等行为，发现或者接到举报未及时查处的。本条第4项规定了四种违法情形，对这四种情形有关部门一旦发现或者接到举报，应当及时查处，包括：超过污染物排放标准排放污染物；通过暗管、渗井、渗坑、灌注或者篡改、伪造监测数据、不正常运行防治污染设施等逃避监管的方式排放污染物；造成了环境事故的；因不落实生态保护措施造成生态破坏的。对于这些行为，有关部门如不及时查处，消极履行职责，将纵容环境违法行为，间接加重了对环境的损害，应当追究有关人员的行政责任。

5. 违反本法规定，查封、扣押企业事业单位和其他生产经营者的设施、设备的。根据本法第25条规定，企业事业单位和其他生产经营者违反法律法规规定排放污染物,造成或者可能造成严重污染的,县级以上人民政府环境保护主管部门和其他负有环境保护监督管理职责的部门,可以查封、扣押造成污染物排放的设施、设备。环保部门应当严格按照本法规定的条件、方式、内容进行查封、扣押。如果排污单位违法排污,但不会造成严重污染的,不能实施查封、扣押。查封、扣押只能限于造成污染物排放的设施、设备,对于与排污行为无关的设施、设备,不能查封、扣押。

6. 篡改、伪造或者指使篡改、伪造监测数据的。本法第 42 条第 4 款规定,严禁通过暗管、渗井、渗坑、灌注或者篡改、伪造监测数据,或者不正常运行防治污染设施等逃避监管的方式违法排放污染物。实践中,地方政府或者环保部门与企业恶意串通帮助企业隐瞒违法排污事实的行为并不鲜见,为了政绩、经济增长和地方形象,私下篡改、伪造监测数据,或者指使有关部门和单位篡改、伪造监测数据,使不达标的数据达标,造成了十分恶劣的影响,必须追究其法律责任。

7. 应当依法公开环境信息而未公开的。本法第 53 条规定,公民、法人和其他组织依法享有获取环境信息、参与和监督环境保护的权利。各级人民政府环境保护主管部门和其他负有环境保护监督管理职责的部门,应当依法公开环境信息、完善公众参与程序,为公民、法人和其他组织参与和监督环境保护提供便利。第 54 条规定,县级以上人民政府环境保护主管部门和其他负有环境保护监督管理职责的部门,应当依法公开环境质量、环境监测、突发环境事件以及环境行政许可、行政处罚、排污费的征收和使用情况等信息。环境信息公开是环保部门的一项法定义务,是保障公民有序参与环境监督的重要途径,对于不依法公开环境信息的行为,应当承担法律责任。

8. 将征收的排污费截留、挤占或者挪作他用的。本法第43条第1款规定，排污费应当全部专项用于环境污染防治，任何单位和个人不得截留、挤占或者挪作他用。2003年《排污费征收使用管理条例》规定，排污费必须纳入财政预算，列入环境保护专项资金进行管理，主要用于下列项目的拨款补助或者贷款贴息：(1)重点污染源防治；(2)区域性污染防治；(3)污染防治新技术、新工艺的开发、示范和应用；(4)国务院规定的其他污染防治项目。截留、挤占、挪用排污费，应当承担法律责任。

9. 法律法规规定的其他违法行为。这是一项兜底条款，对于上述八项情形之外的违法行为，如果法律法规有规定的，地方政府、环保部门和其他负有环境保护监督管理职责的部门也要承担法律责任。

地方政府、环保部门和其他负有环境保护监督管理职责的部门违反本条规定，承担责任的主体是直接负责的主管人员和其他直接责任人员。承担法律责任的方式是行政处分，一般给予记过、记大过或者降级处分；造成严重后果的，给予撤职或者开除处分，其主要负责人应当引咎辞职。记过、记大过、降级、撤职、开除是国家公务员法规定的处分方式，引咎辞职是专门针对领导成员的问责方式。当担任领导职务的成员因工作严重失误、失职造成重大损失或者恶劣社会影响的，或者对重大事故负有领导责任的，应当引咎辞去领导职务，是一种非常严厉的行政处分。

**第六十九条　违反本法规定，构成犯罪的，依法追究刑事责任。**

**【释义】**　本条是关于环境违法构成犯罪、追究刑事责任的规定。

法律责任分为民事责任、行政责任、刑事责任三类。同一违法行为，可能同时承担民事责任，并被追究行政责任和刑事责任。按照我国的立法惯例和立法技术规范，违法行为构成犯罪、需要追究刑事责任的，统一在刑法中规定，而其他法律仅作衔接性规定即可。

一、污染环境罪

刑法第六章第六节专门规定了破坏环境资源保护罪。第338 条规定，违反国家规定，排放、倾倒或者处置有放射性的废物、含传染病病原体的废物、有毒物质或者其他有害物质，严重污染环境的，处 3 年以下有期徒刑或者拘役，并处或者单处罚金；后果特别严重的，处 3 年以上 7 年以下有其徒刑，并处罚金。需要说明的是，上述条文是根据 2011 年 2 月 25 日第十一届全国人民代表大会常务委员会第十九次会议通过的《刑法修正案（八）》作出的修改。相对于修改之前的规定，现行规定降低了犯罪门槛，具体体现在将原来规定的“造成重大环境污染事故，致使公私财产遭受重大损失后者人身伤亡的严重后果”修改为“严重污染环境”，同时扩大了污染行为所排放、倾倒或者处置的物质，将原来规定的“其他危险废物”修改为“其他有害物质”。

根据有关司法解释的规定，实施刑法第 338 条规定的行为，具有下列情形之一的，应当认定为“严重污染环境”：（1）在饮用水水源一级保护区、自然保护区核心区排放、倾倒、处置有放射性的废物、含传染病病原体的废物、有毒物质的；（2）非法排放、倾倒、处置危险废物 3 吨以上的；（3）非法排放含重金属、持久性有机污染物等严重危害环境、损害人体健康的污染物超过国家污染物排放标准或者省、自治区、直辖市人民政府根据法律授权制定的污染物排放标准 3 倍以上的；（4）私设暗管或者利用渗井、渗坑、裂隙、溶洞等排放、倾倒、处置有放射性的废物、含传染病病原体的废物、有毒物质的;(5)两年内曾因违反国家规定,排放、倾倒、处置有放射性的废物、含传染病病原体的废物、有毒物质受过2次以上行政处罚,又实施前列行为的;(6)致使乡镇以上集中式饮用水水源取水中断12小时以上的;(7)致使基本农田、防护林地、特种用途林地5亩以上,其他农用地10亩以上,其他土地20亩以上基本功能丧失或者遭受永久性破坏的;(8)致使森林或者其他林木死亡50立方米以上,或者幼树死亡2500百株以上的;(9)致使公私财产损失30万元以上的;(10)致使疏散、转移群众5千人以上的;(11)致使30人以上中毒的;(12)致使3人以上轻伤、轻度残疾或者器官组织损伤导致一般功能障碍的;(13)致使1人以上重伤、中度残疾或者器官组织损伤导致严重功能障碍的;(14)其他严重污染环境的情形。实施刑法第338条规定的行为,具有下列情形之一的,应当认定为“后果特别严重”:(1)致使县级以上城区集中式饮用水水源取水中断12个小时以上的;(2)致使基本农田、防护林地、特种用途林地15亩以上,其他农用地30亩以上,其他土地60亩以上基本功能丧失或者遭受永久性破坏的;(3)致使森林或者其他林木死亡150立方米以上,或者幼树死亡7500株以上的;(4)致使公私财产损失100万元以上的;(5)致使疏散、转移群众15000人以上的;(6)致使100人以上中毒的;(7)致使10人以上轻伤、轻度残疾或者器官组织损伤导致一般功能障碍的;(8)致使3人以上重伤、中度残疾或者器官组织损伤导致严重功能障碍的;(9)致使1人以上重伤、中度残疾或者器官组织损伤导致严重功能障碍,并致使5人以上轻伤、轻度残疾或者器官组织损伤导致一般功能障碍的;(10)致使1人以上死亡或者重度残疾的;(11)其他后果特别严重的情形。

下列物质应当认定为“有毒物质”：（1）危险废物，包括列入国家危险废物名录的废物，以及根据国家规定的危险废物鉴别标准和鉴别方法认定的具有危险特性的废物；（2）剧毒化学品、列入重点环境管理危险化学品名录的化学品，以及含有上述化学品的物质；（3）含有铅、汞、镉、铬等重金属的物质；（4）《关于持久性有机污染物的斯德哥尔摩公约》附件所列物质；（5）其他具有毒性，可能污染环境的物质。

二、非法处置进口的固体废物罪

刑法第339条规定，违反国家规定，将境外的固体废物进境倾倒、堆放、处置的，处5年以下有期徒刑后者拘役，并处罚金；造成重大环境污染事故，致使公私财产遭受重大损失或者严重危害人体健康的，处5年以上10年以下有其徒刑，并处罚金；后果特别严重的，处10年以上有期徒刑，并处罚金。未经国务院有关主管部门许可，擅自进口固体废物用作原料，造成重大环境污染事故，致使公私财产遭受重大损失或者严重危害人体健康的，处5年以下有其徒刑后者拘役，并处罚金；后果特别严重的，处5年以上10年以下有其徒刑，并处罚金。以原料利用为名，进口不能用作原料的固体废物、液态废物和气态废物的，依照刑法第152条第2款、第3款的规定定罪处罚。

本法及固体废物污染环境防治法对从境外进口固体废物都有规定，如果违反这些规定，同时又符合刑法第339条的规定，则构成非法处置进口的固体废物罪。所谓“致使公私财产遭受重大损失或者严重危害人体健康”或者“致使公私财产遭受重大损失或者造成人身伤亡的严重后果”包括如下情形：（1）致使乡镇以上集中式饮用水水源取水中断12小时以上的；（2）致使基本农田、防护林地、特种用途林地5亩以上，其他农用地10亩以上，其他土地20亩以上基本功能丧失或者遭受永久性破坏的;(3)致使森林或者其他林木死亡50立方米以上,或者幼树死亡2500株以上的;(4)致使公私财产损失30万元以上的;(5)致使疏散、转移群众5千人以上的;(6)致使30人以上中毒的;(7)致使3人以上轻伤、轻度残疾或者器官组织损伤导致一般功能障碍的;(8)致使1人以上重伤、中度残疾或者器官组织损伤导致严重功能障碍的。

需要说明的是,无论是污染环境罪还是非法处置进口的固体废物罪,个人和单位均可构成。单位构成犯罪的,对单位判处罚金,同时对其直接负责的主管人员和其他直接责任人员追究刑事责任。

另外,对于环境违法行为,需要追究刑事责任的,应当按照刑事诉讼法的规定办理。公安机关应当加强对破坏环境保护罪的侦办工作。环境保护主管部门和其他负有环境保护监督管理职责的部门,发现有关环境违法行为可能构成犯罪的,应当及时向公安机关移送案件。由于环境违法犯罪具有较强的技术性,在案件办理中,环保部门和公安机关应当加强协调配合,确保案件办理的质量和效率。

# 第七章 附 则

**第七十条 本法自 2015 年 1 月 1 日起施行。**

**【释义】** 本条是关于本法施行日期的规定。

法律效力包括时间效力、空间效力和对人的效力三个方面。法律的时间效力,是指法律效力的起始和终止的时间,以及对施行前的行为和事件有无溯及力的问题。

一、法律的生效与终止

我国立法法第 51 条规定:“法律应当明确规定施行日期。”法律的施行日期即生效时间,是法律效力的起点。我国的法律一般分为制定、修改和修订。其施行的时间有以下几个特点:

第一,新制定的法律的生效时间,一般是通过后的一段时间才施行。例如 2013 年 6 月 29 日第十二届全国人大常委会第三次会议通过的特种设备安全法,其施行日期是 2014 年 1 月 1 日。

第二,通过修正案修改的法律,立法法第 53 条第 2 款规定:“法律部分条文被修改或者废止的,必须公布新的法律文本。”因此,法律修改后,一般是对“修改决定”规定一个施行日期,而对修改后重新公布的法律文本仍适用原来的施行日期。例如,2013 年 10 月 25 日第十二届全国人大常委会第五次会议通过了《关于修改〈中华人民共和国消费者权益保护法〉的决定》,该修改决定自 2014 年 3 月 15 日起施行,但重新公布的法律文本的施行日期仍是 1994 年 1 月 1 日。

第三,法律经过修订后,一般是修订前的法律的效力在修订后的法律施行之日起终止。例如,2003 年 10 月 28 日第十届全国人大常委会第五次会议通过了证券投资基金法,自 2004 年 6 月 1 日起施行。2012 年 12 月 28 日第十一届全国人大常委会第三十次会议对该法作了修订,重新公布的证券投资基金法自 2013 年 6 月 1 日起施行,即至 2013 年 5 月 31 日 24 时,修订前的证券投资基金法废止。

环境保护法经过四次审议才获通过。前两次为修正案形式,2013 年 10 月第十二届全国人大常委会第五次会议第三次审议时改为修订草案形式。2014 年 4 月第十二届全国人大常委会第八次会议通过的环境保护法自 2015 年 1 月 1 日起施行。因此,1989 年 12 月 26 日第七届全国人大常委会第十一次会议通过,于当日公布并施行的环境保护法至 2014 年 12 月 31 日 24 时废止。

二、法律的溯及力

法律的溯及力又称为法的溯及既往的效力,指新法对其生效前的行为和事件是否适用的问题。立法法第 84 条规定:“法律、行政法规、地方性法规、自治条例和单行条例、规章不溯及既往,但为了更好地保护公民、法人和其他组织的权利和利益而作的特别规定除外。”从法理上讲,实体法一般不溯及既往,除非法律有特别的规定,例如刑法上有“从旧兼从轻”的原则。程序法一般溯及既往,如新的民事诉讼法施行后,对未审结的案件就应当适用新的程序法。环境保护法为实体法,本法对溯及力问题又没作出特别规定,因此本法不溯及既往。

# 第二部分　附　　录

## 中华人民共和国环境保护法

（1989年12月26日第七届全国人民代表大会常务委员会第十一次会议通过　2014年4月24日第十二届全国人民代表大会常务委员会第八次会议修订）

目　　录



### 第一章　总　　则

**第一条**　为保护和改善环境，防治污染和其他公害，保障公众健康，推进生态文明建设，促进经济社会可持续发展，制定本法。

**第二条** 本法所称环境,是指影响人类生存和发展的各种天然的和经过人工改造的自然因素的总体,包括大气、水、海洋、土地、矿藏、森林、草原、湿地、野生生物、自然遗迹、人文遗迹、自然保护区、风景名胜区、城市和乡村等。

**第三条** 本法适用于中华人民共和国领域和中华人民共和国管辖的其他海域。

**第四条** 保护环境是国家的基本国策。

国家采取有利于节约和循环利用资源、保护和改善环境、促进人与自然和谐的经济、技术政策和措施,使经济社会发展与环境保护相协调。

**第五条** 环境保护坚持保护优先、预防为主、综合治理、公众参与、损害担责的原则。

**第六条** 一切单位和个人都有保护环境的义务。

地方各级人民政府应当对本行政区域的环境质量负责。

企业事业单位和其他生产经营者应当防止、减少环境污染和生态破坏,对所造成的损害依法承担责任。

公民应当增强环境保护意识,采取低碳、节俭的生活方式,自觉履行环境保护义务。

**第七条** 国家支持环境保护科学技术研究、开发和应用,鼓励环境保护产业发展,促进环境保护信息化建设,提高环境保护科学技术水平。

**第八条** 各级人民政府应当加大保护和改善环境、防治污染和其他公害的财政投入,提高财政资金的使用效益。

**第九条** 各级人民政府应当加强环境保护宣传和普及工作,鼓励基层群众性自治组织、社会组织、环境保护志愿者开展环境保护法律法规和环境保护知识的宣传,营造保护环境的良好风气。

教育行政部门、学校应当将环境保护知识纳入学校教育内容,培养学生的环境保护意识。

新闻媒体应当开展环境保护法律法规和环境保护知识的宣传,对环境违法行为进行舆论监督。

**第十条** 国务院环境保护主管部门,对全国环境保护工作实施统一监督管理;县级以上地方人民政府环境保护主管部门,对本行政区域环境保护工作实施统一监督管理。

县级以上人民政府有关部门和军队环境保护部门,依照有关法律的规定对资源保护和污染防治等环境保护工作实施监督管理。

**第十一条** 对保护和改善环境有显著成绩的单位和个人,由人民政府给予奖励。

**第十二条** 每年6月5日为环境日。

## 第二章 监督管理

**第十三条** 县级以上人民政府应当将环境保护工作纳入国民经济和社会发展规划。

国务院环境保护主管部门会同有关部门,根据国民经济和社会发展规划编制国家环境保护规划,报国务院批准并公布实施。

县级以上地方人民政府环境保护主管部门会同有关部门,根据国家环境保护规划的要求,编制本行政区域的环境保护规划,报同级人民政府批准并公布实施。

环境保护规划的内容应当包括生态保护和污染防治的目标、任务、保障措施等,并与主体功能区规划、土地利用总体规划和城乡规划等相衔接。

**第十四条** 国务院有关部门和省、自治区、直辖市人民政府组织制定经济、技术政策,应当充分考虑对环境的影响,听取有关方面和专家的意见。

**第十五条** 国务院环境保护主管部门制定国家环境质量标准。

省、自治区、直辖市人民政府对国家环境质量标准中未作规定的项目，可以制定地方环境质量标准；对国家环境质量标准中已作规定的项目，可以制定严于国家环境质量标准的地方环境质量标准。地方环境质量标准应当报国务院环境保护主管部门备案。

国家鼓励开展环境基准研究。

**第十六条** 国务院环境保护主管部门根据国家环境质量标准和国家经济、技术条件，制定国家污染物排放标准。

省、自治区、直辖市人民政府对国家污染物排放标准中未作规定的项目，可以制定地方污染物排放标准；对国家污染物排放标准中已作规定的项目，可以制定严于国家污染物排放标准的地方污染物排放标准。地方污染物排放标准应当报国务院环境保护主管部门备案。

**第十七条** 国家建立、健全环境监测制度。国务院环境保护主管部门制定监测规范，会同有关部门组织监测网络，统一规划国家环境质量监测站（点）的设置，建立监测数据共享机制，加强对环境监测的管理。

有关行业、专业等各类环境质量监测站（点）的设置应当符合法律法规规定和监测规范的要求。

监测机构应当使用符合国家标准的监测设备，遵守监测规范。监测机构及其负责人对监测数据的真实性和准确性负责。

**第十八条** 省级以上人民政府应当组织有关部门或者委托专业机构，对环境状况进行调查、评价，建立环境资源承载能力监测预警机制。

**第十九条** 编制有关开发利用规划，建设对环境有影响的项目，应当依法进行环境影响评价。

未依法进行环境影响评价的开发利用规划，不得组织实施；未依法进行环境影响评价的建设项目，不得开工建设。

**第二十条** 国家建立跨行政区域的重点区域、流域环境污染和生态破坏联合防治协调机制，实行统一规划、统一标准、统一监测、统一的防治措施。

前款规定以外的跨行政区域的环境污染和生态破坏的防治，由上级人民政府协调解决，或者由有关地方人民政府协商解决。

**第二十一条**　国家采取财政、税收、价格、政府采购等方面的政策和措施，鼓励和支持环境保护技术装备、资源综合利用和环境服务等环境保护产业的发展。

**第二十二条**　企业事业单位和其他生产经营者，在污染物排放符合法定要求的基础上，进一步减少污染物排放的，人民政府应当依法采取财政、税收、价格、政府采购等方面的政策和措施予以鼓励和支持。

**第二十三条**　企业事业单位和其他生产经营者，为改善环境，依照有关规定转产、搬迁、关闭的，人民政府应当予以支持。

**第二十四条**　县级以上人民政府环境保护主管部门及其委托的环境监察机构和其他负有环境保护监督管理职责的部门，有权对排放污染物的企业事业单位和其他生产经营者进行现场检查。被检查者应当如实反映情况，提供必要的资料。实施现场检查的部门、机构及其工作人员应当为被检查者保守商业秘密。

**第二十五条**　企业事业单位和其他生产经营者违反法律法规规定排放污染物，造成或者可能造成严重污染的，县级以上人民政府环境保护主管部门和其他负有环境保护监督管理职责的部门，可以查封、扣押造成污染物排放的设施、设备。

**第二十六条**　国家实行环境保护目标责任制和考核评价制度。县级以上人民政府应当将环境保护目标完成情况纳入对本级人民政府负有环境保护监督管理职责的部门及其负责人和下级人民政府及其负责人的考核内容，作为对其考核评价的重要依据。考核结果应当向社会公开。

**第二十七条**　县级以上人民政府应当每年向本级人民代表大

会或者人民代表大会常务委员会报告环境状况和环境保护目标完成情况,对发生的重大环境事件应当及时向本级人民代表大会常务委员会报告,依法接受监督。

## 第三章 保护和改善环境

**第二十八条** 地方各级人民政府应当根据环境保护目标和治理任务,采取有效措施,改善环境质量。

未达到国家环境质量标准的重点区域、流域的有关地方人民政府,应当制定限期达标规划,并采取措施按期达标。

**第二十九条** 国家在重点生态功能区、生态环境敏感区和脆弱区等区域划定生态保护红线,实行严格保护。

各级人民政府对具有代表性的各种类型的自然生态系统区域,珍稀、濒危的野生动植物自然分布区域,重要的水源涵养区域,具有重大科学文化价值的地质构造、著名溶洞和化石分布区、冰川、火山、温泉等自然遗迹,以及人文遗迹、古树名木,应当采取措施予以保护,严禁破坏。

**第三十条** 开发利用自然资源,应当合理开发,保护生物多样性,保障生态安全,依法制定有关生态保护和恢复治理方案并予以实施。

引进外来物种以及研究、开发和利用生物技术,应当采取措施,防止对生物多样性的破坏。

**第三十一条** 国家建立、健全生态保护补偿制度。

国家加大对生态保护地区的财政转移支付力度。有关地方人民政府应当落实生态保护补偿资金,确保其用于生态保护补偿。

国家指导受益地区和生态保护地区人民政府通过协商或者按照市场规则进行生态保护补偿。

**第三十二条** 国家加强对大气、水、土壤等的保护,建立和完善相应的调查、监测、评估和修复制度。

**第三十三条**　各级人民政府应当加强对农业环境的保护，促进农业环境保护新技术的使用，加强对农业污染源的监测预警，统筹有关部门采取措施，防治土壤污染和土地沙化、盐渍化、贫瘠化、石漠化、地面沉降以及防治植被破坏、水土流失、水体富营养化、水源枯竭、种源灭绝等生态失调现象，推广植物病虫害的综合防治。

县级、乡级人民政府应当提高农村环境保护公共服务水平，推动农村环境综合整治。

**第三十四条**　国务院和沿海地方各级人民政府应当加强对海洋环境的保护。向海洋排放污染物、倾倒废弃物，进行海岸工程和海洋工程建设，应当符合法律法规规定和有关标准，防止和减少对海洋环境的污染损害。

**第三十五条**　城乡建设应当结合当地自然环境的特点，保护植被、水域和自然景观，加强城市园林、绿地和风景名胜区的建设与管理。

**第三十六条**　国家鼓励和引导公民、法人和其他组织使用有利于保护环境的产品和再生产品，减少废弃物的产生。

国家机关和使用财政资金的其他组织应当优先采购和使用节能、节水、节材等有利于保护环境的产品、设备和设施。

**第三十七条**　地方各级人民政府应当采取措施，组织对生活废弃物的分类处置、回收利用。

**第三十八条**　公民应当遵守环境保护法律法规，配合实施环境保护措施，按照规定对生活废弃物进行分类放置，减少日常生活对环境造成的损害。

**第三十九条**　国家建立、健全环境与健康监测、调查和风险评估制度；鼓励和组织开展环境质量对公众健康影响的研究，采取措施预防和控制与环境污染有关的疾病。

## 第四章　防治污染和其他公害

**第四十条**　国家促进清洁生产和资源循环利用。

国务院有关部门和地方各级人民政府应当采取措施，推广清洁能源的生产和使用。

企业应当优先使用清洁能源，采用资源利用率高、污染物排放量少的工艺、设备以及废弃物综合利用技术和污染物无害化处理技术，减少污染物的产生。

**第四十一条**　建设项目中防治污染的设施，应当与主体工程同时设计、同时施工、同时投产使用。防治污染的设施应当符合经批准的环境影响评价文件的要求，不得擅自拆除或者闲置。

**第四十二条**　排放污染物的企业事业单位和其他生产经营者，应当采取措施，防治在生产建设或者其他活动中产生的废气、废水、废渣、医疗废物、粉尘、恶臭气体、放射性物质以及噪声、振动、光辐射、电磁辐射等对环境的污染和危害。

排放污染物的企业事业单位，应当建立环境保护责任制度，明确单位负责人和相关人员的责任。

重点排污单位应当按照国家有关规定和监测规范安装使用监测设备，保证监测设备正常运行，保存原始监测记录。

严禁通过暗管、渗井、渗坑、灌注或者篡改、伪造监测数据，或者不正常运行防治污染设施等逃避监管的方式违法排放污染物。

**第四十三条**　排放污染物的企业事业单位和其他生产经营者，应当按照国家有关规定缴纳排污费。排污费应当全部专项用于环境污染防治，任何单位和个人不得截留、挤占或者挪作他用。

依照法律规定征收环境保护税的，不再征收排污费。

**第四十四条**　国家实行重点污染物排放总量控制制度。重点污染物排放总量控制指标由国务院下达，省、自治区、直辖市人民政府分解落实。企业事业单位在执行国家和地方污染物排放标准的同时，应当遵守分解落实到本单位的重点污染物排放总量控制指标。

对超过国家重点污染物排放总量控制指标或者未完成国家确

定的环境质量目标的地区，省级以上人民政府环境保护主管部门应当暂停审批其新增重点污染物排放总量的建设项目环境影响评价文件。

**第四十五条**　国家依照法律规定实行排污许可管理制度。

实行排污许可管理的企业事业单位和其他生产经营者应当按照排污许可证的要求排放污染物；未取得排污许可证的，不得排放污染物。

**第四十六条**　国家对严重污染环境的工艺、设备和产品实行淘汰制度。任何单位和个人不得生产、销售或者转移、使用严重污染环境的工艺、设备和产品。

禁止引进不符合我国环境保护规定的技术、设备、材料和产品。

**第四十七条**　各级人民政府及其有关部门和企业事业单位，应当依照《中华人民共和国突发事件应对法》的规定，做好突发环境事件的风险控制、应急准备、应急处置和事后恢复等工作。

县级以上人民政府应当建立环境污染公共监测预警机制，组织制定预警方案；环境受到污染，可能影响公众健康和环境安全时，依法及时公布预警信息，启动应急措施。

企业事业单位应当按照国家有关规定制定突发环境事件应急预案，报环境保护主管部门和有关部门备案。在发生或者可能发生突发环境事件时，企业事业单位应当立即采取措施处理，及时通报可能受到危害的单位和居民，并向环境保护主管部门和有关部门报告。

突发环境事件应急处置工作结束后，有关人民政府应当立即组织评估事件造成的环境影响和损失，并及时将评估结果向社会公布。

**第四十八条**　生产、储存、运输、销售、使用、处置化学物品和含有放射性物质的物品，应当遵守国家有关规定，防止污染环境。

**第四十九条** 各级人民政府及其农业等有关部门和机构应当指导农业生产经营者科学种植和养殖，科学合理施用农药、化肥等农业投入品，科学处置农用薄膜、农作物秸秆等农业废弃物，防止农业面源污染。

禁止将不符合农用标准和环境保护标准的固体废物、废水施入农田。施用农药、化肥等农业投入品及进行灌溉，应当采取措施，防止重金属和其他有毒有害物质污染环境。

畜禽养殖场、养殖小区、定点屠宰企业等的选址、建设和管理应当符合有关法律法规规定。从事畜禽养殖和屠宰的单位和个人应当采取措施，对畜禽粪便、尸体和污水等废弃物进行科学处置，防止污染环境。

县级人民政府负责组织农村生活废弃物的处置工作。

**第五十条** 各级人民政府应当在财政预算中安排资金，支持农村饮用水水源地保护、生活污水和其他废弃物处理、畜禽养殖和屠宰污染防治、土壤污染防治和农村工矿污染治理等环境保护工作。

**第五十一条** 各级人民政府应当统筹城乡建设污水处理设施及配套管网，固体废物的收集、运输和处置等环境卫生设施，危险废物集中处置设施、场所以及其他环境保护公共设施，并保障其正常运行。

**第五十二条** 国家鼓励投保环境污染责任保险。

## 第五章 信息公开和公众参与

**第五十三条** 公民、法人和其他组织依法享有获取环境信息、参与和监督环境保护的权利。

各级人民政府环境保护主管部门和其他负有环境保护监督管理职责的部门，应当依法公开环境信息、完善公众参与程序，为公民、法人和其他组织参与和监督环境保护提供便利。

**第五十四条** 国务院环境保护主管部门统一发布国家环境质量、重点污染源监测信息及其他重大环境信息。省级以上人民政府环境保护主管部门定期发布环境状况公报。

县级以上人民政府环境保护主管部门和其他负有环境保护监督管理职责的部门,应当依法公开环境质量、环境监测、突发环境事件以及环境行政许可、行政处罚、排污费的征收和使用情况等信息。

县级以上地方人民政府环境保护主管部门和其他负有环境保护监督管理职责的部门,应当将企业事业单位和其他生产经营者的环境违法信息记入社会诚信档案,及时向社会公布违法者名单。

**第五十五条** 重点排污单位应当如实向社会公开其主要污染物的名称、排放方式、排放浓度和总量、超标排放情况,以及防治污染设施的建设和运行情况,接受社会监督。

**第五十六条** 对依法应当编制环境影响报告书的建设项目,建设单位应当在编制时向可能受影响的公众说明情况,充分征求意见。

负责审批建设项目环境影响评价文件的部门在收到建设项目环境影响报告书后,除涉及国家秘密和商业秘密的事项外,应当全文公开;发现建设项目未充分征求公众意见的,应当责成建设单位征求公众意见。

**第五十七条** 公民、法人和其他组织发现任何单位和个人有污染环境和破坏生态行为的,有权向环境保护主管部门或者其他负有环境保护监督管理职责的部门举报。

公民、法人和其他组织发现地方各级人民政府、县级以上人民政府环境保护主管部门和其他负有环境保护监督管理职责的部门不依法履行职责的,有权向其上级机关或者监察机关举报。

接受举报的机关应当对举报人的相关信息予以保密,保护举报人的合法权益。

**第五十八条** 对污染环境、破坏生态，损害社会公共利益的行为，符合下列条件的社会组织可以向人民法院提起诉讼：

（一）依法在设区的市级以上人民政府民政部门登记；

（二）专门从事环境保护公益活动连续五年以上且无违法记录。

符合前款规定的社会组织向人民法院提起诉讼，人民法院应当依法受理。

提起诉讼的社会组织不得通过诉讼牟取经济利益。

## 第六章 法律责任

**第五十九条** 企业事业单位和其他生产经营者违法排放污染物，受到罚款处罚，被责令改正，拒不改正的，依法作出处罚决定的行政机关可以自责令改正之日的次日起，按照原处罚数额按日连续处罚。

前款规定的罚款处罚，依照有关法律法规按照防治污染设施的运行成本、违法行为造成的直接损失或者违法所得等因素确定的规定执行。

地方性法规可以根据环境保护的实际需要，增加第一款规定的按日连续处罚的违法行为的种类。

**第六十条** 企业事业单位和其他生产经营者超过污染物排放标准或者超过重点污染物排放总量控制指标排放污染物的，县级以上人民政府环境保护主管部门可以责令其采取限制生产、停产整治等措施；情节严重的，报经有批准权的人民政府批准，责令停业、关闭。

**第六十一条** 建设单位未依法提交建设项目环境影响评价文件或者环境影响评价文件未经批准，擅自开工建设的，由负有环境保护监督管理职责的部门责令停止建设，处以罚款，并可以责令恢复原状。

**第六十二条**　违反本法规定，重点排污单位不公开或者不如实公开环境信息的，由县级以上地方人民政府环境保护主管部门责令公开，处以罚款，并予以公告。

**第六十三条**　企业事业单位和其他生产经营者有下列行为之一，尚不构成犯罪的，除依照有关法律法规规定予以处罚外，由县级以上人民政府环境保护主管部门或者其他有关部门将案件移送公安机关，对其直接负责的主管人员和其他直接责任人员，处十日以上十五日以下拘留；情节较轻的，处五日以上十日以下拘留：

（一）建设项目未依法进行环境影响评价，被责令停止建设，拒不执行的；

（二）违反法律规定，未取得排污许可证排放污染物，被责令停止排污，拒不执行的；

（三）通过暗管、渗井、渗坑、灌注或者篡改、伪造监测数据，或者不正常运行防治污染设施等逃避监管的方式违法排放污染物的；

（四）生产、使用国家明令禁止生产、使用的农药，被责令改正，拒不改正的。

**第六十四条**　因污染环境和破坏生态造成损害的，应当依照《中华人民共和国侵权责任法》的有关规定承担侵权责任。

**第六十五条**　环境影响评价机构、环境监测机构以及从事环境监测设备和防治污染设施维护、运营的机构，在有关环境服务活动中弄虚作假，对造成的环境污染和生态破坏负有责任的，除依照有关法律法规规定予以处罚外，还应当与造成环境污染和生态破坏的其他责任者承担连带责任。

**第六十六条**　提起环境损害赔偿诉讼的时效期间为三年，从当事人知道或者应当知道其受到损害时起计算。

**第六十七条**　上级人民政府及其环境保护主管部门应当加强对下级人民政府及其有关部门环境保护工作的监督。发现有关工作人员有违法行为,依法应当给予处分的,应当向其任免机关或者监察机关提出处分建议。

依法应当给予行政处罚,而有关环境保护主管部门不给予行政处罚的,上级人民政府环境保护主管部门可以直接作出行政处罚的决定。

**第六十八条** 地方各级人民政府、县级以上人民政府环境保护主管部门和其他负有环境保护监督管理职责的部门有下列行为之一的,对直接负责的主管人员和其他直接责任人员给予记过、记大过或者降级处分;造成严重后果的,给予撤职或者开除处分,其主要负责人应当引咎辞职:

(一)不符合行政许可条件准予行政许可的;

(二)对环境违法行为进行包庇的;

(三)依法应当作出责令停业、关闭的决定而未作出的;

(四)对超标排放污染物、采用逃避监管的方式排放污染物、造成环境事故以及不落实生态保护措施造成生态破坏等行为,发现或者接到举报未及时查处的;

(五)违反本法规定,查封、扣押企业事业单位和其他生产经营者的设施、设备的;

(六)篡改、伪造或者指使篡改、伪造监测数据的;

(七)应当依法公开环境信息而未公开的;

(八)将征收的排污费截留、挤占或者挪作他用的;

(九)法律法规规定的其他违法行为。

**第六十九条** 违反本法规定,构成犯罪的,依法追究刑事责任。

## 第七章 附　　则

**第七十条** 本法自2015年1月1日起施行。

# 中华人民共和国海洋环境保护法

（1982年8月23日第五届全国人民代表大会常务委员会第二十四次会议通过 1999年12月25日第九届全国人民代表大会常务委员会第十三次会议修订 根据2013年12月28日第十二届全国人民代表大会常务委员会第六次会议《关于修改〈中华人民共和国海洋环境保护法〉等七部法律的决定》修正）

## 目 录



## 第一章 总 则

**第一条** 为了保护和改善海洋环境，保护海洋资源，防治污染损害，维护生态平衡，保障人体健康，促进经济和社会的可持续发展，制定本法。

**第二条** 本法适用于中华人民共和国内水、领海、毗连区、专属经济区、大陆架以及中华人民共和国管辖的其他海域。

在中华人民共和国管辖海域内从事航行、勘探、开发、生产、旅游、科学研究及其他活动，或者在沿海陆域内从事影响海洋环境活动的任何单位和个人，都必须遵守本法。

在中华人民共和国管辖海域以外，造成中华人民共和国管辖海域污染的，也适用本法。

**第三条** 国家建立并实施重点海域排污总量控制制度，确定主要污染物排海总量控制指标，并对主要污染源分配排放控制数量。具体办法由国务院制定。

**第四条** 一切单位和个人都有保护海洋环境的义务，并有权对污染损害海洋环境的单位和个人，以及海洋环境监督管理人员的违法失职行为进行监督和检举。

**第五条** 国务院环境保护行政主管部门作为对全国环境保护工作统一监督管理的部门，对全国海洋环境保护工作实施指导、协调和监督，并负责全国防治陆源污染物和海岸工程建设项目对海洋污染损害的环境保护工作。

国家海洋行政主管部门负责海洋环境的监督管理，组织海洋环境的调查、监测、监视、评价和科学研究，负责全国防治海洋工程建设项目和海洋倾倒废弃物对海洋污染损害的环境保护工作。

国家海事行政主管部门负责所辖港区水域内非军事船舶和港区水域外非渔业、非军事船舶污染海洋环境的监督管理，并负责污染事故的调查处理；对在中华人民共和国管辖海域航行、停泊和作业的外国籍船舶造成的污染事故登轮检查处理。船舶污染事故给渔业造成损害的，应当吸收渔业行政主管部门参与调查处理。

国家渔业行政主管部门负责渔港水域内非军事船舶和渔港水

域外渔业船舶污染海洋环境的监督管理,负责保护渔业水域生态环境工作,并调查处理前款规定的污染事故以外的渔业污染事故。

军队环境保护部门负责军事船舶污染海洋环境的监督管理及污染事故的调查处理。

沿海县级以上地方人民政府行使海洋环境监督管理权的部门的职责,由省、自治区、直辖市人民政府根据本法及国务院有关规定确定。

## 第二章 海洋环境监督管理

**第六条** 国家海洋行政主管部门会同国务院有关部门和沿海省、自治区、直辖市人民政府拟定全国海洋功能区划,报国务院批准。

沿海地方各级人民政府应当根据全国和地方海洋功能区划,科学合理地使用海域。

**第七条** 国家根据海洋功能区划制定全国海洋环境保护规划和重点海域区域性海洋环境保护规划。

毗邻重点海域的有关沿海省、自治区、直辖市人民政府及行使海洋环境监督管理权的部门,可以建立海洋环境保护区域合作组织,负责实施重点海域区域性海洋环境保护规划、海洋环境污染的防治和海洋生态保护工作。

**第八条** 跨区域的海洋环境保护工作,由有关沿海地方人民政府协商解决,或者由上级人民政府协调解决。

跨部门的重大海洋环境保护工作,由国务院环境保护行政主管部门协调;协调未能解决的,由国务院作出决定。

**第九条** 国家根据海洋环境质量状况和国家经济、技术条件,制定国家海洋环境质量标准。

沿海省、自治区、直辖市人民政府对国家海洋环境质量标准中未作规定的项目,可以制定地方海洋环境质量标准。

沿海地方各级人民政府根据国家和地方海洋环境质量标准的规定和本行政区近岸海域环境质量状况，确定海洋环境保护的目标和任务，并纳入人民政府工作计划，按相应的海洋环境质量标准实施管理。

**第十条** 国家和地方水污染物排放标准的制定，应当将国家和地方海洋环境质量标准作为重要依据之一。在国家建立并实施排污总量控制制度的重点海域，水污染物排放标准的制定，还应当将主要污染物排海总量控制指标作为重要依据。

**第十一条** 直接向海洋排放污染物的单位和个人，必须按照国家规定缴纳排污费。

向海洋倾倒废弃物，必须按照国家规定缴纳倾倒费。

根据本法规定征收的排污费、倾倒费，必须用于海洋环境污染的整治，不得挪作他用。具体办法由国务院规定。

**第十二条** 对超过污染物排放标准的，或者在规定的期限内未完成污染物排放削减任务的，或者造成海洋环境严重污染损害的，应当限期治理。

限期治理按照国务院规定的权限决定。

**第十三条** 国家加强防治海洋环境污染损害的科学技术的研究和开发，对严重污染海洋环境的落后生产工艺和落后设备，实行淘汰制度。

企业应当优先使用清洁能源，采用资源利用率高、污染物排放量少的清洁生产工艺，防止对海洋环境的污染。

**第十四条** 国家海洋行政主管部门按照国家环境监测、监视规范和标准，管理全国海洋环境的调查、监测、监视，制定具体的实施办法，会同有关部门组织全国海洋环境监测、监视网络，定期评价海洋环境质量，发布海洋巡航监视通报。

依照本法规定行使海洋环境监督管理权的部门分别负责各自所辖水域的监测、监视。

其他有关部门根据全国海洋环境监测网的分工，分别负责对入海河口、主要排污口的监测。

**第十五条** 国务院有关部门应当向国务院环境保护行政主管部门提供编制全国环境质量公报所必需的海洋环境监测资料。

环境保护行政主管部门应当向有关部门提供与海洋环境监督管理有关的资料。

**第十六条** 国家海洋行政主管部门按照国家制定的环境监测、监视信息管理制度，负责管理海洋综合信息系统，为海洋环境保护监督管理提供服务。

**第十七条** 因发生事故或者其他突发性事件，造成或者可能造成海洋环境污染事故的单位和个人，必须立即采取有效措施，及时向可能受到危害者通报，并向依照本法规定行使海洋环境监督管理权的部门报告，接受调查处理。

沿海县级以上地方人民政府在本行政区域近岸海域的环境受到严重污染时，必须采取有效措施，解除或者减轻危害。

**第十八条** 国家根据防止海洋环境污染的需要，制定国家重大海上污染事故应急计划。

国家海洋行政主管部门负责制定全国海洋石油勘探开发重大海上溢油应急计划，报国务院环境保护行政主管部门备案。

国家海事行政主管部门负责制定全国船舶重大海上溢油污染事故应急计划，报国务院环境保护行政主管部门备案。

沿海可能发生重大海洋环境污染事故的单位，应当依照国家的规定，制定污染事故应急计划，并向当地环境保护行政主管部门、海洋行政主管部门备案。

沿海县级以上地方人民政府及其有关部门在发生重大海上污染事故时，必须按照应急计划解除或者减轻危害。

**第十九条** 依照本法规定行使海洋环境监督管理权的部门可以在海上实行联合执法，在巡航监视中发现海上污染事故或者违反本法规定的行为时，应当予以制止并调查取证，必要时有权采取有效措施，防止污染事态的扩大，并报告有关主管部门处理。

依照本法规定行使海洋环境监督管理权的部门，有权对管辖范围内排放污染物的单位和个人进行现场检查。被检查者应当如实反映情况，提供必要的资料。

检查机关应当为被检查者保守技术秘密和业务秘密。

## 第三章　海洋生态保护

**第二十条**　国务院和沿海地方各级人民政府应当采取有效措施，保护红树林、珊瑚礁、滨海湿地、海岛、海湾、入海河口、重要渔业水域等具有典型性、代表性的海洋生态系统，珍稀、濒危海洋生物的天然集中分布区，具有重要经济价值的海洋生物生存区域及有重大科学文化价值的海洋自然历史遗迹和自然景观。

对具有重要经济、社会价值的已遭到破坏的海洋生态，应当进行整治和恢复。

**第二十一条**　国务院有关部门和沿海省级人民政府应当根据保护海洋生态的需要，选划、建立海洋自然保护区。

国家级海洋自然保护区的建立，须经国务院批准。

**第二十二条**　凡具有下列条件之一的，应当建立海洋自然保护区：

（一）典型的海洋自然地理区域、有代表性的自然生态区域，以及遭受破坏但经保护能恢复的海洋自然生态区域；

（二）海洋生物物种高度丰富的区域，或者珍稀、濒危海洋生物物种的天然集中分布区域；

（三）具有特殊保护价值的海域、海岸、岛屿、滨海湿地、入海河口和海湾等；

（四）具有重大科学文化价值的海洋自然遗迹所在区域；

（五）其他需要予以特殊保护的区域。

**第二十三条**　凡具有特殊地理条件、生态系统、生物与非生物资源及海洋开发利用特殊需要的区域，可以建立海洋特别保护区，采取有效的保护措施和科学的开发方式进行特殊管理。

**第二十四条**　开发利用海洋资源，应当根据海洋功能区划合理布局，不得造成海洋生态环境破坏。

**第二十五条**　引进海洋动植物物种，应当进行科学论证，避免对海洋生态系统造成危害。

**第二十六条**　开发海岛及周围海域的资源，应当采取严格的生态保护措施，不得造成海岛地形、岸滩、植被以及海岛周围海域生态环境的破坏。

**第二十七条**　沿海地方各级人民政府应当结合当地自然环境的特点，建设海岸防护设施、沿海防护林、沿海城镇园林和绿地，对海岸侵蚀和海水入侵地区进行综合治理。

禁止毁坏海岸防护设施、沿海防护林、沿海城镇园林和绿地。

**第二十八条**　国家鼓励发展生态渔业建设，推广多种生态渔业生产方式，改善海洋生态状况。

新建、改建、扩建海水养殖场，应当进行环境影响评价。

海水养殖应当科学确定养殖密度，并应当合理投饵、施肥，正确使用药物，防止造成海洋环境的污染。

## 第四章　防治陆源污染物对海洋环境的污染损害

**第二十九条**　向海域排放陆源污染物，必须严格执行国家或者地方规定的标准和有关规定。

**第三十条**　入海排污口位置的选择，应当根据海洋功能区划、海水动力条件和有关规定，经科学论证后，报设区的市级以上人民政府环境保护行政主管部门审查批准。

环境保护行政主管部门在批准设置入海排污口之前，必须征求海洋、海事、渔业行政主管部门和军队环境保护部门的意见。

在海洋自然保护区、重要渔业水域、海滨风景名胜区和其他需要特别保护的区域,不得新建排污口。

在有条件的地区,应当将排污口深海设置,实行离岸排放。设置陆源污染物深海离岸排放排污口,应当根据海洋功能区划、海水动力条件和海底工程设施的有关情况确定,具体办法由国务院规定。

**第三十一条** 省、自治区、直辖市人民政府环境保护行政主管部门和水行政主管部门应当按照水污染防治有关法律的规定,加强入海河流管理,防治污染,使入海河口的水质处于良好状态。

**第三十二条** 排放陆源污染物的单位,必须向环境保护行政主管部门申报拥有的陆源污染物排放设施、处理设施和在正常作业条件下排放陆源污染物的种类、数量和浓度,并提供防治海洋环境污染方面的有关技术和资料。

排放陆源污染物的种类、数量和浓度有重大改变的,必须及时申报。

拆除或者闲置陆源污染物处理设施的,必须事先征得环境保护行政主管部门的同意。

**第三十三条** 禁止向海域排放油类、酸液、碱液、剧毒废液和高、中水平放射性废水。

严格限制向海域排放低水平放射性废水;确需排放的,必须严格执行国家辐射防护规定。

严格控制向海域排放含有不易降解的有机物和重金属的废水。

**第三十四条** 含病原体的医疗污水、生活污水和工业废水必须经过处理,符合国家有关排放标准后,方能排入海域。

**第三十五条** 含有机物和营养物质的工业废水、生活污水,应当严格控制向海湾、半封闭海及其他自净能力较差的海域排放。

**第三十六条** 向海域排放含热废水,必须采取有效措施,保证邻近渔业水域的水温符合国家海洋环境质量标准，避免热污染对水产资源的危害。

**第三十七条** 沿海农田、林场施用化学农药，必须执行国家农药安全使用的规定和标准。

沿海农田、林场应当合理使用化肥和植物生长调节剂。

**第三十八条** 在岸滩弃置、堆放和处理尾矿、矿渣、煤灰渣、垃圾和其他固体废物的，依照《中华人民共和国固体废物污染环境防治法》的有关规定执行。

**第三十九条** 禁止经中华人民共和国内水、领海转移危险废物。

经中华人民共和国管辖的其他海域转移危险废物的，必须事先取得国务院环境保护行政主管部门的书面同意。

**第四十条** 沿海城市人民政府应当建设和完善城市排水管网，有计划地建设城市污水处理厂或者其他污水集中处理设施，加强城市污水的综合整治。

建设污水海洋处置工程，必须符合国家有关规定。

**第四十一条** 国家采取必要措施，防止、减少和控制来自大气层或者通过大气层造成的海洋环境污染损害。

## 第五章 防治海岸工程建设项目对海洋环境的污染损害

**第四十二条** 新建、改建、扩建海岸工程建设项目，必须遵守国家有关建设项目环境保护管理的规定，并把防治污染所需资金纳入建设项目投资计划。

在依法划定的海洋自然保护区、海滨风景名胜区、重要渔业水域及其他需要特别保护的区域，不得从事污染环境、破坏景观的海岸工程项目建设或者其他活动。

**第四十三条** 海岸工程建设项目的单位，必须在建设项目可行性研究阶段,对海洋环境进行科学调查,根据自然条件和社会条件,合理选址,编报环境影响报告书。环境影响报告书报环境保护行政主管部门审查批准。

环境保护行政主管部门在批准环境影响报告书之前,必须征求海洋、海事、渔业行政主管部门和军队环境保护部门的意见。

**第四十四条** 海岸工程建设项目的环境保护设施,必须与主体工程同时设计、同时施工、同时投产使用。环境保护设施未经环境保护行政主管部门检查批准,建设项目不得试运行;环境保护设施未经环境保护行政主管部门验收,或者经验收不合格的,建设项目不得投入生产或者使用。

**第四十五条** 禁止在沿海陆域内新建不具备有效治理措施的化学制浆造纸、化工、印染、制革、电镀、酿造、炼油、岸边冲滩拆船以及其他严重污染海洋环境的工业生产项目。

**第四十六条** 兴建海岸工程建设项目,必须采取有效措施,保护国家和地方重点保护的野生动植物及其生存环境和海洋水产资源。

严格限制在海岸采挖砂石。露天开采海滨砂矿和从岸上打井开采海底矿产资源,必须采取有效措施,防止污染海洋环境。

## 第六章 防治海洋工程建设项目对海洋环境的污染损害

**第四十七条** 海洋工程建设项目必须符合海洋功能区划、海洋环境保护规划和国家有关环境保护标准,在可行性研究阶段,编报海洋环境影响报告书,由海洋行政主管部门核准,并报环境保护行政主管部门备案,接受环境保护行政主管部门监督。

海洋行政主管部门在核准海洋环境影响报告书之前,必须征求海事、渔业行政主管部门和军队环境保护部门的意见。

**第四十八条** 海洋工程建设项目的环境保护设施,必须与主体工程同时设计、同时施工、同时投产使用。环境保护设施未经海洋行政主管部门检查批准，建设项目不得试运行；环境保护设施未经海洋行政主管部门验收，或者经验收不合格的，建设项目不得投入生产或者使用。

拆除或者闲置环境保护设施，必须事先征得海洋行政主管部门的同意。

**第四十九条** 海洋工程建设项目，不得使用含超标准放射性物质或者易溶出有毒有害物质的材料。

**第五十条** 海洋工程建设项目需要爆破作业时，必须采取有效措施，保护海洋资源。

海洋石油勘探开发及输油过程中，必须采取有效措施，避免溢油事故的发生。

**第五十一条** 海洋石油钻井船、钻井平台和采油平台的含油污水和油性混合物，必须经过处理达标后排放；残油、废油必须予以回收，不得排放入海。经回收处理后排放的，其含油量不得超过国家规定的标准。

钻井所使用的油基泥浆和其他有毒复合泥浆不得排放入海。水基泥浆和无毒复合泥浆及钻屑的排放，必须符合国家有关规定。

**第五十二条** 海洋石油钻井船、钻井平台和采油平台及其有关海上设施，不得向海域处置含油的工业垃圾。处置其他工业垃圾，不得造成海洋环境污染。

**第五十三条** 海上试油时，应当确保油气充分燃烧，油和油性混合物不得排放入海。

**第五十四条** 勘探开发海洋石油，必须按有关规定编制溢油应急计划，报国家海洋行政主管部门的海区派出机构备案。

## 第七章 防治倾倒废弃物对海洋环境的污染损害

**第五十五条** 任何单位未经国家海洋行政主管部门批准，不得向中华人民共和国管辖海域倾倒任何废弃物。

需要倾倒废弃物的单位，必须向国家海洋行政主管部门提出书面申请，经国家海洋行政主管部门审查批准，发给许可证后，方可倾倒。

禁止中华人民共和国境外的废弃物在中华人民共和国管辖海域倾倒。

**第五十六条** 国家海洋行政主管部门根据废弃物的毒性、有毒物质含量和对海洋环境影响程度，制定海洋倾倒废弃物评价程序和标准。

向海洋倾倒废弃物，应当按照废弃物的类别和数量实行分级管理。

可以向海洋倾倒的废弃物名录，由国家海洋行政主管部门拟定，经国务院环境保护行政主管部门提出审核意见后，报国务院批准。

**第五十七条** 国家海洋行政主管部门按照科学、合理、经济、安全的原则选划海洋倾倒区，经国务院环境保护行政主管部门提出审核意见后，报国务院批准。

临时性海洋倾倒区由国家海洋行政主管部门批准，并报国务院环境保护行政主管部门备案。

国家海洋行政主管部门在选划海洋倾倒区和批准临时性海洋倾倒区之前，必须征求国家海事、渔业行政主管部门的意见。

**第五十八条** 国家海洋行政主管部门监督管理倾倒区的使用，组织倾倒区的环境监测。对经确认不宜继续使用的倾倒区，国家海洋行政主管部门应当予以封闭，终止在该倾倒区的一切倾倒活动，并报国务院备案。

**第五十九条** 获准倾倒废弃物的单位，必须按照许可证注明的期限及条件，到指定的区域进行倾倒。废弃物装载之后，批准部门应当予以核实。

**第六十条**　获准倾倒废弃物的单位，应当详细记录倾倒的情况，并在倾倒后向批准部门作出书面报告。倾倒废弃物的船舶必须向驶出港的海事行政主管部门作出书面报告。

**第六十一条**　禁止在海上焚烧废弃物。

禁止在海上处置放射性废弃物或者其他放射性物质。废弃物中的放射性物质的豁免浓度由国务院制定。

## 第八章　防治船舶及有关作业活动对海洋环境的污染损害

**第六十二条**　在中华人民共和国管辖海域，任何船舶及相关作业不得违反本法规定向海洋排放污染物、废弃物和压载水、船舶垃圾及其他有害物质。

从事船舶污染物、废弃物、船舶垃圾接收、船舶清舱、洗舱作业活动的，必须具备相应的接收处理能力。

**第六十三条**　船舶必须按照有关规定持有防止海洋环境污染的证书与文书，在进行涉及污染物排放及操作时，应当如实记录。

**第六十四条**　船舶必须配置相应的防污设备和器材。

载运具有污染危害性货物的船舶，其结构与设备应当能够防止或者减轻所载货物对海洋环境的污染。

**第六十五条**　船舶应当遵守海上交通安全法律、法规的规定，防止因碰撞、触礁、搁浅、火灾或者爆炸等引起的海难事故，造成海洋环境的污染。

**第六十六条**　国家完善并实施船舶油污损害民事赔偿责任制度；按照船舶油污损害赔偿责任由船东和货主共同承担风险的原则，建立船舶油污保险、油污损害赔偿基金制度。

实施船舶油污保险、油污损害赔偿基金制度的具体办法由国务院规定。

**第六十七条**　载运具有污染危害性货物进出港口的船舶，其承运人、货物所有人或者代理人,必须事先向海事行政主管部门申报。经批准后,方可进出港口、过境停留或者装卸作业。

**第六十八条** 交付船舶装运污染危害性货物的单证、包装、标志、数量限制等,必须符合对所装货物的有关规定。

需要船舶装运污染危害性不明的货物,应当按照有关规定事先进行评估。

装卸油类及有毒有害货物的作业,船岸双方必须遵守安全防污操作规程。

**第六十九条** 港口、码头、装卸站和船舶修造厂必须按照有关规定备有足够的用于处理船舶污染物、废弃物的接收设施,并使该设施处于良好状态。

装卸油类的港口、码头、装卸站和船舶必须编制溢油污染应急计划,并配备相应的溢油污染应急设备和器材。

**第七十条** 进行下列活动,应当事先按照有关规定报经有关部门批准或者核准:

(一)船舶在港区水域内使用焚烧炉;

(二)船舶在港区水域内进行洗舱、清舱、驱气、排放压载水、残油、含油污水接收、舷外拷铲及油漆等作业;

(三)船舶、码头、设施使用化学消油剂;

(四)船舶冲洗沾有污染物、有毒有害物质的甲板;

(五)船舶进行散装液体污染危害性货物的过驳作业;

(六)从事船舶水上拆解、打捞、修造和其他水上、水下船舶施工作业。

**第七十一条** 船舶发生海难事故,造成或者可能造成海洋环境重大污染损害的,国家海事行政主管部门有权强制采取避免或者减少污染损害的措施。

对在公海上因发生海难事故,造成中华人民共和国管辖海域重大污染损害后果或者具有污染威胁的船舶、海上设施,国家海事行政主管部门有权采取与实际的或者可能发生的损害相称的必要措施。

**第七十二条** 所有船舶均有监视海上污染的义务,在发现海上污染事故或者违反本法规定的行为时,必须立即向就近的依照本法规定行使海洋环境监督管理权的部门报告。

民用航空器发现海上排污或者污染事件,必须及时向就近的民用航空空中交通管制单位报告。接到报告的单位,应当立即向依照本法规定行使海洋环境监督管理权的部门通报。

## 第九章 法律责任

**第七十三条** 违反本法有关规定,有下列行为之一的,由依照本法规定行使海洋环境监督管理权的部门责令限期改正,并处以罚款:

(一)向海域排放本法禁止排放的污染物或者其他物质的;

(二)不按照本法规定向海洋排放污染物,或者超过标准排放污染物的;

(三)未取得海洋倾倒许可证,向海洋倾倒废弃物的;

(四)因发生事故或者其他突发性事件,造成海洋环境污染事故,不立即采取处理措施的。

有前款第(一)、(三)项行为之一的,处三万元以上二十万元以下的罚款;有前款第(二)、(四)项行为之一的,处二万元以上十万元以下的罚款。

**第七十四条** 违反本法有关规定,有下列行为之一的,由依照本法规定行使海洋环境监督管理权的部门予以警告,或者处以罚款:

(一)不按照规定申报,甚至拒报污染物排放有关事项,或者在申报时弄虚作假的;

(二)发生事故或者其他突发性事件不按照规定报告的;

（三）不按照规定记录倾倒情况，或者不按照规定提交倾倒报告的；

（四）拒报或者谎报船舶载运污染危害性货物申报事项的。

有前款第（一）、（三）项行为之一的，处二万元以下的罚款；有前款第（二）、（四）项行为之一的，处五万元以下的罚款。

**第七十五条**　违反本法第十九条第二款的规定，拒绝现场检查，或者在被检查时弄虚作假的，由依照本法规定行使海洋环境监督管理权的部门予以警告，并处二万元以下的罚款。

**第七十六条**　违反本法规定，造成珊瑚礁、红树林等海洋生态系统及海洋水产资源、海洋保护区破坏的，由依照本法规定行使海洋环境监督管理权的部门责令限期改正和采取补救措施，并处一万元以上十万元以下的罚款；有违法所得的，没收其违法所得。

**第七十七条**　违反本法第三十条第一款、第三款规定设置入海排污口的，由县级以上地方人民政府环境保护行政主管部门责令其关闭，并处二万元以上十万元以下的罚款。

**第七十八条**　违反本法第三十二条第三款的规定，擅自拆除、闲置环境保护设施的，由县级以上地方人民政府环境保护行政主管部门责令重新安装使用，并处一万元以上十万元以下的罚款。

**第七十九条**　违反本法第三十九条第二款的规定，经中华人民共和国管辖海域，转移危险废物的，由国家海事行政主管部门责令非法运输该危险废物的船舶退出中华人民共和国管辖海域，并处五万元以上五十万元以下的罚款。

**第八十条**　违反本法第四十三条第一款的规定，未持有经批准的环境影响报告书，兴建海岸工程建设项目的，由县级以上地方人民政府环境保护行政主管部门责令其停止违法行为和采取补救措施，并处五万元以上二十万元以下的罚款；或者按照管理权限，由县级以上地方人民政府责令其限期拆除。

**第八十一条**　违反本法第四十四条的规定，海岸工程建设项目未建成环境保护设施,或者环境保护设施未达到规定要求即投入生产、使用的,由环境保护行政主管部门责令其停止生产或者使用,并处二万元以上十万元以下的罚款。

**第八十二条**　违反本法第四十五条的规定,新建严重污染海洋环境的工业生产建设项目的,按照管理权限,由县级以上人民政府责令关闭。

**第八十三条**　违反本法第四十七条第一款、第四十八条的规定,进行海洋工程建设项目,或者海洋工程建设项目未建成环境保护设施、环境保护设施未达到规定要求即投入生产、使用的,由海洋行政主管部门责令其停止施工或者生产、使用,并处五万元以上二十万元以下的罚款。

**第八十四条**　违反本法第四十九条的规定,使用含超标准放射性物质或者易溶出有毒有害物质材料的,由海洋行政主管部门处五万元以下的罚款,并责令其停止该建设项目的运行,直到消除污染危害。

**第八十五条**　违反本法规定进行海洋石油勘探开发活动,造成海洋环境污染的,由国家海洋行政主管部门予以警告,并处二万元以上二十万元以下的罚款。

**第八十六条**　违反本法规定,不按照许可证的规定倾倒,或者向已经封闭的倾倒区倾倒废弃物的,由海洋行政主管部门予以警告,并处三万元以上二十万元以下的罚款;对情节严重的,可以暂扣或者吊销许可证。

**第八十七条**　违反本法第五十五条第三款的规定,将中华人民共和国境外废弃物运进中华人民共和国管辖海域倾倒的,由国家海洋行政主管部门予以警告,并根据造成或者可能造成的危害后果,处十万元以上一百万元以下的罚款。

**第八十八条**　违反本法规定,有下列行为之一的,由依照本法规定行使海洋环境监督管理权的部门予以警告,或者处以罚款:

（一）港口、码头、装卸站及船舶未配备防污设施、器材的；

（二）船舶未持有防污证书、防污文书，或者不按照规定记载排污记录的；

（三）从事水上和港区水域拆船、旧船改装、打捞和其他水上、水下施工作业，造成海洋环境污染损害的；

（四）船舶载运的货物不具备防污适运条件的。

有前款第（一）、（四）项行为之一的，处二万元以上十万元以下的罚款；有前款第（二）项行为的，处二万元以下的罚款；有前款第（三）项行为的，处五万元以上二十万元以下的罚款。

**第八十九条** 违反本法规定，船舶、石油平台和装卸油类的港口、码头、装卸站不编制溢油应急计划的，由依照本法规定行使海洋环境监督管理权的部门予以警告，或者责令限期改正。

**第九十条** 造成海洋环境污染损害的责任者，应当排除危害，并赔偿损失；完全由于第三者的故意或者过失，造成海洋环境污染损害的，由第三者排除危害，并承担赔偿责任。

对破坏海洋生态、海洋水产资源、海洋保护区，给国家造成重大损失的，由依照本法规定行使海洋环境监督管理权的部门代表国家对责任者提出损害赔偿要求。

**第九十一条** 对违反本法规定，造成海洋环境污染事故的单位，由依照本法规定行使海洋环境监督管理权的部门根据所造成的危害和损失处以罚款；负有直接责任的主管人员和其他直接责任人员属于国家工作人员的，依法给予行政处分。

前款规定的罚款数额按照直接损失的百分之三十计算，但最高不得超过三十万元。

对造成重大海洋环境污染事故，致使公私财产遭受重大损失或者人身伤亡严重后果的，依法追究刑事责任。

**第九十二条** 完全属于下列情形之一，经过及时采取合理措施，仍然不能避免对海洋环境造成污染损害的，造成污染损害的有关责任者免予承担责任：

（一）战争；

（二）不可抗拒的自然灾害；

（三）负责灯塔或者其他助航设备的主管部门，在执行职责时的疏忽，或者其他过失行为。

**第九十三条**　对违反本法第十一条、第十二条有关缴纳排污费、倾倒费和限期治理规定的行政处罚，由国务院规定。

**第九十四条**　海洋环境监督管理人员滥用职权、玩忽职守、徇私舞弊，造成海洋环境污染损害的，依法给予行政处分；构成犯罪的，依法追究刑事责任。

## 第十章　附　　则

**第九十五条**　本法中下列用语的含义是：

（一）海洋环境污染损害，是指直接或者间接地把物质或者能量引入海洋环境，产生损害海洋生物资源、危害人体健康、妨害渔业和海上其他合法活动、损害海水使用素质和减损环境质量等有害影响。

（二）内水，是指我国领海基线向内陆一侧的所有海域。

（三）滨海湿地，是指低潮时水深浅于六米的水域及其沿岸浸湿地带，包括水深不超过六米的永久性水域、潮间带（或洪泛地带）和沿海低地等。

（四）海洋功能区划，是指依据海洋自然属性和社会属性，以及自然资源和环境特定条件，界定海洋利用的主导功能和使用范畴。

（五）渔业水域，是指鱼虾类的产卵场、索饵场、越冬场、洄游通道和鱼虾贝藻类的养殖场。

（六）油类，是指任何类型的油及其炼制品。

（七）油性混合物，是指任何含有油份的混合物。

（八）排放，是指把污染物排入海洋的行为，包括泵出、溢出、泄出、喷出和倒出。

（九）陆地污染源（简称陆源），是指从陆地向海域排放污染物，造成或者可能造成海洋环境污染的场所、设施等。

（十）陆源污染物，是指由陆地污染源排放的污染物。

（十一）倾倒，是指通过船舶、航空器、平台或者其他载运工具，向海洋处置废弃物和其他有害物质的行为，包括弃置船舶、航空器、平台及其辅助设施和其他浮动工具的行为。

（十二）沿海陆域，是指与海岸相连，或者通过管道、沟渠、设施，直接或者间接向海洋排放污染物及其相关活动的一带区域。

（十三）海上焚烧，是指以热摧毁为目的，在海上焚烧设施上，故意焚烧废弃物或者其他物质的行为，但船舶、平台或者其他人工构造物正常操作中，所附带发生的行为除外。

**第九十六条** 涉及海洋环境监督管理的有关部门的具体职权划分，本法未作规定的，由国务院规定。

**第九十七条** 中华人民共和国缔结或者参加的与海洋环境保护有关的国际条约与本法有不同规定的，适用国际条约的规定；但是，中华人民共和国声明保留的条款除外。

**第九十八条** 本法自 2000 年 4 月 1 日起施行。

# 中华人民共和国清洁生产促进法

（2002 年 6 月 29 日第九届全国人民代表大会常务委员会第二十八次会议通过　根据 2012 年 2 月 29 日第十一届全国人民代表大会常务委员会第二十五次会议《关于修改〈中华人民共和国清洁生产促进法〉的决定》修正）

## 目　　录



## 第一章　总　　则

**第一条**　为了促进清洁生产，提高资源利用效率，减少和避免污染物的产生，保护和改善环境，保障人体健康，促进经济与社会可持续发展，制定本法。

**第二条**　本法所称清洁生产，是指不断采取改进设计、使用清洁的能源和原料、采用先进的工艺技术与设备、改善管理、综合利用等措施，从源头削减污染，提高资源利用效率，减少或者避免生产、服务和产品使用过程中污染物的产生和排放，以减轻或者消除对人类健康和环境的危害。

**第三条** 在中华人民共和国领域内，从事生产和服务活动的单位以及从事相关管理活动的部门依照本法规定，组织、实施清洁生产。

**第四条** 国家鼓励和促进清洁生产。国务院和县级以上地方人民政府，应当将清洁生产促进工作纳入国民经济和社会发展规划、年度计划以及环境保护、资源利用、产业发展、区域开发等规划。

**第五条** 国务院清洁生产综合协调部门负责组织、协调全国的清洁生产促进工作。国务院环境保护、工业、科学技术、财政部门和其他有关部门，按照各自的职责，负责有关的清洁生产促进工作。

县级以上地方人民政府负责领导本行政区域内的清洁生产促进工作。县级以上地方人民政府确定的清洁生产综合协调部门负责组织、协调本行政区域内的清洁生产促进工作。县级以上地方人民政府其他有关部门，按照各自的职责，负责有关的清洁生产促进工作。

**第六条** 国家鼓励开展有关清洁生产的科学研究、技术开发和国际合作，组织宣传、普及清洁生产知识，推广清洁生产技术。

国家鼓励社会团体和公众参与清洁生产的宣传、教育、推广、实施及监督。

## 第二章 清洁生产的推行

**第七条** 国务院应当制定有利于实施清洁生产的财政税收政策。

国务院及其有关部门和省、自治区、直辖市人民政府，应当制定有利于实施清洁生产的产业政策、技术开发和推广政策。

**第八条**　国务院清洁生产综合协调部门会同国务院环境保护、工业、科学技术部门和其他有关部门，根据国民经济和社会发展规划及国家节约资源、降低能源消耗、减少重点污染物排放的要求，编制国家清洁生产推行规划，报经国务院批准后及时公布。

国家清洁生产推行规划应当包括：推行清洁生产的目标、主要任务和保障措施，按照资源能源消耗、污染物排放水平确定开展清洁生产的重点领域、重点行业和重点工程。

国务院有关行业主管部门根据国家清洁生产推行规划确定本行业清洁生产的重点项目，制定行业专项清洁生产推行规划并组织实施。

县级以上地方人民政府根据国家清洁生产推行规划、有关行业专项清洁生产推行规划，按照本地区节约资源、降低能源消耗、减少重点污染物排放的要求，确定本地区清洁生产的重点项目，制定推行清洁生产的实施规划并组织落实。

**第九条**　中央预算应当加强对清洁生产促进工作的资金投入，包括中央财政清洁生产专项资金和中央预算安排的其他清洁生产资金，用于支持国家清洁生产推行规划确定的重点领域、重点行业、重点工程实施清洁生产及其技术推广工作，以及生态脆弱地区实施清洁生产的项目。中央预算用于支持清洁生产促进工作的资金使用的具体办法，由国务院财政部门、清洁生产综合协调部门会同国务院有关部门制定。

县级以上地方人民政府应当统筹地方财政安排的清洁生产促进工作的资金，引导社会资金，支持清洁生产重点项目。

**第十条**　国务院和省、自治区、直辖市人民政府的有关部门，应当组织和支持建立促进清洁生产信息系统和技术咨询服务体系，向社会提供有关清洁生产方法和技术、可再生利用的废物供求以及清洁生产政策等方面的信息和服务。

**第十一条**　国务院清洁生产综合协调部门会同国务院环境保

护、工业、科学技术、建设、农业等有关部门定期发布清洁生产技术、工艺、设备和产品导向目录。

国务院清洁生产综合协调部门、环境保护部门和省、自治区、直辖市人民政府负责清洁生产综合协调的部门、环境保护部门会同同级有关部门，组织编制重点行业或者地区的清洁生产指南，指导实施清洁生产。

**第十二条** 国家对浪费资源和严重污染环境的落后生产技术、工艺、设备和产品实行限期淘汰制度。国务院有关部门按照职责分工，制定并发布限期淘汰的生产技术、工艺、设备以及产品的名录。

**第十三条** 国务院有关部门可以根据需要批准设立节能、节水、废物再生利用等环境与资源保护方面的产品标志，并按照国家规定制定相应标准。

**第十四条** 县级以上人民政府科学技术部门和其他有关部门，应当指导和支持清洁生产技术和有利于环境与资源保护的产品的研究、开发以及清洁生产技术的示范和推广工作。

**第十五条** 国务院教育部门，应当将清洁生产技术和管理课程纳入有关高等教育、职业教育和技术培训体系。

县级以上人民政府有关部门组织开展清洁生产的宣传和培训，提高国家工作人员、企业经营管理者和公众的清洁生产意识，培养清洁生产管理和技术人员。

新闻出版、广播影视、文化等单位和有关社会团体，应当发挥各自优势做好清洁生产宣传工作。

**第十六条** 各级人民政府应当优先采购节能、节水、废物再生利用等有利于环境与资源保护的产品。

各级人民政府应当通过宣传、教育等措施，鼓励公众购买和使用节能、节水、废物再生利用等有利于环境与资源保护的产品。

**第十七条** 省、自治区、直辖市人民政府负责清洁生产综合协调的部门、环境保护部门，根据促进清洁生产工作的需要，在本地区主要媒体上公布未达到能源消耗控制指标、重点污染物排放控制指标的企业的名单，为公众监督企业实施清洁生产提供依据。

列入前款规定名单的企业，应当按照国务院清洁生产综合协调部门、环境保护部门的规定公布能源消耗或者重点污染物产生、排放情况，接受公众监督。

## 第三章　清洁生产的实施

**第十八条**　新建、改建和扩建项目应当进行环境影响评价，对原料使用、资源消耗、资源综合利用以及污染物产生与处置等进行分析论证，优先采用资源利用率高以及污染物产生量少的清洁生产技术、工艺和设备。

**第十九条**　企业在进行技术改造过程中，应当采取以下清洁生产措施：

（一）采用无毒、无害或者低毒、低害的原料，替代毒性大、危害严重的原料；

（二）采用资源利用率高、污染物产生量少的工艺和设备，替代资源利用率低、污染物产生量多的工艺和设备；

（三）对生产过程中产生的废物、废水和余热等进行综合利用或者循环使用；

（四）采用能够达到国家或者地方规定的污染物排放标准和污染物排放总量控制指标的污染防治技术。

**第二十条**　产品和包装物的设计，应当考虑其在生命周期中对人类健康和环境的影响，优先选择无毒、无害、易于降解或者便于回收利用的方案。

企业对产品的包装应当合理，包装的材质、结构和成本应当与内装产品的质量、规格和成本相适应，减少包装性废物的产生，不得进行过度包装。

**第二十一条** 生产大型机电设备、机动运输工具以及国务院工业部门指定的其他产品的企业,应当按照国务院标准化部门或者其授权机构制定的技术规范,在产品的主体构件上注明材料成分的标准牌号。

**第二十二条** 农业生产者应当科学地使用化肥、农药、农用薄膜和饲料添加剂,改进种植和养殖技术,实现农产品的优质、无害和农业生产废物的资源化,防止农业环境污染。

禁止将有毒、有害废物用作肥料或者用于造田。

**第二十三条** 餐饮、娱乐、宾馆等服务性企业,应当采用节能、节水和其他有利于环境保护的技术和设备,减少使用或者不使用浪费资源、污染环境的消费品。

**第二十四条** 建筑工程应当采用节能、节水等有利于环境与资源保护的建筑设计方案、建筑和装修材料、建筑构配件及设备。

建筑和装修材料必须符合国家标准。禁止生产、销售和使用有毒、有害物质超过国家标准的建筑和装修材料。

**第二十五条** 矿产资源的勘查、开采,应当采用有利于合理利用资源、保护环境和防止污染的勘查、开采方法和工艺技术,提高资源利用水平。

**第二十六条** 企业应当在经济技术可行的条件下对生产和服务过程中产生的废物、余热等自行回收利用或者转让给有条件的其他企业和个人利用。

**第二十七条** 企业应当对生产和服务过程中的资源消耗以及废物的产生情况进行监测,并根据需要对生产和服务实施清洁生产审核。

有下列情形之一的企业,应当实施强制性清洁生产审核:

(一)污染物排放超过国家或者地方规定的排放标准,或者虽未超过国家或者地方规定的排放标准,但超过重点污染物排放总量控制指标的;

（二）超过单位产品能源消耗限额标准构成高耗能的；

（三）使用有毒、有害原料进行生产或者在生产中排放有毒、有害物质的。

污染物排放超过国家或者地方规定的排放标准的企业，应当按照环境保护相关法律的规定治理。

实施强制性清洁生产审核的企业，应当将审核结果向所在地县级以上地方人民政府负责清洁生产综合协调的部门、环境保护部门报告，并在本地区主要媒体上公布，接受公众监督，但涉及商业秘密的除外。

县级以上地方人民政府有关部门应当对企业实施强制性清洁生产审核的情况进行监督，必要时可以组织对企业实施清洁生产的效果进行评估验收，所需费用纳入同级政府预算。承担评估验收工作的部门或者单位不得向被评估验收企业收取费用。

实施清洁生产审核的具体办法，由国务院清洁生产综合协调部门、环境保护部门会同国务院有关部门制定。

**第二十八条**　本法第二十七条第二款规定以外的企业，可以自愿与清洁生产综合协调部门和环境保护部门签订进一步节约资源、削减污染物排放量的协议。该清洁生产综合协调部门和环境保护部门应当在本地区主要媒体上公布该企业的名称以及节约资源、防治污染的成果。

**第二十九条**　企业可以根据自愿原则，按照国家有关环境管理体系等认证的规定，委托经国务院认证认可监督管理部门认可的认证机构进行认证，提高清洁生产水平。

## 第四章　鼓励措施

**第三十条**　国家建立清洁生产表彰奖励制度。对在清洁生产工作中做出显著成绩的单位和个人，由人民政府给予表彰和奖励。

**第三十一条**　对从事清洁生产研究、示范和培训，实施国家清洁生产重点技术改造项目和本法第二十八条规定的自愿节约资源、削减污染物排放量协议中载明的技术改造项目，由县级以上人民政府给予资金支持。

**第三十二条** 在依照国家规定设立的中小企业发展基金中，应当根据需要安排适当数额用于支持中小企业实施清洁生产。

**第三十三条** 依法利用废物和从废物中回收原料生产产品的，按照国家规定享受税收优惠。

**第三十四条** 企业用于清洁生产审核和培训的费用，可以列入企业经营成本。

## 第五章 法律责任

**第三十五条** 清洁生产综合协调部门或者其他有关部门未依照本法规定履行职责的，对直接负责的主管人员和其他直接责任人员依法给予处分。

**第三十六条** 违反本法第十七条第二款规定，未按照规定公布能源消耗或者重点污染物产生、排放情况的，由县级以上地方人民政府负责清洁生产综合协调的部门、环境保护部门按照职责分工责令公布，可以处十万元以下的罚款。

**第三十七条** 违反本法第二十一条规定，未标注产品材料的成分或者不如实标注的，由县级以上地方人民政府质量技术监督部门责令限期改正；拒不改正的，处以五万元以下的罚款。

**第三十八条** 违反本法第二十四条第二款规定，生产、销售有毒、有害物质超过国家标准的建筑和装修材料的，依照产品质量法和有关民事、刑事法律的规定，追究行政、民事、刑事法律责任。

**第三十九条** 违反本法第二十七条第二款、第四款规定，不实施强制性清洁生产审核或者在清洁生产审核中弄虚作假的，或者实施强制性清洁生产审核的企业不报告或者不如实报告审核结果的，由县级以上地方人民政府负责清洁生产综合协调的部门、环境保护部门按照职责分工责令限期改正;拒不改正的,处以五万元以上五十万元以下的罚款。

违反本法第二十七条第五款规定,承担评估验收工作的部门或者单位及其工作人员向被评估验收企业收取费用的,不如实评估验收或者在评估验收中弄虚作假的,或者利用职务上的便利谋取利益的,对直接负责的主管人员和其他直接责任人员依法给予处分;构成犯罪的,依法追究刑事责任。

## 第六章 附 则

**第四十条** 本法自 2003 年 1 月 1 日起施行。

# 中华人民共和国循环经济促进法

（2008年8月29日第十一届全国人民代表大会常务委员会第四次会议通过　2008年8月29日中华人民共和国主席令第4号公布　自2009年1月1日起施行）

目　　录



## 第一章　总　　则

**第一条**　为了促进循环经济发展，提高资源利用效率，保护和改善环境，实现可持续发展，制定本法。

**第二条**　本法所称循环经济，是指在生产、流通和消费等过程中进行的减量化、再利用、资源化活动的总称。

本法所称减量化，是指在生产、流通和消费等过程中减少资源消耗和废物产生。

本法所称再利用，是指将废物直接作为产品或者经修复、翻新、再制造后继续作为产品使用，或者将废物的全部或者部分作为其他产品的部件予以使用。

本法所称资源化，是指将废物直接作为原料进行利用或者对废物进行再生利用。

**第三条**　发展循环经济是国家经济社会发展的一项重大战略，应当遵循统筹规划、合理布局，因地制宜、注重实效，政府推动、市场引导，企业实施、公众参与的方针。

**第四条**　发展循环经济应当在技术可行、经济合理和有利于节约资源、保护环境的前提下，按照减量化优先的原则实施。

在废物再利用和资源化过程中，应当保障生产安全，保证产品质量符合国家规定的标准，并防止产生再次污染。

**第五条**　国务院循环经济发展综合管理部门负责组织协调、监督管理全国循环经济发展工作；国务院环境保护等有关主管部门按照各自的职责负责有关循环经济的监督管理工作。

县级以上地方人民政府循环经济发展综合管理部门负责组织协调、监督管理本行政区域的循环经济发展工作；县级以上地方人民政府环境保护等有关主管部门按照各自的职责负责有关循环经济的监督管理工作。

**第六条**　国家制定产业政策，应当符合发展循环经济的要求。

县级以上人民政府编制国民经济和社会发展规划及年度计划，县级以上人民政府有关部门编制环境保护、科学技术等规划，应当包括发展循环经济的内容。

**第七条**　国家鼓励和支持开展循环经济科学技术的研究、开发和推广，鼓励开展循环经济宣传、教育、科学知识普及和国际合作。

**第八条**　县级以上人民政府应当建立发展循环经济的目标责任制，采取规划、财政、投资、政府采购等措施，促进循环经济发展。

**第九条**　企业事业单位应当建立健全管理制度，采取措施，降低资源消耗,减少废物的产生量和排放量,提高废物的再利用和资源化水平。

**第十条** 公民应当增强节约资源和保护环境意识,合理消费,节约资源。

国家鼓励和引导公民使用节能、节水、节材和有利于保护环境的产品及再生产品,减少废物的产生量和排放量。

公民有权举报浪费资源、破坏环境的行为,有权了解政府发展循环经济的信息并提出意见和建议。

**第十一条** 国家鼓励和支持行业协会在循环经济发展中发挥技术指导和服务作用。县级以上人民政府可以委托有条件的行业协会等社会组织开展促进循环经济发展的公共服务。

国家鼓励和支持中介机构、学会和其他社会组织开展循环经济宣传、技术推广和咨询服务,促进循环经济发展。

## 第二章 基本管理制度

**第十二条** 国务院循环经济发展综合管理部门会同国务院环境保护等有关主管部门编制全国循环经济发展规划,报国务院批准后公布施行。设区的市级以上地方人民政府循环经济发展综合管理部门会同本级人民政府环境保护等有关主管部门编制本行政区域循环经济发展规划,报本级人民政府批准后公布施行。

循环经济发展规划应当包括规划目标、适用范围、主要内容、重点任务和保障措施等,并规定资源产出率、废物再利用和资源化率等指标。

**第十三条** 县级以上地方人民政府应当依据上级人民政府下达的本行政区域主要污染物排放、建设用地和用水总量控制指标,规划和调整本行政区域的产业结构,促进循环经济发展。

新建、改建、扩建建设项目,必须符合本行政区域主要污染物排放、建设用地和用水总量控制指标的要求。

**第十四条** 国务院循环经济发展综合管理部门会同国务院统计、环境保护等有关主管部门建立和完善循环经济评价指标体系。

上级人民政府根据前款规定的循环经济主要评价指标,对下级人民政府发展循环经济的状况定期进行考核,并将主要评价指标完成情况作为对地方人民政府及其负责人考核评价的内容。

**第十五条** 生产列入强制回收名录的产品或者包装物的企业,必须对废弃的产品或者包装物负责回收;对其中可以利用的,由各该生产企业负责利用;对因不具备技术经济条件而不适合利用的,由各该生产企业负责无害化处置。

对前款规定的废弃产品或者包装物,生产者委托销售者或者其他组织进行回收的,或者委托废物利用或者处置企业进行利用或者处置的,受托方应当依照有关法律、行政法规的规定和合同的约定负责回收或者利用、处置。

对列入强制回收名录的产品和包装物,消费者应当将废弃的产品或者包装物交给生产者或者其委托回收的销售者或者其他组织。

强制回收的产品和包装物的名录及管理办法,由国务院循环经济发展综合管理部门规定。

**第十六条** 国家对钢铁、有色金属、煤炭、电力、石油加工、化工、建材、建筑、造纸、印染等行业年综合能源消费量、用水量超过国家规定总量的重点企业,实行能耗、水耗的重点监督管理制度。

重点能源消费单位的节能监督管理,依照《中华人民共和国节约能源法》的规定执行。

重点用水单位的监督管理办法,由国务院循环经济发展综合管理部门会同国务院有关部门规定。

**第十七条** 国家建立健全循环经济统计制度,加强资源消耗、综合利用和废物产生的统计管理,并将主要统计指标定期向社会公布。

国务院标准化主管部门会同国务院循环经济发展综合管理和环境保护等有关主管部门建立健全循环经济标准体系，制定和完善节能、节水、节材和废物再利用、资源化等标准。

国家建立健全能源效率标识等产品资源消耗标识制度。

## 第三章 减 量 化

**第十八条** 国务院循环经济发展综合管理部门会同国务院环境保护等有关主管部门，定期发布鼓励、限制和淘汰的技术、工艺、设备、材料和产品名录。

禁止生产、进口、销售列入淘汰名录的设备、材料和产品，禁止使用列入淘汰名录的技术、工艺、设备和材料。

**第十九条** 从事工艺、设备、产品及包装物设计，应当按照减少资源消耗和废物产生的要求，优先选择采用易回收、易拆解、易降解、无毒无害或者低毒低害的材料和设计方案，并应当符合有关国家标准的强制性要求。

对在拆解和处置过程中可能造成环境污染的电器电子等产品，不得设计使用国家禁止使用的有毒有害物质。禁止在电器电子等产品中使用的有毒有害物质名录，由国务院循环经济发展综合管理部门会同国务院环境保护等有关主管部门制定。

设计产品包装物应当执行产品包装标准，防止过度包装造成资源浪费和环境污染。

**第二十条** 工业企业应当采用先进或者适用的节水技术、工艺和设备，制定并实施节水计划，加强节水管理，对生产用水进行全过程控制。

工业企业应当加强用水计量管理，配备和使用合格的用水计量器具，建立水耗统计和用水状况分析制度。

新建、改建、扩建建设项目，应当配套建设节水设施。节水设施应当与主体工程同时设计、同时施工、同时投产使用。

国家鼓励和支持沿海地区进行海水淡化和海水直接利用,节约淡水资源。

**第二十一条** 国家鼓励和支持企业使用高效节油产品。

电力、石油加工、化工、钢铁、有色金属和建材等企业,必须在国家规定的范围和期限内,以洁净煤、石油焦、天然气等清洁能源替代燃料油,停止使用不符合国家规定的燃油发电机组和燃油锅炉。

内燃机和机动车制造企业应当按照国家规定的内燃机和机动车燃油经济性标准,采用节油技术,减少石油产品消耗量。

**第二十二条** 开采矿产资源,应当统筹规划,制定合理的开发利用方案,采用合理的开采顺序、方法和选矿工艺。采矿许可证颁发机关应当对申请人提交的开发利用方案中的开采回采率、采矿贫化率、选矿回收率、矿山水循环利用率和土地复垦率等指标依法进行审查;审查不合格的,不予颁发采矿许可证。采矿许可证颁发机关应当依法加强对开采矿产资源的监督管理。

矿山企业在开采主要矿种的同时,应当对具有工业价值的共生和伴生矿实行综合开采、合理利用;对必须同时采出而暂时不能利用的矿产以及含有有用组分的尾矿,应当采取保护措施,防止资源损失和生态破坏。

**第二十三条** 建筑设计、建设、施工等单位应当按照国家有关规定和标准,对其设计、建设、施工的建筑物及构筑物采用节能、节水、节地、节材的技术工艺和小型、轻型、再生产品。有条件的地区,应当充分利用太阳能、地热能、风能等可再生能源。

国家鼓励利用无毒无害的固体废物生产建筑材料,鼓励使用散装水泥,推广使用预拌混凝土和预拌砂浆。

禁止损毁耕地烧砖。在国务院或者省、自治区、直辖市人民政府规定的期限和区域内,禁止生产、销售和使用粘土砖。

**第二十四条** 县级以上人民政府及其农业等主管部门应当推

进土地集约利用,鼓励和支持农业生产者采用节水、节肥、节药的先进种植、养殖和灌溉技术,推动农业机械节能,优先发展生态农业。

在缺水地区,应当调整种植结构,优先发展节水型农业,推进雨水集蓄利用,建设和管护节水灌溉设施,提高用水效率,减少水的蒸发和漏失。

**第二十五条** 国家机关及使用财政性资金的其他组织应当厉行节约、杜绝浪费,带头使用节能、节水、节地、节材和有利于保护环境的产品、设备和设施,节约使用办公用品。国务院和县级以上地方人民政府管理机关事务工作的机构会同本级人民政府有关部门制定本级国家机关等机构的用能、用水定额指标,财政部门根据该定额指标制定支出标准。

城市人民政府和建筑物的所有者或者使用者,应当采取措施,加强建筑物维护管理,延长建筑物使用寿命。对符合城市规划和工程建设标准,在合理使用寿命内的建筑物,除为了公共利益的需要外,城市人民政府不得决定拆除。

**第二十六条** 餐饮、娱乐、宾馆等服务性企业,应当采用节能、节水、节材和有利于保护环境的产品,减少使用或者不使用浪费资源、污染环境的产品。

本法施行后新建的餐饮、娱乐、宾馆等服务性企业,应当采用节能、节水、节材和有利于保护环境的技术、设备和设施。

**第二十七条** 国家鼓励和支持使用再生水。在有条件使用再生水的地区,限制或者禁止将自来水作为城市道路清扫、城市绿化和景观用水使用。

**第二十八条** 国家在保障产品安全和卫生的前提下,限制一次性消费品的生产和销售。具体名录由国务院循环经济发展综合管理部门会同国务院财政、环境保护等有关主管部门制定。

对列入前款规定名录中的一次性消费品的生产和销售,由国务院财政、税务和对外贸易等主管部门制定限制性的税收和出口等措施。

## 第四章 再利用和资源化

**第二十九条** 县级以上人民政府应当统筹规划区域经济布局，合理调整产业结构，促进企业在资源综合利用等领域进行合作，实现资源的高效利用和循环使用。

各类产业园区应当组织区内企业进行资源综合利用，促进循环经济发展。

国家鼓励各类产业园区的企业进行废物交换利用、能量梯级利用、土地集约利用、水的分类利用和循环使用，共同使用基础设施和其他有关设施。

新建和改造各类产业园区应当依法进行环境影响评价，并采取生态保护和污染控制措施，确保本区域的环境质量达到规定的标准。

**第三十条** 企业应当按照国家规定，对生产过程中产生的粉煤灰、煤矸石、尾矿、废石、废料、废气等工业废物进行综合利用。

**第三十一条** 企业应当发展串联用水系统和循环用水系统，提高水的重复利用率。

企业应当采用先进技术、工艺和设备，对生产过程中产生的废水进行再生利用。

**第三十二条** 企业应当采用先进或者适用的回收技术、工艺和设备，对生产过程中产生的余热、余压等进行综合利用。

建设利用余热、余压、煤层气以及煤矸石、煤泥、垃圾等低热值燃料的并网发电项目，应当依照法律和国务院的规定取得行政许可或者报送备案。电网企业应当按照国家规定，与综合利用资源发电的企业签订并网协议，提供上网服务，并全额收购并网发电项目的上网电量。

**第三十三条** 建设单位应当对工程施工中产生的建筑废物进行综合利用;不具备综合利用条件的,应当委托具备条件的生产经营者进行综合利用或者无害化处置。

**第三十四条** 国家鼓励和支持农业生产者和相关企业采用先进或者适用技术,对农作物秸秆、畜禽粪便、农产品加工业副产品、废农用薄膜等进行综合利用,开发利用沼气等生物质能源。

**第三十五条** 县级以上人民政府及其林业主管部门应当积极发展生态林业,鼓励和支持林业生产者和相关企业采用木材节约和代用技术,开展林业废弃物和次小薪材、沙生灌木等综合利用,提高木材综合利用率。

**第三十六条** 国家支持生产经营者建立产业废物交换信息系统,促进企业交流产业废物信息。

企业对生产过程中产生的废物不具备综合利用条件的,应当提供给具备条件的生产经营者进行综合利用。

**第三十七条** 国家鼓励和推进废物回收体系建设。

地方人民政府应当按照城乡规划,合理布局废物回收网点和交易市场,支持废物回收企业和其他组织开展废物的收集、储存、运输及信息交流。

废物回收交易市场应当符合国家环境保护、安全和消防等规定。

**第三十八条** 对废电器电子产品、报废机动车船、废轮胎、废铅酸电池等特定产品进行拆解或者再利用,应当符合有关法律、行政法规的规定。

**第三十九条** 回收的电器电子产品,经过修复后销售的,必须符合再利用产品标准,并在显著位置标识为再利用产品。

回收的电器电子产品,需要拆解和再生利用的,应当交售给具备条件的拆解企业。

**第四十条** 国家支持企业开展机动车零部件、工程机械、机床等产品的再制造和轮胎翻新。

销售的再制造产品和翻新产品的质量必须符合国家规定的标准,并在显著位置标识为再制造产品或者翻新产品。

**第四十一条** 县级以上人民政府应当统筹规划建设城乡生活垃圾分类收集和资源化利用设施,建立和完善分类收集和资源化利用体系,提高生活垃圾资源化率。

县级以上人民政府应当支持企业建设污泥资源化利用和处置设施,提高污泥综合利用水平,防止产生再次污染。

## 第五章 激励措施

**第四十二条** 国务院和省、自治区、直辖市人民政府设立发展循环经济的有关专项资金,支持循环经济的科技研究开发、循环经济技术和产品的示范与推广、重大循环经济项目的实施、发展循环经济的信息服务等。具体办法由国务院财政部门会同国务院循环经济发展综合管理等有关主管部门制定。

**第四十三条** 国务院和省、自治区、直辖市人民政府及其有关部门应当将循环经济重大科技攻关项目的自主创新研究、应用示范和产业化发展列入国家或者省级科技发展规划和高技术产业发展规划,并安排财政性资金予以支持。

利用财政性资金引进循环经济重大技术、装备的,应当制定消化、吸收和创新方案,报有关主管部门审批并由其监督实施;有关主管部门应当根据实际需要建立协调机制,对重大技术、装备的引进和消化、吸收、创新实行统筹协调,并给予资金支持。

**第四十四条** 国家对促进循环经济发展的产业活动给予税收优惠,并运用税收等措施鼓励进口先进的节能、节水、节材等技术、设备和产品,限制在生产过程中耗能高、污染重的产品的出口。具体办法由国务院财政、税务主管部门制定。

企业使用或者生产列入国家清洁生产、资源综合利用等鼓励名录的技术、工艺、设备或者产品的，按照国家有关规定享受税收优惠。

**第四十五条** 县级以上人民政府循环经济发展综合管理部门在制定和实施投资计划时，应当将节能、节水、节地、节材、资源综合利用等项目列为重点投资领域。

对符合国家产业政策的节能、节水、节地、节材、资源综合利用等项目，金融机构应当给予优先贷款等信贷支持，并积极提供配套金融服务。

对生产、进口、销售或者使用列入淘汰名录的技术、工艺、设备、材料或者产品的企业，金融机构不得提供任何形式的授信支持。

**第四十六条** 国家实行有利于资源节约和合理利用的价格政策，引导单位和个人节约和合理使用水、电、气等资源性产品。

国务院和省、自治区、直辖市人民政府的价格主管部门应当按照国家产业政策，对资源高消耗行业中的限制类项目，实行限制性的价格政策。

对利用余热、余压、煤层气以及煤矸石、煤泥、垃圾等低热值燃料的并网发电项目，价格主管部门按照有利于资源综合利用的原则确定其上网电价。

省、自治区、直辖市人民政府可以根据本行政区域经济社会发展状况，实行垃圾排放收费制度。收取的费用专项用于垃圾分类、收集、运输、贮存、利用和处置，不得挪作他用。

国家鼓励通过以旧换新、押金等方式回收废物。

**第四十七条** 国家实行有利于循环经济发展的政府采购政策。使用财政性资金进行采购的，应当优先采购节能、节水、节材和有利于保护环境的产品及再生产品。

**第四十八条** 县级以上人民政府及其有关部门应当对在循环经济管理、科学技术研究、产品开发、示范和推广工作中做出显著成绩的单位和个人给予表彰和奖励。

企业事业单位应当对在循环经济发展中做出突出贡献的集体和个人给予表彰和奖励。

## 第六章 法律责任

**第四十九条** 县级以上人民政府循环经济发展综合管理部门或者其他有关主管部门发现违反本法的行为或者接到对违法行为的举报后不予查处,或者有其他不依法履行监督管理职责行为的,由本级人民政府或者上一级人民政府有关主管部门责令改正,对直接负责的主管人员和其他直接责任人员依法给予处分。

**第五十条** 生产、销售列入淘汰名录的产品、设备的,依照《中华人民共和国产品质量法》的规定处罚。

使用列入淘汰名录的技术、工艺、设备、材料的,由县级以上地方人民政府循环经济发展综合管理部门责令停止使用,没收违法使用的设备、材料,并处五万元以上二十万元以下的罚款;情节严重的,由县级以上人民政府循环经济发展综合管理部门提出意见,报请本级人民政府按照国务院规定的权限责令停业或者关闭。

违反本法规定,进口列入淘汰名录的设备、材料或者产品的,由海关责令退运,可以处十万元以上一百万元以下的罚款。进口者不明的,由承运人承担退运责任,或者承担有关处置费用。

**第五十一条** 违反本法规定,对在拆解或者处置过程中可能造成环境污染的电器电子等产品,设计使用列入国家禁止使用名录的有毒有害物质的,由县级以上地方人民政府产品质量监督部门责令限期改正;逾期不改正的,处二万元以上二十万元以下的罚款;情节严重的,由县级以上地方人民政府产品质量监督部门向本级工商行政管理部门通报有关情况,由工商行政管理部门依法吊销营业执照。

**第五十二条** 违反本法规定，电力、石油加工、化工、钢铁、有色金属和建材等企业未在规定的范围或者期限内停止使用不符合国家规定的燃油发电机组或者燃油锅炉的，由县级以上地方人民政府循环经济发展综合管理部门责令限期改正；逾期不改正的，责令拆除该燃油发电机组或者燃油锅炉，并处五万元以上五十万元以下的罚款。

**第五十三条** 违反本法规定，矿山企业未达到经依法审查确定的开采回采率、采矿贫化率、选矿回收率、矿山水循环利用率和土地复垦率等指标的，由县级以上人民政府地质矿产主管部门责令限期改正，处五万元以上五十万元以下的罚款；逾期不改正的，由采矿许可证颁发机关依法吊销采矿许可证。

**第五十四条** 违反本法规定，在国务院或者省、自治区、直辖市人民政府规定禁止生产、销售、使用粘土砖的期限或者区域内生产、销售或者使用粘土砖的，由县级以上地方人民政府指定的部门责令限期改正；有违法所得的，没收违法所得；逾期继续生产、销售的，由地方人民政府工商行政管理部门依法吊销营业执照。

**第五十五条** 违反本法规定，电网企业拒不收购企业利用余热、余压、煤层气以及煤矸石、煤泥、垃圾等低热值燃料生产的电力的，由国家电力监管机构责令限期改正；造成企业损失的，依法承担赔偿责任。

**第五十六条** 违反本法规定，有下列行为之一的，由地方人民政府工商行政管理部门责令限期改正，可以处五千元以上五万元以下的罚款；逾期不改正的，依法吊销营业执照；造成损失的，依法承担赔偿责任：

（一）销售没有再利用产品标识的再利用电器电子产品的；

（二）销售没有再制造或者翻新产品标识的再制造或者翻新产品的。

**第五十七条**　违反本法规定,构成犯罪的,依法追究刑事责任。

## 第七章　附　　则

**第五十八条**　本法自2009年1月1日起施行。

# 中华人民共和国环境影响评价法

（2002年10月28日第九届全国人民代表大会常务委员会第三十次会议通过 2002年10月28日中华人民共和国主席令第77号公布 自2003年9月1日起施行）

目　　录



## 第一章　总　　则

**第一条**　为了实施可持续发展战略，预防因规划和建设项目实施后对环境造成不良影响，促进经济、社会和环境的协调发展，制定本法。

**第二条**　本法所称环境影响评价，是指对规划和建设项目实施后可能造成的环境影响进行分析、预测和评估，提出预防或者减轻不良环境影响的对策和措施，进行跟踪监测的方法与制度。

**第三条**　编制本法第九条所规定的范围内的规划，在中华人民共和国领域和中华人民共和国管辖的其他海域内建设对环境有影响的项目，应当依照本法进行环境影响评价。

**第四条** 环境影响评价必须客观、公开、公正，综合考虑规划或者建设项目实施后对各种环境因素及其所构成的生态系统可能造成的影响，为决策提供科学依据。

**第五条** 国家鼓励有关单位、专家和公众以适当方式参与环境影响评价。

**第六条** 国家加强环境影响评价的基础数据库和评价指标体系建设，鼓励和支持对环境影响评价的方法、技术规范进行科学研究，建立必要的环境影响评价信息共享制度，提高环境影响评价的科学性。

国务院环境保护行政主管部门应当会同国务院有关部门，组织建立和完善环境影响评价的基础数据库和评价指标体系。

## 第二章 规划的环境影响评价

**第七条** 国务院有关部门、设区的市级以上地方人民政府及其有关部门，对其组织编制的土地利用的有关规划，区域、流域、海域的建设、开发利用规划，应当在规划编制过程中组织进行环境影响评价，编写该规划有关环境影响的篇章或者说明。

规划有关环境影响的篇章或者说明，应当对规划实施后可能造成的环境影响作出分析、预测和评估，提出预防或者减轻不良环境影响的对策和措施，作为规划草案的组成部分一并报送规划审批机关。

未编写有关环境影响的篇章或者说明的规划草案，审批机关不予审批。

**第八条** 国务院有关部门、设区的市级以上地方人民政府及其有关部门，对其组织编制的工业、农业、畜牧业、林业、能源、水利、交通、城市建设、旅游、自然资源开发的有关专项规划（以下简称专项规划），应当在该专项规划草案上报审批前，组织进行环境影响评价,并向审批该专项规划的机关提出环境影响报告书。

前款所列专项规划中的指导性规划,按照本法第七条的规定进行环境影响评价。

**第九条** 依照本法第七条、第八条的规定进行环境影响评价的规划的具体范围,由国务院环境保护行政主管部门会同国务院有关部门规定,报国务院批准。

**第十条** 专项规划的环境影响报告书应当包括下列内容:

(一)实施该规划对环境可能造成影响的分析、预测和评估;

(二)预防或者减轻不良环境影响的对策和措施;

(三)环境影响评价的结论。

**第十一条** 专项规划的编制机关对可能造成不良环境影响并直接涉及公众环境权益的规划,应当在该规划草案报送审批前,举行论证会、听证会,或者采取其他形式,征求有关单位、专家和公众对环境影响报告书草案的意见。但是,国家规定需要保密的情形除外。

编制机关应当认真考虑有关单位、专家和公众对环境影响报告书草案的意见,并应当在报送审查的环境影响报告书中附具对意见采纳或者不采纳的说明。

**第十二条** 专项规划的编制机关在报批规划草案时,应当将环境影响报告书一并附送审批机关审查;未附送环境影响报告书的,审批机关不予审批。

**第十三条** 设区的市级以上人民政府在审批专项规划草案,作出决策前,应当先由人民政府指定的环境保护行政主管部门或者其他部门召集有关部门代表和专家组成审查小组,对环境影响报告书进行审查。审查小组应当提出书面审查意见。

参加前款规定的审查小组的专家,应当从按照国务院环境保护行政主管部门的规定设立的专家库内的相关专业的专家名单中,以随机抽取的方式确定。

由省级以上人民政府有关部门负责审批的专项规划,其环境影响报告书的审查办法，由国务院环境保护行政主管部门会同国务院有关部门制定。

**第十四条**　设区的市级以上人民政府或者省级以上人民政府有关部门在审批专项规划草案时，应当将环境影响报告书结论以及审查意见作为决策的重要依据。

在审批中未采纳环境影响报告书结论以及审查意见的，应当作出说明，并存档备查。

**第十五条**　对环境有重大影响的规划实施后，编制机关应当及时组织环境影响的跟踪评价，并将评价结果报告审批机关；发现有明显不良环境影响的，应当及时提出改进措施。

## 第三章　建设项目的环境影响评价

**第十六条**　国家根据建设项目对环境的影响程度，对建设项目的环境影响评价实行分类管理。

建设单位应当按照下列规定组织编制环境影响报告书、环境影响报告表或者填报环境影响登记表（以下统称环境影响评价文件）：

（一）可能造成重大环境影响的，应当编制环境影响报告书，对产生的环境影响进行全面评价；

（二）可能造成轻度环境影响的，应当编制环境影响报告表，对产生的环境影响进行分析或者专项评价；

（三）对环境影响很小、不需要进行环境影响评价的，应当填报环境影响登记表。

建设项目的环境影响评价分类管理名录，由国务院环境保护行政主管部门制定并公布。

**第十七条**　建设项目的环境影响报告书应当包括下列内容：

（一）建设项目概况；

（二）建设项目周围环境现状；

(三)建设项目对环境可能造成影响的分析、预测和评估;

(四)建设项目环境保护措施及其技术、经济论证;

(五)建设项目对环境影响的经济损益分析;

(六)对建设项目实施环境监测的建议;

(七)环境影响评价的结论。

涉及水土保持的建设项目,还必须有经水行政主管部门审查同意的水土保持方案。

环境影响报告表和环境影响登记表的内容和格式,由国务院环境保护行政主管部门制定。

**第十八条** 建设项目的环境影响评价,应当避免与规划的环境影响评价相重复。

作为一项整体建设项目的规划,按照建设项目进行环境影响评价,不进行规划的环境影响评价。

已经进行了环境影响评价的规划所包含的具体建设项目,其环境影响评价内容建设单位可以简化。

**第十九条** 接受委托为建设项目环境影响评价提供技术服务的机构,应当经国务院环境保护行政主管部门考核审查合格后,颁发资质证书,按照资质证书规定的等级和评价范围,从事环境影响评价服务,并对评价结论负责。为建设项目环境影响评价提供技术服务的机构的资质条件和管理办法,由国务院环境保护行政主管部门制定。

国务院环境保护行政主管部门对已取得资质证书的为建设项目环境影响评价提供技术服务的机构的名单,应当予以公布。

为建设项目环境影响评价提供技术服务的机构,不得与负责审批建设项目环境影响评价文件的环境保护行政主管部门或者其他有关审批部门存在任何利益关系。

**第二十条** 环境影响评价文件中的环境影响报告书或者环境影响报告表,应当由具有相应环境影响评价资质的机构编制。

任何单位和个人不得为建设单位指定对其建设项目进行环境影响评价的机构。

**第二十一条**　除国家规定需要保密的情形外,对环境可能造成重大影响、应当编制环境影响报告书的建设项目,建设单位应当在报批建设项目环境影响报告书前,举行论证会、听证会,或者采取其他形式,征求有关单位、专家和公众的意见。

建设单位报批的环境影响报告书应当附具对有关单位、专家和公众的意见采纳或者不采纳的说明。

**第二十二条**　建设项目的环境影响评价文件,由建设单位按照国务院的规定报有审批权的环境保护行政主管部门审批;建设项目有行业主管部门的,其环境影响报告书或者环境影响报告表应当经行业主管部门预审后,报有审批权的环境保护行政主管部门审批。

海洋工程建设项目的海洋环境影响报告书的审批,依照《中华人民共和国海洋环境保护法》的规定办理。

审批部门应当自收到环境影响报告书之日起六十日内,收到环境影响报告表之日起三十日内,收到环境影响登记表之日起十五日内,分别作出审批决定并书面通知建设单位。

预审、审核、审批建设项目环境影响评价文件,不得收取任何费用。

**第二十三条**　国务院环境保护行政主管部门负责审批下列建设项目的环境影响评价文件:

(一)核设施、绝密工程等特殊性质的建设项目;

(二)跨省、自治区、直辖市行政区域的建设项目;

(三)由国务院审批的或者由国务院授权有关部门审批的建设项目。

前款规定以外的建设项目的环境影响评价文件的审批权限,由省、自治区、直辖市人民政府规定。

建设项目可能造成跨行政区域的不良环境影响,有关环境保护行政主管部门对该项目的环境影响评价结论有争议的,其环境影响评价文件由共同的上一级环境保护行政主管部门审批。

**第二十四条** 建设项目的环境影响评价文件经批准后,建设项目的性质、规模、地点、采用的生产工艺或者防治污染、防止生态破坏的措施发生重大变动的,建设单位应当重新报批建设项目的环境影响评价文件。

建设项目的环境影响评价文件自批准之日起超过五年,方决定该项目开工建设的,其环境影响评价文件应当报原审批部门重新审核;原审批部门应当自收到建设项目环境影响评价文件之日起十日内,将审核意见书面通知建设单位。

**第二十五条** 建设项目的环境影响评价文件未经法律规定的审批部门审查或者审查后未予批准的,该项目审批部门不得批准其建设,建设单位不得开工建设。

**第二十六条** 建设项目建设过程中,建设单位应当同时实施环境影响报告书、环境影响报告表以及环境影响评价文件审批部门审批意见中提出的环境保护对策措施。

**第二十七条** 在项目建设、运行过程中产生不符合经审批的环境影响评价文件的情形的,建设单位应当组织环境影响的后评价,采取改进措施,并报原环境影响评价文件审批部门和建设项目审批部门备案;原环境影响评价文件审批部门也可以责成建设单位进行环境影响的后评价,采取改进措施。

**第二十八条** 环境保护行政主管部门应当对建设项目投入生产或者使用后所产生的环境影响进行跟踪检查,对造成严重环境污染或者生态破坏的,应当查清原因、查明责任。对属于为建设项目环境影响评价提供技术服务的机构编制不实的环境影响评价文件的,依照本法第三十三条的规定追究其法律责任;属于审批部门工作人员失职、渎职,对依法不应批准的建设项目环境影响评价文件予以批准的，依照本法第三十五条的规定追究其法律责任。

## 第四章 法律责任

**第二十九条** 规划编制机关违反本法规定，组织环境影响评价时弄虚作假或者有失职行为，造成环境影响评价严重失实的，对直接负责的主管人员和其他直接责任人员，由上级机关或者监察机关依法给予行政处分。

**第三十条** 规划审批机关对依法应当编写有关环境影响的篇章或者说明而未编写的规划草案，依法应当附送环境影响报告书而未附送的专项规划草案，违法予以批准的，对直接负责的主管人员和其他直接责任人员，由上级机关或者监察机关依法给予行政处分。

**第三十一条** 建设单位未依法报批建设项目环境影响评价文件，或者未依照本法第二十四条的规定重新报批或者报请重新审核环境影响评价文件，擅自开工建设的，由有权审批该项目环境影响评价文件的环境保护行政主管部门责令停止建设，限期补办手续；逾期不补办手续的，可以处五万元以上二十万元以下的罚款，对建设单位直接负责的主管人员和其他直接责任人员，依法给予行政处分。

建设项目环境影响评价文件未经批准或者未经原审批部门重新审核同意，建设单位擅自开工建设的，由有权审批该项目环境影响评价文件的环境保护行政主管部门责令停止建设，可以处五万元以上二十万元以下的罚款，对建设单位直接负责的主管人员和其他直接责任人员，依法给予行政处分。

海洋工程建设项目的建设单位有前两款所列违法行为的，依照《中华人民共和国海洋环境保护法》的规定处罚。

**第三十二条** 建设项目依法应当进行环境影响评价而未评价，或者环境影响评价文件未经依法批准，审批部门擅自批准该项目建设的,对直接负责的主管人员和其他直接责任人员,由上级机关或者监察机关依法给予行政处分;构成犯罪的,依法追究刑事责任。

**第三十三条** 接受委托为建设项目环境影响评价提供技术服务的机构在环境影响评价工作中不负责任或者弄虚作假,致使环境影响评价文件失实的,由授予环境影响评价资质的环境保护行政主管部门降低其资质等级或者吊销其资质证书,并处所收费用一倍以上三倍以下的罚款;构成犯罪的,依法追究刑事责任。

**第三十四条** 负责预审、审核、审批建设项目环境影响评价文件的部门在审批中收取费用的,由其上级机关或者监察机关责令退还;情节严重的,对直接负责的主管人员和其他直接责任人员依法给予行政处分。

**第三十五条** 环境保护行政主管部门或者其他部门的工作人员徇私舞弊,滥用职权,玩忽职守,违法批准建设项目环境影响评价文件的,依法给予行政处分;构成犯罪的,依法追究刑事责任。

## 第五章 附 则

**第三十六条** 省、自治区、直辖市人民政府可以根据本地的实际情况,要求对本辖区的县级人民政府编制的规划进行环境影响评价。具体办法由省、自治区、直辖市参照本法第二章的规定制定。

**第三十七条** 军事设施建设项目的环境影响评价办法,由中央军事委员会依照本法的原则制定。

**第三十八条** 本法自 2003 年 9 月 1 日起施行。

# 中华人民共和国大气污染防治法

（1987年9月5日第六届全国人民代表大会常务委员会第二十二次会议通过 根据1995年8月29日第八届全国人民代表大会常务委员会第十五次会议《关于修改〈中华人民共和国大气污染防治法〉的决定》修正 2000年4月29日第九届全国人民代表大会常务委员会第十五次会议修订 自2000年9月1日起施行）

目 录



## 第一章 总 则

**第一条** 为防治大气污染，保护和改善生活环境和生态环境，保障人体健康，促进经济和社会的可持续发展，制定本法。

**第二条** 国务院和地方各级人民政府，必须将大气环境保护工作纳入国民经济和社会发展计划，合理规划工业布局，加强防治大气污染的科学研究，采取防治大气污染的措施，保护和改善大气环境。

**第三条** 国家采取措施，有计划地控制或者逐步削减各地方主要大气污染物的排放总量。

地方各级人民政府对本辖区的大气环境质量负责，制定规划，采取措施，使本辖区的大气环境质量达到规定的标准。

**第四条** 县级以上人民政府环境保护行政主管部门对大气污染防治实施统一监督管理。

各级公安、交通、铁道、渔业管理部门根据各自的职责，对机动车船污染大气实施监督管理。

县级以上人民政府其他有关主管部门在各自职责范围内对大气污染防治实施监督管理。

**第五条** 任何单位和个人都有保护大气环境的义务，并有权对污染大气环境的单位和个人进行检举和控告。

**第六条** 国务院环境保护行政主管部门制定国家大气环境质量标准。省、自治区、直辖市人民政府对国家大气环境质量标准中未作规定的项目，可以制定地方标准，并报国务院环境保护行政主管部门备案。

**第七条** 国务院环境保护行政主管部门根据国家大气环境质量标准和国家经济、技术条件制定国家大气污染物排放标准。

省、自治区、直辖市人民政府对国家大气污染物排放标准中未作规定的项目，可以制定地方排放标准；对国家大气污染物排放标准中已作规定的项目，可以制定严于国家排放标准的地方排放标准。地方排放标准须报国务院环境保护行政主管部门备案。

省、自治区、直辖市人民政府制定机动车船大气污染物地方排放标准严于国家排放标准的，须报经国务院批准。

凡是向已有地方排放标准的区域排放大气污染物的，应当执行地方排放标准。

**第八条** 国家采取有利于大气污染防治以及相关的综合利用活动的经济、技术政策和措施。

在防治大气污染、保护和改善大气环境方面成绩显著的单位和个人，由各级人民政府给予奖励。

**第九条** 国家鼓励和支持大气污染防治的科学技术研究，推广先进适用的大气污染防治技术；鼓励和支持开发、利用太阳能、风能、水能等清洁能源。

国家鼓励和支持环境保护产业的发展。

**第十条** 各级人民政府应当加强植树种草、城乡绿化工作，因地制宜地采取有效措施做好防沙治沙工作，改善大气环境质量。

## 第二章 大气污染防治的监督管理

**第十一条** 新建、扩建、改建向大气排放污染物的项目，必须遵守国家有关建设项目环境保护管理的规定。

建设项目的环境影响报告书，必须对建设项目可能产生的大气污染和对生态环境的影响作出评价，规定防治措施，并按照规定的程序报环境保护行政主管部门审查批准。

建设项目投入生产或者使用之前，其大气污染防治设施必须经过环境保护行政主管部门验收，达不到国家有关建设项目环境保护管理规定的要求的建设项目，不得投入生产或者使用。

**第十二条** 向大气排放污染物的单位，必须按照国务院环境保护行政主管部门的规定向所在地的环境保护行政主管部门申报拥有的污染物排放设施、处理设施和在正常作业条件下排放污染物的种类、数量、浓度，并提供防治大气污染方面的有关技术资料。

前款规定的排污单位排放大气污染物的种类、数量、浓度有重大改变的，应当及时申报；其大气污染物处理设施必须保持正常使用，拆除或者闲置大气污染物处理设施的，必须事先报经所在地的县级以上地方人民政府环境保护行政主管部门批准。

**第十三条** 向大气排放污染物的，其污染物排放浓度不得超过国家和地方规定的排放标准。

**第十四条** 国家实行按照向大气排放污染物的种类和数量征收排污费的制度，根据加强大气污染防治的要求和国家的经济、技术条件合理制定排污费的征收标准。

征收排污费必须遵守国家规定的标准，具体办法和实施步骤由国务院规定。

征收的排污费一律上缴财政，按照国务院的规定用于大气污染防治，不得挪作他用，并由审计机关依法实施审计监督。

**第十五条** 国务院和省、自治区、直辖市人民政府对尚未达到规定的大气环境质量标准的区域和国务院批准划定的酸雨控制区、二氧化硫污染控制区，可以划定为主要大气污染物排放总量控制区。主要大气污染物排放总量控制的具体办法由国务院规定。

大气污染物总量控制区内有关地方人民政府依照国务院规定的条件和程序，按照公开、公平、公正的原则，核定企业事业单位的主要大气污染物排放总量，核发主要大气污染物排放许可证。

有大气污染物总量控制任务的企业事业单位，必须按照核定的主要大气污染物排放总量和许可证规定的排放条件排放污染物。

**第十六条** 在国务院和省、自治区、直辖市人民政府划定的风景名胜区、自然保护区、文物保护单位附近地区和其他需要特别保护的区域内，不得建设污染环境的工业生产设施；建设其他设施，其污染物排放不得超过规定的排放标准。在本法施行前企业事业单位已经建成的设施，其污染物排放超过规定的排放标准的，依照本法第四十八条的规定限期治理。

**第十七条** 国务院按照城市总体规划、环境保护规划目标和城市大气环境质量状况，划定大气污染防治重点城市。

直辖市、省会城市、沿海开放城市和重点旅游城市应当列入大气污染防治重点城市。

未达到大气环境质量标准的大气污染防治重点城市，应当按照国务院或者国务院环境保护行政主管部门规定的期限，达到大气环境质量标准。该城市人民政府应当制定限期达标规划，并可以根据国务院的授权或者规定，采取更加严格的措施，按期实现达标规划。

**第十八条** 国务院环境保护行政主管部门会同国务院有关部门，根据气象、地形、土壤等自然条件，可以对已经产生、可能产生酸雨的地区或者其他二氧化硫污染严重的地区，经国务院批准后，划定为酸雨控制区或者二氧化硫污染控制区。

**第十九条** 企业应当优先采用能源利用效率高、污染物排放量少的清洁生产工艺，减少大气污染物的产生。

国家对严重污染大气环境的落后生产工艺和严重污染大气环境的落后设备实行淘汰制度。

国务院经济综合主管部门会同国务院有关部门公布限期禁止采用的严重污染大气环境的工艺名录和限期禁止生产、禁止销售、禁止进口、禁止使用的严重污染大气环境的设备名录。

生产者、销售者、进口者或者使用者必须在国务院经济综合主管部门会同国务院有关部门规定的期限内分别停止生产、销售、进口或者使用列入前款规定的名录中的设备。生产工艺的采用者必须在国务院经济综合主管部门会同国务院有关部门规定的期限内停止采用列入前款规定的名录中的工艺。

依照前两款规定被淘汰的设备，不得转让给他人使用。

**第二十条** 单位因发生事故或者其他突然性事件，排放和泄漏有毒有害气体和放射性物质，造成或者可能造成大气污染事故、危害人体健康的，必须立即采取防治大气污染危害的应急措施，通报可能受到大气污染危害的单位和居民，并报告当地环境保护行政主管部门，接受调查处理。

在大气受到严重污染，危害人体健康和安全的紧急情况下，当地人民政府应当及时向当地居民公告，采取强制性应急措施，包括责令有关排污单位停止排放污染物。

**第二十一条** 环境保护行政主管部门和其他监督管理部门有权对管辖范围内的排污单位进行现场检查,被检查单位必须如实反映情况,提供必要的资料。检查部门有义务为被检查单位保守技术秘密和业务秘密。

**第二十二条** 国务院环境保护行政主管部门建立大气污染监测制度,组织监测网络,制定统一的监测方法。

**第二十三条** 大、中城市人民政府环境保护行政主管部门应当定期发布大气环境质量状况公报,并逐步开展大气环境质量预报工作。

大气环境质量状况公报应当包括城市大气环境污染特征、主要污染物的种类及污染危害程度等内容。

## 第三章 防治燃煤产生的大气污染

**第二十四条** 国家推行煤炭洗选加工,降低煤的硫份和灰份,限制高硫份、高灰份煤炭的开采。新建的所采煤炭属于高硫份、高灰份的煤矿,必须建设配套的煤炭洗选设施,使煤炭中的含硫份、含灰份达到规定的标准。

对已建成的所采煤炭属于高硫份、高灰份的煤矿,应当按照国务院批准的规划,限期建成配套的煤炭洗选设施。

禁止开采含放射性和砷等有毒有害物质超过规定标准的煤炭。

**第二十五条** 国务院有关部门和地方各级人民政府应当采取措施,改进城市能源结构,推广清洁能源的生产和使用。

大气污染防治重点城市人民政府可以在本辖区内划定禁止销售、使用国务院环境保护行政主管部门规定的高污染燃料的区域。该区域内的单位和个人应当在当地人民政府规定的期限内停止燃用高污染燃料,改用天然气、液化石油气、电或者其他清洁能源。

**第二十六条** 国家采取有利于煤炭清洁利用的经济、技术政策和措施，鼓励和支持使用低硫份、低灰份的优质煤炭，鼓励和支持洁净煤技术的开发和推广。

**第二十七条** 国务院有关主管部门应当根据国家规定的锅炉大气污染物排放标准，在锅炉产品质量标准中规定相应的要求；达不到规定要求的锅炉，不得制造、销售或者进口。

**第二十八条** 城市建设应当统筹规划，在燃煤供热地区，统一解决热源，发展集中供热。在集中供热管网覆盖的地区，不得新建燃煤供热锅炉。

**第二十九条** 大、中城市人民政府应当制定规划，对饮食服务企业限期使用天然气、液化石油气、电或者其他清洁能源。

对未划定为禁止使用高污染燃料区域的大、中城市市区内的其他民用炉灶，限期改用固硫型煤或者使用其他清洁能源。

**第三十条** 新建、扩建排放二氧化硫的火电厂和其他大中型企业，超过规定的污染物排放标准或者总量控制指标的，必须建设配套脱硫、除尘装置或者采取其他控制二氧化硫排放、除尘的措施。

在酸雨控制区和二氧化硫污染控制区内，属于已建企业超过规定的污染物排放标准排放大气污染物的，依照本法第四十八条的规定限期治理。

国家鼓励企业采用先进的脱硫、除尘技术。

企业应当对燃料燃烧过程中产生的氮氧化物采取控制措施。

**第三十一条** 在人口集中地区存放煤炭、煤矸石、煤渣、煤灰、砂石、灰土等物料，必须采取防燃、防尘措施，防止污染大气。

## 第四章 防治机动车船排放污染

**第三十二条** 机动车船向大气排放污染物不得超过规定的排放标准。

任何单位和个人不得制造、销售或者进口污染物排放超过规定排放标准的机动车船。

**第三十三条** 在用机动车不符合制造当时的在用机动车污染物排放标准的，不得上路行驶。

省、自治区、直辖市人民政府规定对在用机动车实行新的污染物排放标准并对其进行改造的，须报经国务院批准。

机动车维修单位，应当按照防治大气污染的要求和国家有关技术规范进行维修，使在用机动车达到规定的污染物排放标准。

**第三十四条** 国家鼓励生产和消费使用清洁能源的机动车船。

国家鼓励和支持生产、使用优质燃料油，采取措施减少燃料油中有害物质对大气环境的污染。单位和个人应当按照国务院规定的期限，停止生产、进口、销售含铅汽油。

**第三十五条** 省、自治区、直辖市人民政府环境保护行政主管部门可以委托已取得公安机关资质认定的承担机动车年检的单位，按照规范对机动车排气污染进行年度检测。

交通、渔政等有监督管理权的部门可以委托已取得有关主管部门资质认定的承担机动船舶年检的单位，按照规范对机动船舶排气污染进行年度检测。

县级以上地方人民政府环境保护行政主管部门可以在机动车停放地对在用机动车的污染物排放状况进行监督抽测。

## 第五章 防治废气、尘和恶臭污染

**第三十六条** 向大气排放粉尘的排污单位，必须采取除尘措施。

严格限制向大气排放含有毒物质的废气和粉尘；确需排放的，必须经过净化处理，不超过规定的排放标准。

**第三十七条** 工业生产中产生的可燃性气体应当回收利用，

不具备回收利用条件而向大气排放的,应当进行防治污染处理。

向大气排放转炉气、电石气、电炉法黄磷尾气、有机烃类尾气的,须报经当地环境保护行政主管部门批准。

可燃性气体回收利用装置不能正常作业的,应当及时修复或者更新。在回收利用装置不能正常作业期间确需排放可燃性气体的,应当将排放的可燃性气体充分燃烧或者采取其他减轻大气污染的措施。

**第三十八条**　炼制石油、生产合成氨、煤气和燃煤焦化、有色金属冶炼过程中排放含有硫化物气体的,应当配备脱硫装置或者采取其他脱硫措施。

**第三十九条**　向大气排放含放射性物质的气体和气溶胶,必须符合国家有关放射性防护的规定,不得超过规定的排放标准。

**第四十条**　向大气排放恶臭气体的排污单位,必须采取措施防止周围居民区受到污染。

**第四十一条**　在人口集中地区和其他依法需要特殊保护的区域内,禁止焚烧沥青、油毡、橡胶、塑料、皮革、垃圾以及其他产生有毒有害烟尘和恶臭气体的物质。

禁止在人口集中地区、机场周围、交通干线附近以及当地人民政府划定的区域露天焚烧秸秆、落叶等产生烟尘污染的物质。

除前两款外,城市人民政府还可以根据实际情况,采取防治烟尘污染的其他措施。

**第四十二条**　运输、装卸、贮存能够散发有毒有害气体或者粉尘物质的,必须采取密闭措施或者其他防护措施。

**第四十三条**　城市人民政府应当采取绿化责任制、加强建设施工管理、扩大地面铺装面积、控制渣土堆放和清洁运输等措施,提高人均占有绿地面积,减少市区裸露地面和地面尘土,防治城市扬尘污染。

在城市市区进行建设施工或者从事其他产生扬尘污染活动的

单位，必须按照当地环境保护的规定，采取防治扬尘污染的措施。

国务院有关行政主管部门应当将城市扬尘污染的控制状况作为城市环境综合整治考核的依据之一。

**第四十四条** 城市饮食服务业的经营者，必须采取措施，防治油烟对附近居民的居住环境造成污染。

**第四十五条** 国家鼓励、支持消耗臭氧层物质替代品的生产和使用，逐步减少消耗臭氧层物质的产量，直至停止消耗臭氧层物质的生产和使用。

在国家规定的期限内，生产、进口消耗臭氧层物质的单位必须按照国务院有关行政主管部门核定的配额进行生产、进口。

## 第六章 法律责任

**第四十六条** 违反本法规定，有下列行为之一的，环境保护行政主管部门或者本法第四条第二款规定的监督管理部门可以根据不同情节，责令停止违法行为，限期改正，给予警告或者处以五万元以下罚款：

（一）拒报或者谎报国务院环境保护行政主管部门规定的有关污染物排放申报事项的；

（二）拒绝环境保护行政主管部门或者其他监督管理部门现场检查或者在被检查时弄虚作假的；

（三）排污单位不正常使用大气污染物处理设施，或者未经环境保护行政主管部门批准，擅自拆除、闲置大气污染物处理设施的；

（四）未采取防燃、防尘措施，在人口集中地区存放煤炭、煤矸石、煤渣、煤灰、砂石、灰土等物料的。

**第四十七条** 违反本法第十一条规定，建设项目的大气污染防治设施没有建成或者没有达到国家有关建设项目环境保护管理的规定的要求，投入生产或者使用的，由审批该建设项目的环境影响报告书的环境保护行政主管部门责令停止生产或者使用，可以并处一万元以上十万元以下罚款。

**第四十八条**　违反本法规定，向大气排放污染物超过国家和地方规定排放标准的，应当限期治理，并由所在地县级以上地方人民政府环境保护行政主管部门处一万元以上十万元以下罚款。限期治理的决定权限和违反限期治理要求的行政处罚由国务院规定。

**第四十九条**　违反本法第十九条规定，生产、销售、进口或者使用禁止生产、销售、进口、使用的设备，或者采用禁止采用的工艺的，由县级以上人民政府经济综合主管部门责令改正；情节严重的，由县级以上人民政府经济综合主管部门提出意见，报请同级人民政府按照国务院规定的权限责令停业、关闭。

将淘汰的设备转让给他人使用的，由转让者所在地县级以上地方人民政府环境保护行政主管部门或者其他依法行使监督管理权的部门没收转让者的违法所得，并处违法所得两倍以下罚款。

**第五十条**　违反本法第二十四条第三款规定，开采含放射性和砷等有毒有害物质超过规定标准的煤炭的，由县级以上人民政府按照国务院规定的权限责令关闭。

**第五十一条**　违反本法第二十五条第二款或者第二十九条第一款的规定，在当地人民政府规定的期限届满后继续燃用高污染燃料的，由所在地县级以上地方人民政府环境保护行政主管部门责令拆除或者没收燃用高污染燃料的设施。

**第五十二条**　违反本法第二十八条规定，在城市集中供热管网覆盖地区新建燃煤供热锅炉的，由县级以上地方人民政府环境保护行政主管部门责令停止违法行为或者限期改正，可以处五万元以下罚款。

**第五十三条**　违反本法第三十二条规定，制造、销售或者进口超过污染物排放标准的机动车船的，由依法行使监督管理权的部门责令停止违法行为,没收违法所得,可以并处违法所得一倍以下的罚款;对无法达到规定的污染物排放标准的机动车船,没收销毁。

**第五十四条** 违反本法第三十四条第二款规定,未按照国务院规定的期限停止生产、进口或者销售含铅汽油的,由所在地县级以上地方人民政府环境保护行政主管部门或者其他依法行使监督管理权的部门责令停止违法行为,没收所生产、进口、销售的含铅汽油和违法所得。

**第五十五条** 违反本法第三十五条第一款或者第二款规定,未取得所在地省、自治区、直辖市人民政府环境保护行政主管部门或者交通、渔政等依法行使监督管理权的部门的委托进行机动车船排气污染检测的,或者在检测中弄虚作假的,由县级以上人民政府环境保护行政主管部门或者交通、渔政等依法行使监督管理权的部门责令停止违法行为,限期改正,可以处五万元以下罚款;情节严重的,由负责资质认定的部门取消承担机动车船年检的资格。

**第五十六条** 违反本法规定,有下列行为之一的,由县级以上地方人民政府环境保护行政主管部门或者其他依法行使监督管理权的部门责令停止违法行为,限期改正,可以处五万元以下罚款:

(一)未采取有效污染防治措施,向大气排放粉尘、恶臭气体或者其他含有有毒物质气体的;

(二)未经当地环境保护行政主管部门批准,向大气排放转炉气、电石气、电炉法黄磷尾气、有机烃类尾气的;

(三)未采取密闭措施或者其他防护措施,运输、装卸或者贮存能够散发有毒有害气体或者粉尘物质的;

(四)城市饮食服务业的经营者未采取有效污染防治措施,致使排放的油烟对附近居民的居住环境造成污染的。

**第五十七条** 违反本法第四十一条第一款规定,在人口集中地区和其他依法需要特殊保护的区域内,焚烧沥青、油毡、橡胶、塑料、皮革、垃圾以及其他产生有毒有害烟尘和恶臭气体的物质的，由所在地县级以上地方人民政府环境保护行政主管部门责令停止违法行为，处二万元以下罚款。

违反本法第四十一条第二款规定，在人口集中地区、机场周围、交通干线附近以及当地人民政府划定的区域内露天焚烧秸秆、落叶等产生烟尘污染的物质的，由所在地县级以上地方人民政府环境保护行政主管部门责令停止违法行为；情节严重的，可以处二百元以下罚款。

**第五十八条** 违反本法第四十三条第二款规定，在城市市区进行建设施工或者从事其他产生扬尘污染的活动，未采取有效扬尘防治措施，致使大气环境受到污染的，限期改正，处二万元以下罚款；对逾期仍未达到当地环境保护规定要求的，可以责令其停工整顿。

前款规定的对因建设施工造成扬尘污染的处罚，由县级以上地方人民政府建设行政主管部门决定；对其他造成扬尘污染的处罚，由县级以上地方人民政府指定的有关主管部门决定。

**第五十九条** 违反本法第四十五条第二款规定，在国家规定的期限内，生产或者进口消耗臭氧层物质超过国务院有关行政主管部门核定配额的，由所在地省、自治区、直辖市人民政府有关行政主管部门处二万元以上二十万元以下罚款；情节严重的，由国务院有关行政主管部门取消生产、进口配额。

**第六十条** 违反本法规定，有下列行为之一的，由县级以上人民政府环境保护行政主管部门责令限期建设配套设施，可以处二万元以上二十万元以下罚款：

（一）新建的所采煤炭属于高硫份、高灰份的煤矿，不按照国家有关规定建设配套的煤炭洗选设施的；

（二）排放含有硫化物气体的石油炼制、合成氨生产、煤气和燃煤焦化以及有色金属冶炼的企业，不按照国家有关规定建设配套脱硫装置或者未采取其他脱硫措施的。

**第六十一条**　对违反本法规定，造成大气污染事故的企业事业单位，由所在地县级以上地方人民政府环境保护行政主管部门根据所造成的危害后果处直接经济损失百分之五十以下罚款，但最高不超过五十万元；情节较重的，对直接负责的主管人员和其他直接责任人员，由所在单位或者上级主管机关依法给予行政处分或者纪律处分；造成重大大气污染事故，导致公私财产重大损失或者人身伤亡的严重后果，构成犯罪的，依法追究刑事责任。

**第六十二条**　造成大气污染危害的单位，有责任排除危害，并对直接遭受损失的单位或者个人赔偿损失。

赔偿责任和赔偿金额的纠纷，可以根据当事人的请求，由环境保护行政主管部门调解处理；调解不成的，当事人可以向人民法院起诉。当事人也可以直接向人民法院起诉。

**第六十三条**　完全由于不可抗拒的自然灾害，并经及时采取合理措施，仍然不能避免造成大气污染损失的，免于承担责任。

**第六十四条**　环境保护行政主管部门或者其他有关部门违反本法第十四条第三款的规定，将征收的排污费挪作他用的，由审计机关或者监察机关责令退回挪用款项或者采取其他措施予以追回，对直接负责的主管人员和其他直接责任人员依法给予行政处分。

**第六十五条**　环境保护监督管理人员滥用职权、玩忽职守的，给予行政处分；构成犯罪的，依法追究刑事责任。

## 第七章　附　　则

**第六十六条**　本法自 2000 年 9 月 1 日起施行。

# 中华人民共和国水污染防治法

（1984 年 5 月 11 日第六届全国人民代表大会常务委员会第五次会议通过　根据 1996 年 5 月 15 日第八届全国人民代表大会常务委员会第十九次会议《关于修改〈中华人民共和国水污染防治法〉的决定》修正　2008 年 2 月 28 日第十届全国人民代表大会常务委员会第三十二次会议修订）

## 目　　录

## 第一章 总 则

**第一条** 为了防治水污染，保护和改善环境，保障饮用水安全，促进经济社会全面协调可持续发展，制定本法。

**第二条** 本法适用于中华人民共和国领域内的江河、湖泊、运河、渠道、水库等地表水体以及地下水体的污染防治。

海洋污染防治适用《中华人民共和国海洋环境保护法》。

**第三条** 水污染防治应当坚持预防为主、防治结合、综合治理的原则，优先保护饮用水水源，严格控制工业污染、城镇生活污染，防治农业面源污染，积极推进生态治理工程建设，预防、控制和减少水环境污染和生态破坏。

**第四条** 县级以上人民政府应当将水环境保护工作纳入国民经济和社会发展规划。

县级以上地方人民政府应当采取防治水污染的对策和措施，对本行政区域的水环境质量负责。

**第五条** 国家实行水环境保护目标责任制和考核评价制度，将水环境保护目标完成情况作为对地方人民政府及其负责人考核评价的内容。

**第六条** 国家鼓励、支持水污染防治的科学技术研究和先进适用技术的推广应用，加强水环境保护的宣传教育。

**第七条** 国家通过财政转移支付等方式，建立健全对位于饮用水水源保护区区域和江河、湖泊、水库上游地区的水环境生态保护补偿机制。

**第八条** 县级以上人民政府环境保护主管部门对水污染防治实施统一监督管理。

交通主管部门的海事管理机构对船舶污染水域的防治实施监督管理。

县级以上人民政府水行政、国土资源、卫生、建设、农业、渔业等部门以及重要江河、湖泊的流域水资源保护机构，在各自的职责范围内，对有关水污染防治实施监督管理。

**第九条**　排放水污染物，不得超过国家或者地方规定的水污染物排放标准和重点水污染物排放总量控制指标。

**第十条**　任何单位和个人都有义务保护水环境，并有权对污染损害水环境的行为进行检举。

县级以上人民政府及其有关主管部门对在水污染防治工作中做出显著成绩的单位和个人给予表彰和奖励。

## 第二章　水污染防治的标准和规划

**第十一条**　国务院环境保护主管部门制定国家水环境质量标准。

省、自治区、直辖市人民政府可以对国家水环境质量标准中未作规定的项目，制定地方标准，并报国务院环境保护主管部门备案。

**第十二条**　国务院环境保护主管部门会同国务院水行政主管部门和有关省、自治区、直辖市人民政府，可以根据国家确定的重要江河、湖泊流域水体的使用功能以及有关地区的经济、技术条件，确定该重要江河、湖泊流域的省界水体适用的水环境质量标准，报国务院批准后施行。

**第十三条**　国务院环境保护主管部门根据国家水环境质量标准和国家经济、技术条件，制定国家水污染物排放标准。

省、自治区、直辖市人民政府对国家水污染物排放标准中未作规定的项目，可以制定地方水污染物排放标准；对国家水污染物排放标准中已作规定的项目，可以制定严于国家水污染物排放标准的地方水污染物排放标准。地方水污染物排放标准须报国务院环境保护主管部门备案。

向已有地方水污染物排放标准的水体排放污染物的，应当执行地方水污染物排放标准。

**第十四条** 国务院环境保护主管部门和省、自治区、直辖市人民政府,应当根据水污染防治的要求和国家或者地方的经济、技术条件,适时修订水环境质量标准和水污染物排放标准。

**第十五条** 防治水污染应当按流域或者按区域进行统一规划。国家确定的重要江河、湖泊的流域水污染防治规划,由国务院环境保护主管部门会同国务院经济综合宏观调控、水行政等部门和有关省、自治区、直辖市人民政府编制,报国务院批准。

前款规定外的其他跨省、自治区、直辖市江河、湖泊的流域水污染防治规划,根据国家确定的重要江河、湖泊的流域水污染防治规划和本地实际情况,由有关省、自治区、直辖市人民政府环境保护主管部门会同同级水行政等部门和有关市、县人民政府编制,经有关省、自治区、直辖市人民政府审核,报国务院批准。

省、自治区、直辖市内跨县江河、湖泊的流域水污染防治规划,根据国家确定的重要江河、湖泊的流域水污染防治规划和本地实际情况,由省、自治区、直辖市人民政府环境保护主管部门会同同级水行政等部门编制,报省、自治区、直辖市人民政府批准,并报国务院备案。

经批准的水污染防治规划是防治水污染的基本依据,规划的修订须经原批准机关批准。

县级以上地方人民政府应当根据依法批准的江河、湖泊的流域水污染防治规划,组织制定本行政区域的水污染防治规划。

**第十六条** 国务院有关部门和县级以上地方人民政府开发、利用和调节、调度水资源时,应当统筹兼顾,维持江河的合理流量和湖泊、水库以及地下水体的合理水位,维护水体的生态功能。

## 第三章 水污染防治的监督管理

**第十七条** 新建、改建、扩建直接或者间接向水体排放污染物的建设项目和其他水上设施，应当依法进行环境影响评价。

建设单位在江河、湖泊新建、改建、扩建排污口的，应当取得水行政主管部门或者流域管理机构同意；涉及通航、渔业水域的，环境保护主管部门在审批环境影响评价文件时，应当征求交通、渔业主管部门的意见。

建设项目的水污染防治设施，应当与主体工程同时设计、同时施工、同时投入使用。水污染防治设施应当经过环境保护主管部门验收，验收不合格的，该建设项目不得投入生产或者使用。

**第十八条**　国家对重点水污染物排放实施总量控制制度。

省、自治区、直辖市人民政府应当按照国务院的规定削减和控制本行政区域的重点水污染物排放总量，并将重点水污染物排放总量控制指标分解落实到市、县人民政府。市、县人民政府根据本行政区域重点水污染物排放总量控制指标的要求，将重点水污染物排放总量控制指标分解落实到排污单位。具体办法和实施步骤由国务院规定。

省、自治区、直辖市人民政府可以根据本行政区域水环境质量状况和水污染防治工作的需要，确定本行政区域实施总量削减和控制的重点水污染物。

对超过重点水污染物排放总量控制指标的地区，有关人民政府环境保护主管部门应当暂停审批新增重点水污染物排放总量的建设项目的环境影响评价文件。

**第十九条**　国务院环境保护主管部门对未按照要求完成重点水污染物排放总量控制指标的省、自治区、直辖市予以公布。省、自治区、直辖市人民政府环境保护主管部门对未按照要求完成重点水污染物排放总量控制指标的市、县予以公布。

县级以上人民政府环境保护主管部门对违反本法规定、严重污染水环境的企业予以公布。

**第二十条**　国家实行排污许可制度。

直接或者间接向水体排放工业废水和医疗污水以及其他按照规定应当取得排污许可证方可排放的废水、污水的企业事业单位，应当取得排污许可证；城镇污水集中处理设施的运营单位，也应当取得排污许可证。排污许可的具体办法和实施步骤由国务院规定。

禁止企业事业单位无排污许可证或者违反排污许可证的规定向水体排放前款规定的废水、污水。

**第二十一条** 直接或者间接向水体排放污染物的企业事业单位和个体工商户，应当按照国务院环境保护主管部门的规定，向县级以上地方人民政府环境保护主管部门申报登记拥有的水污染物排放设施、处理设施和在正常作业条件下排放水污染物的种类、数量和浓度，并提供防治水污染方面的有关技术资料。

企业事业单位和个体工商户排放水污染物的种类、数量和浓度有重大改变的，应当及时申报登记；其水污染物处理设施应当保持正常使用；拆除或者闲置水污染物处理设施的，应当事先报县级以上地方人民政府环境保护主管部门批准。

**第二十二条** 向水体排放污染物的企业事业单位和个体工商户，应当按照法律、行政法规和国务院环境保护主管部门的规定设置排污口；在江河、湖泊设置排污口的，还应当遵守国务院水行政主管部门的规定。

禁止私设暗管或者采取其他规避监管的方式排放水污染物。

**第二十三条** 重点排污单位应当安装水污染物排放自动监测设备，与环境保护主管部门的监控设备联网，并保证监测设备正常运行。排放工业废水的企业，应当对其所排放的工业废水进行监测，并保存原始监测记录。具体办法由国务院环境保护主管部门规定。

应当安装水污染物排放自动监测设备的重点排污单位名录，由设区的市级以上地方人民政府环境保护主管部门根据本行政区域的环境容量、重点水污染物排放总量控制指标的要求以及排污单位排放水污染物的种类、数量和浓度等因素，商同级有关部门确定。

**第二十四条** 直接向水体排放污染物的企业事业单位和个体工商户，应当按照排放水污染物的种类、数量和排污费征收标准缴纳排污费。

排污费应当用于污染的防治，不得挪作他用。

**第二十五条** 国家建立水环境质量监测和水污染物排放监测制度。国务院环境保护主管部门负责制定水环境监测规范，统一发布国家水环境状况信息，会同国务院水行政等部门组织监测网络。

**第二十六条** 国家确定的重要江河、湖泊流域的水资源保护工作机构负责监测其所在流域的省界水体的水环境质量状况，并将监测结果及时报国务院环境保护主管部门和国务院水行政主管部门；有经国务院批准成立的流域水资源保护领导机构的，应当将监测结果及时报告流域水资源保护领导机构。

**第二十七条** 环境保护主管部门和其他依照本法规定行使监督管理权的部门，有权对管辖范围内的排污单位进行现场检查，被检查的单位应当如实反映情况，提供必要的资料。检查机关有义务为被检查的单位保守在检查中获取的商业秘密。

**第二十八条** 跨行政区域的水污染纠纷，由有关地方人民政府协商解决，或者由其共同的上级人民政府协调解决。

## 第四章 水污染防治措施

### 第一节 一般规定

**第二十九条** 禁止向水体排放油类、酸液、碱液或者剧毒废液。

禁止在水体清洗装贮过油类或者有毒污染物的车辆和容器。

**第三十条** 禁止向水体排放、倾倒放射性固体废物或者含有高放射性和中放射性物质的废水。

向水体排放含低放射性物质的废水，应当符合国家有关放射性污染防治的规定和标准。

**第三十一条** 向水体排放含热废水，应当采取措施，保证水体的水温符合水环境质量标准。

**第三十二条** 含病原体的污水应当经过消毒处理；符合国家有关标准后，方可排放。

**第三十三条** 禁止向水体排放、倾倒工业废渣、城镇垃圾和其他废弃物。

禁止将含有汞、镉、砷、铬、铅、氰化物、黄磷等的可溶性剧毒废渣向水体排放、倾倒或者直接埋入地下。

存放可溶性剧毒废渣的场所，应当采取防水、防渗漏、防流失的措施。

**第三十四条** 禁止在江河、湖泊、运河、渠道、水库最高水位线以下的滩地和岸坡堆放、存贮固体废弃物和其他污染物。

**第三十五条** 禁止利用渗井、渗坑、裂隙和溶洞排放、倾倒含有毒污染物的废水、含病原体的污水和其他废弃物。

**第三十六条** 禁止利用无防渗漏措施的沟渠、坑塘等输送或者存贮含有毒污染物的废水、含病原体的污水和其他废弃物。

**第三十七条** 多层地下水的含水层水质差异大的，应当分层开采；对已受污染的潜水和承压水，不得混合开采。

**第三十八条** 兴建地下工程设施或者进行地下勘探、采矿等活动，应当采取防护性措施，防止地下水污染。

**第三十九条** 人工回灌补给地下水，不得恶化地下水质。

### 第二节 工业水污染防治

**第四十条** 国务院有关部门和县级以上地方人民政府应当合理规划工业布局，要求造成水污染的企业进行技术改造，采取综合防治措施，提高水的重复利用率，减少废水和污染物排放量。

**第四十一条** 国家对严重污染水环境的落后工艺和设备实行淘汰制度。

国务院经济综合宏观调控部门会同国务院有关部门，公布限期禁止采用的严重污染水环境的工艺名录和限期禁止生产、销售、进口、使用的严重污染水环境的设备名录。

生产者、销售者、进口者或者使用者应当在规定的期限内停止生产、销售、进口或者使用列入前款规定的设备名录中的设备。工艺的采用者应当在规定的期限内停止采用列入前款规定的工艺名录中的工艺。

依照本条第二款、第三款规定被淘汰的设备，不得转让给他人使用。

**第四十二条** 国家禁止新建不符合国家产业政策的小型造纸、制革、印染、染料、炼焦、炼硫、炼砷、炼汞、炼油、电镀、农药、石棉、水泥、玻璃、钢铁、火电以及其他严重污染水环境的生产项目。

**第四十三条** 企业应当采用原材料利用效率高、污染物排放量少的清洁工艺，并加强管理，减少水污染物的产生。

## 第三节 城镇水污染防治

**第四十四条** 城镇污水应当集中处理。

县级以上地方人民政府应当通过财政预算和其他渠道筹集资金，统筹安排建设城镇污水集中处理设施及配套管网，提高本行政区域城镇污水的收集率和处理率。

国务院建设主管部门应当会同国务院经济综合宏观调控、环境保护主管部门，根据城乡规划和水污染防治规划，组织编制全国城镇污水处理设施建设规划。县级以上地方人民政府组织建设、经济综合宏观调控、环境保护、水行政等部门编制本行政区域的城镇污水处理设施建设规划。县级以上地方人民政府建设主管部门应当按照城镇污水处理设施建设规划，组织建设城镇污水集中处理设施及配套管网，并加强对城镇污水集中处理设施运营的监督管理。

城镇污水集中处理设施的运营单位按照国家规定向排污者提供污水处理的有偿服务，收取污水处理费用，保证污水集中处理设施的正常运行。向城镇污水集中处理设施排放污水、缴纳污水处理费用的，不再缴纳排污费。收取的污水处理费用应当用于城镇污水集中处理设施的建设和运行，不得挪作他用。

城镇污水集中处理设施的污水处理收费、管理以及使用的具体办法，由国务院规定。

**第四十五条** 向城镇污水集中处理设施排放水污染物，应当符合国家或者地方规定的水污染物排放标准。

城镇污水集中处理设施的出水水质达到国家或者地方规定的水污染物排放标准的，可以按照国家有关规定免缴排污费。

城镇污水集中处理设施的运营单位，应当对城镇污水集中处理设施的出水水质负责。

环境保护主管部门应当对城镇污水集中处理设施的出水水质和水量进行监督检查。

**第四十六条** 建设生活垃圾填埋场，应当采取防渗漏等措施，防止造成水污染。

### 第四节 农业和农村水污染防治

**第四十七条** 使用农药，应当符合国家有关农药安全使用的规定和标准。

运输、存贮农药和处置过期失效农药，应当加强管理，防止造成水污染。

**第四十八条** 县级以上地方人民政府农业主管部门和其他有关部门，应当采取措施，指导农业生产者科学、合理地施用化肥和农药，控制化肥和农药的过量使用，防止造成水污染。

**第四十九条**　国家支持畜禽养殖场、养殖小区建设畜禽粪便、废水的综合利用或者无害化处理设施。

畜禽养殖场、养殖小区应当保证其畜禽粪便、废水的综合利用或者无害化处理设施正常运转，保证污水达标排放，防止污染水环境。

**第五十条**　从事水产养殖应当保护水域生态环境，科学确定养殖密度，合理投饵和使用药物，防止污染水环境。

**第五十一条**　向农田灌溉渠道排放工业废水和城镇污水，应当保证其下游最近的灌溉取水点的水质符合农田灌溉水质标准。

利用工业废水和城镇污水进行灌溉，应当防止污染土壤、地下水和农产品。

## 第五节　船舶水污染防治

**第五十二条**　船舶排放含油污水、生活污水，应当符合船舶污染物排放标准。从事海洋航运的船舶进入内河和港口的，应当遵守内河的船舶污染物排放标准。

船舶的残油、废油应当回收，禁止排入水体。

禁止向水体倾倒船舶垃圾。

船舶装载运输油类或者有毒货物，应当采取防止溢流和渗漏的措施，防止货物落水造成水污染。

**第五十三条**　船舶应当按照国家有关规定配置相应的防污设备和器材，并持有合法有效的防止水域环境污染的证书与文书。

船舶进行涉及污染物排放的作业，应当严格遵守操作规程，并在相应的记录簿上如实记载。

**第五十四条**　港口、码头、装卸站和船舶修造厂应当备有足够的船舶污染物、废弃物的接收设施。从事船舶污染物、废弃物接收作业，或者从事装载油类、污染危害性货物船舱清洗作业的单位，应当具备与其运营规模相适应的接收处理能力。

**第五十五条** 船舶进行下列活动,应当编制作业方案,采取有效的安全和防污染措施,并报作业地海事管理机构批准:

(一)进行残油、含油污水、污染危害性货物残留物的接收作业,或者进行装载油类、污染危害性货物船舱的清洗作业;

(二)进行散装液体污染危害性货物的过驳作业;

(三)进行船舶水上拆解、打捞或者其他水上、水下船舶施工作业。

在渔港水域进行渔业船舶水上拆解活动,应当报作业地渔业主管部门批准。

## 第五章 饮用水水源和其他特殊水体保护

**第五十六条** 国家建立饮用水水源保护区制度。饮用水水源保护区分为一级保护区和二级保护区;必要时,可以在饮用水水源保护区外围划定一定的区域作为准保护区。

饮用水水源保护区的划定,由有关市、县人民政府提出划定方案,报省、自治区、直辖市人民政府批准;跨市、县饮用水水源保护区的划定,由有关市、县人民政府协商提出划定方案,报省、自治区、直辖市人民政府批准;协商不成的,由省、自治区、直辖市人民政府环境保护主管部门会同同级水行政、国土资源、卫生、建设等部门提出划定方案,征求同级有关部门的意见后,报省、自治区、直辖市人民政府批准。

跨省、自治区、直辖市的饮用水水源保护区,由有关省、自治区、直辖市人民政府商有关流域管理机构划定;协商不成的,由国务院环境保护主管部门会同同级水行政、国土资源、卫生、建设等部门提出划定方案,征求国务院有关部门的意见后,报国务院批准。

国务院和省、自治区、直辖市人民政府可以根据保护饮用水水源的实际需要,调整饮用水水源保护区的范围,确保饮用水安全。有关地方人民政府应当在饮用水水源保护区的边界设立明确的地理界标和明显的警示标志。

**第五十七条** 在饮用水水源保护区内,禁止设置排污口。

**第五十八条** 禁止在饮用水水源一级保护区内新建、改建、扩建与供水设施和保护水源无关的建设项目;已建成的与供水设施和保护水源无关的建设项目,由县级以上人民政府责令拆除或者关闭。

禁止在饮用水水源一级保护区内从事网箱养殖、旅游、游泳、垂钓或者其他可能污染饮用水水体的活动。

**第五十九条** 禁止在饮用水水源二级保护区内新建、改建、扩建排放污染物的建设项目;已建成的排放污染物的建设项目,由县级以上人民政府责令拆除或者关闭。

在饮用水水源二级保护区内从事网箱养殖、旅游等活动的,应当按照规定采取措施,防止污染饮用水水体。

**第六十条** 禁止在饮用水水源准保护区内新建、扩建对水体污染严重的建设项目;改建建设项目,不得增加排污量。

**第六十一条** 县级以上地方人民政府应当根据保护饮用水水源的实际需要,在准保护区内采取工程措施或者建造湿地、水源涵养林等生态保护措施,防止水污染物直接排入饮用水水体,确保饮用水安全。

**第六十二条** 饮用水水源受到污染可能威胁供水安全的,环境保护主管部门应当责令有关企业事业单位采取停止或者减少排放水污染物等措施。

**第六十三条** 国务院和省、自治区、直辖市人民政府根据水环境保护的需要,可以规定在饮用水水源保护区内,采取禁止或者限制使用含磷洗涤剂、化肥、农药以及限制种植养殖等措施。

**第六十四条** 县级以上人民政府可以对风景名胜区水体、重要渔业水体和其他具有特殊经济文化价值的水体划定保护区，并采取措施，保证保护区的水质符合规定用途的水环境质量标准。

**第六十五条** 在风景名胜区水体、重要渔业水体和其他具有特殊经济文化价值的水体的保护区内，不得新建排污口。在保护区附近新建排污口，应当保证保护区水体不受污染。

## 第六章 水污染事故处置

**第六十六条** 各级人民政府及其有关部门，可能发生水污染事故的企业事业单位，应当依照《中华人民共和国突发事件应对法》的规定，做好突发水污染事故的应急准备、应急处置和事后恢复等工作。

**第六十七条** 可能发生水污染事故的企业事业单位，应当制定有关水污染事故的应急方案，做好应急准备，并定期进行演练。

生产、储存危险化学品的企业事业单位，应当采取措施，防止在处理安全生产事故过程中产生的可能严重污染水体的消防废水、废液直接排入水体。

**第六十八条** 企业事业单位发生事故或者其他突发性事件，造成或者可能造成水污染事故的，应当立即启动本单位的应急方案，采取应急措施，并向事故发生地的县级以上地方人民政府或者环境保护主管部门报告。环境保护主管部门接到报告后，应当及时向本级人民政府报告，并抄送有关部门。

造成渔业污染事故或者渔业船舶造成水污染事故的，应当向事故发生地的渔业主管部门报告，接受调查处理。其他船舶造成水污染事故的，应当向事故发生地的海事管理机构报告，接受调查处理；给渔业造成损害的，海事管理机构应当通知渔业主管部门参与调查处理。

## 第七章 法律责任

**第六十九条** 环境保护主管部门或者其他依照本法规定行使

监督管理权的部门,不依法作出行政许可或者办理批准文件的,发现违法行为或者接到对违法行为的举报后不予查处的,或者有其他未依照本法规定履行职责的行为的,对直接负责的主管人员和其他直接责任人员依法给予处分。

**第七十条** 拒绝环境保护主管部门或者其他依照本法规定行使监督管理权的部门的监督检查,或者在接受监督检查时弄虚作假的,由县级以上人民政府环境保护主管部门或者其他依照本法规定行使监督管理权的部门责令改正,处一万元以上十万元以下的罚款。

**第七十一条** 违反本法规定,建设项目的水污染防治设施未建成、未经验收或者验收不合格,主体工程即投入生产或者使用的,由县级以上人民政府环境保护主管部门责令停止生产或者使用,直至验收合格,处五万元以上五十万元以下的罚款。

**第七十二条** 违反本法规定,有下列行为之一的,由县级以上人民政府环境保护主管部门责令限期改正;逾期不改正的,处一万元以上十万元以下的罚款:

(一)拒报或者谎报国务院环境保护主管部门规定的有关水污染物排放申报登记事项的;

(二)未按照规定安装水污染物排放自动监测设备或者未按照规定与环境保护主管部门的监控设备联网,并保证监测设备正常运行的;

(三)未按照规定对所排放的工业废水进行监测并保存原始监测记录的。

**第七十三条** 违反本法规定,不正常使用水污染物处理设施,或者未经环境保护主管部门批准拆除、闲置水污染物处理设施的,由县级以上人民政府环境保护主管部门责令限期改正,处应缴纳排污费数额一倍以上三倍以下的罚款。

**第七十四条** 违反本法规定,排放水污染物超过国家或者地方规定的水污染物排放标准，或者超过重点水污染物排放总量控制指标的，由县级以上人民政府环境保护主管部门按照权限责令限期治理，处应缴纳排污费数额二倍以上五倍以下的罚款。

限期治理期间，由环境保护主管部门责令限制生产、限制排放或者停产整治。限期治理的期限最长不超过一年；逾期未完成治理任务的，报经有批准权的人民政府批准，责令关闭。

**第七十五条** 在饮用水水源保护区内设置排污口的，由县级以上地方人民政府责令限期拆除，处十万元以上五十万元以下的罚款；逾期不拆除的，强制拆除，所需费用由违法者承担，处五十万元以上一百万元以下的罚款，并可以责令停产整顿。

除前款规定外，违反法律、行政法规和国务院环境保护主管部门的规定设置排污口或者私设暗管的，由县级以上地方人民政府环境保护主管部门责令限期拆除，处二万元以上十万元以下的罚款；逾期不拆除的，强制拆除，所需费用由违法者承担，处十万元以上五十万元以下的罚款；私设暗管或者有其他严重情节的，县级以上地方人民政府环境保护主管部门可以提请县级以上地方人民政府责令停产整顿。

未经水行政主管部门或者流域管理机构同意，在江河、湖泊新建、改建、扩建排污口的，由县级以上人民政府水行政主管部门或者流域管理机构依据职权，依照前款规定采取措施、给予处罚。

**第七十六条** 有下列行为之一的，由县级以上地方人民政府环境保护主管部门责令停止违法行为，限期采取治理措施，消除污染，处以罚款；逾期不采取治理措施的，环境保护主管部门可以指定有治理能力的单位代为治理，所需费用由违法者承担：

（一）向水体排放油类、酸液、碱液的；

（二）向水体排放剧毒废液，或者将含有汞、镉、砷、铬、铅、氰化物、黄磷等的可溶性剧毒废渣向水体排放、倾倒或者直接埋入地下的；

（三）在水体清洗装贮过油类、有毒污染物的车辆或者容器的；

（四）向水体排放、倾倒工业废渣、城镇垃圾或者其他废弃物，或者在江河、湖泊、运河、渠道、水库最高水位线以下的滩地、岸坡堆放、存贮固体废弃物或者其他污染物的；

（五）向水体排放、倾倒放射性固体废物或者含有高放射性、中放射性物质的废水的；

（六）违反国家有关规定或者标准，向水体排放含低放射性物质的废水、热废水或者含病原体的污水的；

（七）利用渗井、渗坑、裂隙或者溶洞排放、倾倒含有毒污染物的废水、含病原体的污水或者其他废弃物的；

（八）利用无防渗漏措施的沟渠、坑塘等输送或者存贮含有毒污染物的废水、含病原体的污水或者其他废弃物的。

有前款第三项、第六项行为之一的，处一万元以上十万元以下的罚款；有前款第一项、第四项、第八项行为之一的，处二万元以上二十万元以下的罚款；有前款第二项、第五项、第七项行为之一的，处五万元以上五十万元以下的罚款。

**第七十七条** 违反本法规定，生产、销售、进口或者使用列入禁止生产、销售、进口、使用的严重污染水环境的设备名录中的设备，或者采用列入禁止采用的严重污染水环境的工艺名录中的工艺的，由县级以上人民政府经济综合宏观调控部门责令改正，处五万元以上二十万元以下的罚款；情节严重的，由县级以上人民政府经济综合宏观调控部门提出意见，报请本级人民政府责令停业、关闭。

**第七十八条** 违反本法规定，建设不符合国家产业政策的小型造纸、制革、印染、染料、炼焦、炼硫、炼砷、炼汞、炼油、电镀、农药、石棉、水泥、玻璃、钢铁、火电以及其他严重污染水环境的生产项目的，由所在地的市、县人民政府责令关闭。

**第七十九条** 船舶未配置相应的防污染设备和器材，或者未持有合法有效的防止水域环境污染的证书与文书的，由海事管理机构、渔业主管部门按照职责分工责令限期改正，处二千元以上二万元以下的罚款；逾期不改正的，责令船舶临时停航。

船舶进行涉及污染物排放的作业，未遵守操作规程或者未在相应的记录簿上如实记载的，由海事管理机构、渔业主管部门按照职责分工责令改正，处二千元以上二万元以下的罚款。

**第八十条** 违反本法规定，有下列行为之一的，由海事管理机构、渔业主管部门按照职责分工责令停止违法行为，处以罚款；造成水污染的，责令限期采取治理措施，消除污染；逾期不采取治理措施的，海事管理机构、渔业主管部门按照职责分工可以指定有治理能力的单位代为治理，所需费用由船舶承担：

（一）向水体倾倒船舶垃圾或者排放船舶的残油、废油的；

（二）未经作业地海事管理机构批准，船舶进行残油、含油污水、污染危害性货物残留物的接收作业，或者进行装载油类、污染危害性货物船舱的清洗作业，或者进行散装液体污染危害性货物的过驳作业的；

（三）未经作业地海事管理机构批准，进行船舶水上拆解、打捞或者其他水上、水下船舶施工作业的；

（四）未经作业地渔业主管部门批准，在渔港水域进行渔业船舶水上拆解的。

有前款第一项、第二项、第四项行为之一的，处五千元以上五万元以下的罚款；有前款第三项行为的，处一万元以上十万元以下的罚款。

**第八十一条** 有下列行为之一的，由县级以上地方人民政府环境保护主管部门责令停止违法行为，处十万元以上五十万元以下的罚款；并报经有批准权的人民政府批准，责令拆除或者关闭：

（一）在饮用水水源一级保护区内新建、改建、扩建与供水设施和保护水源无关的建设项目的；

（二）在饮用水水源二级保护区内新建、改建、扩建排放污染物的建设项目的；

（三）在饮用水水源准保护区内新建、扩建对水体污染严重的建设项目，或者改建建设项目增加排污量的。

在饮用水水源一级保护区内从事网箱养殖或者组织进行旅游、垂钓或者其他可能污染饮用水水体的活动的，由县级以上地方人民政府环境保护主管部门责令停止违法行为，处二万元以上十万元以下的罚款。个人在饮用水水源一级保护区内游泳、垂钓或者从事其他可能污染饮用水水体的活动的，由县级以上地方人民政府环境保护主管部门责令停止违法行为，可以处五百元以下的罚款。

**第八十二条** 企业事业单位有下列行为之一的，由县级以上人民政府环境保护主管部门责令改正；情节严重的，处二万元以上十万元以下的罚款：

（一）不按照规定制定水污染事故的应急方案的；

（二）水污染事故发生后，未及时启动水污染事故的应急方案，采取有关应急措施的。

**第八十三条** 企业事业单位违反本法规定，造成水污染事故的，由县级以上人民政府环境保护主管部门依照本条第二款的规定处以罚款，责令限期采取治理措施，消除污染；不按要求采取治理措施或者不具备治理能力的，由环境保护主管部门指定有治理能力的单位代为治理，所需费用由违法者承担；对造成重大或者特大水污染事故的，可以报经有批准权的人民政府批准，责令关闭；对直接负责的主管人员和其他直接责任人员可以处上一年度从本单位取得的收入百分之五十以下的罚款。

对造成一般或者较大水污染事故的，按照水污染事故造成的直接损失的百分之二十计算罚款；对造成重大或者特大水污染事故的，按照水污染事故造成的直接损失的百分之三十计算罚款。

造成渔业污染事故或者渔业船舶造成水污染事故的，由渔业主管部门进行处罚；其他船舶造成水污染事故的，由海事管理机构进行处罚。

**第八十四条** 当事人对行政处罚决定不服的，可以申请行政复议，也可以在收到通知之日起十五日内向人民法院起诉；期满不申请行政复议或者起诉，又不履行行政处罚决定的，由作出行政处罚决定的机关申请人民法院强制执行。

**第八十五条** 因水污染受到损害的当事人，有权要求排污方排除危害和赔偿损失。

由于不可抗力造成水污染损害的，排污方不承担赔偿责任；法律另有规定的除外。

水污染损害是由受害人故意造成的，排污方不承担赔偿责任。水污染损害是由受害人重大过失造成的，可以减轻排污方的赔偿责任。

水污染损害是由第三人造成的，排污方承担赔偿责任后，有权向第三人追偿。

**第八十六条** 因水污染引起的损害赔偿责任和赔偿金额的纠纷，可以根据当事人的请求，由环境保护主管部门或者海事管理机构、渔业主管部门按照职责分工调解处理；调解不成的，当事人可以向人民法院提起诉讼。当事人也可以直接向人民法院提起诉讼。

**第八十七条** 因水污染引起的损害赔偿诉讼，由排污方就法律规定的免责事由及其行为与损害结果之间不存在因果关系承担举证责任。

**第八十八条** 因水污染受到损害的当事人人数众多的，可以依法由当事人推选代表人进行共同诉讼。

环境保护主管部门和有关社会团体可以依法支持因水污染受到损害的当事人向人民法院提起诉讼。

国家鼓励法律服务机构和律师为水污染损害诉讼中的受害人提供法律援助。

**第八十九条**　因水污染引起的损害赔偿责任和赔偿金额的纠纷，当事人可以委托环境监测机构提供监测数据。环境监测机构应当接受委托，如实提供有关监测数据。

**第九十条**　违反本法规定，构成违反治安管理行为的，依法给予治安管理处罚；构成犯罪的，依法追究刑事责任。

## 第八章　附　　则

**第九十一条**　本法中下列用语的含义：

（一）水污染，是指水体因某种物质的介入，而导致其化学、物理、生物或者放射性等方面特性的改变，从而影响水的有效利用，危害人体健康或者破坏生态环境，造成水质恶化的现象。

（二）水污染物，是指直接或者间接向水体排放的，能导致水体污染的物质。

（三）有毒污染物，是指那些直接或者间接被生物摄入体内后，可能导致该生物或者其后代发病、行为反常、遗传异变、生理机能失常、机体变形或者死亡的污染物。

（四）渔业水体，是指划定的鱼虾类的产卵场、索饵场、越冬场、洄游通道和鱼虾贝藻类的养殖场的水体。

**第九十二条**　本法自 2008 年 6 月 1 日起施行。

# 中华人民共和国
# 环境噪声污染防治法

（1996年10月29日第八届全国人民代表大会常务委员会第二十二次会议通过　1996年10月29日中华人民共和国主席令第77号公布　自1997年3月1日起施行）

目　　录



## 第一章　总　　则

**第一条**　为防治环境噪声污染，保护和改善生活环境，保障人体健康，促进经济和社会发展，制定本法。

**第二条**　本法所称环境噪声，是指在工业生产、建筑施工、交通运输和社会生活中所产生的干扰周围生活环境的声音。

本法所称环境噪声污染，是指所产生的环境噪声超过国家规定的环境噪声排放标准，并干扰他人正常生活、工作和学习的现象。

**第三条**　本法适用于中华人民共和国领域内环境噪声污染的防治。

因从事本职生产、经营工作受到噪声危害的防治，不适用本法。

**第四条**　国务院和地方各级人民政府应当将环境噪声污染防治工作纳入环境保护规划，并采取有利于声环境保护的经济、技术政策和措施。

**第五条**　地方各级人民政府在制定城乡建设规划时，应当充分考虑建设项目和区域开发、改造所产生的噪声对周围生活环境的影响，统筹规划，合理安排功能区和建设布局，防止或者减轻环境噪声污染。

**第六条**　国务院环境保护行政主管部门对全国环境噪声污染防治实施统一监督管理。

县级以上地方人民政府环境保护行政主管部门对本行政区域内的环境噪声污染防治实施统一监督管理。

各级公安、交通、铁路、民航等主管部门和港务监督机构，根据各自的职责，对交通运输和社会生活噪声污染防治实施监督管理。

**第七条**　任何单位和个人都有保护声环境的义务，并有权对造成环境噪声污染的单位和个人进行检举和控告。

**第八条**　国家鼓励、支持环境噪声污染防治的科学研究、技术开发，推广先进的防治技术和普及防治环境噪声污染的科学知识。

**第九条**　对在环境噪声污染防治方面成绩显著的单位和个人，由人民政府给予奖励。

## 第二章　环境噪声污染防治的监督管理

**第十条**　国务院环境保护行政主管部门分别不同的功能区制

定国家声环境质量标准。

县级以上地方人民政府根据国家声环境质量标准,划定本行政区域内各类声环境质量标准的适用区域,并进行管理。

**第十一条** 国务院环境保护行政主管部门根据国家声环境质量标准和国家经济、技术条件,制定国家环境噪声排放标准。

**第十二条** 城市规划部门在确定建设布局时,应当依据国家声环境质量标准和民用建筑隔声设计规范,合理划定建筑物与交通干线的防噪声距离,并提出相应的规划设计要求。

**第十三条** 新建、改建、扩建的建设项目,必须遵守国家有关建设项目环境保护管理的规定。

建设项目可能产生环境噪声污染的,建设单位必须提出环境影响报告书,规定环境噪声污染的防治措施,并按照国家规定的程序报环境保护行政主管部门批准。

环境影响报告书中,应当有该建设项目所在地单位和居民的意见。

**第十四条** 建设项目的环境噪声污染防治设施必须与主体工程同时设计、同时施工、同时投产使用。

建设项目在投入生产或者使用之前,其环境噪声污染防治设施必须经原审批环境影响报告书的环境保护行政主管部门验收;达不到国家规定要求的,该建设项目不得投入生产或者使用。

**第十五条** 产生环境噪声污染的企业事业单位,必须保持防治环境噪声污染的设施的正常使用;拆除或者闲置环境噪声污染防治设施的,必须事先报经所在地的县级以上地方人民政府环境保护行政主管部门批准。

**第十六条** 产生环境噪声污染的单位,应当采取措施进行治理,并按照国家规定缴纳超标准排污费。

征收的超标准排污费必须用于污染的防治,不得挪作他用。

**第十七条** 对于在噪声敏感建筑物集中区域内造成严重环境

噪声污染的企业事业单位，限期治理。

被限期治理的单位必须按期完成治理任务。限期治理由县级以上人民政府按照国务院规定的权限决定。

对小型企业事业单位的限期治理，可以由县级以上人民政府在国务院规定的权限内授权其环境保护行政主管部门决定。

**第十八条**　国家对环境噪声污染严重的落后设备实行淘汰制度。

国务院经济综合主管部门应当会同国务院有关部门公布限期禁止生产、禁止销售、禁止进口的环境噪声污染严重的设备名录。

生产者、销售者或者进口者必须在国务院经济综合主管部门会同国务院有关部门规定的期限内分别停止生产、销售或者进口列入前款规定的名录中的设备。

**第十九条**　在城市范围内从事生产活动确需排放偶发性强烈噪声的，必须事先向当地公安机关提出申请，经批准后方可进行。当地公安机关应当向社会公告。

**第二十条**　国务院环境保护行政主管部门应当建立环境噪声监测制度，制定监测规范，并会同有关部门组织监测网络。

环境噪声监测机构应当按照国务院环境保护行政主管部门的规定报送环境噪声监测结果。

**第二十一条**　县级以上人民政府环境保护行政主管部门和其他环境噪声污染防治工作的监督管理部门、机构，有权依据各自的职责对管辖范围内排放环境噪声的单位进行现场检查。被检查的单位必须如实反映情况，并提供必要的资料。检查部门、机构应当为被检查的单位保守技术秘密和业务秘密。

检查人员进行现场检查，应当出示证件。

## 第三章　工业噪声污染防治

**第二十二条**　本法所称工业噪声，是指在工业生产活动中使用固定的设备时产生的干扰周围生活环境的声音。

**第二十三条** 在城市范围内向周围生活环境排放工业噪声的,应当符合国家规定的工业企业厂界环境噪声排放标准。

**第二十四条** 在工业生产中因使用固定的设备造成环境噪声污染的工业企业,必须按照国务院环境保护行政主管部门的规定,向所在地的县级以上地方人民政府环境保护行政主管部门申报拥有的造成环境噪声污染的设备的种类、数量以及在正常作业条件下所发出的噪声值和防治环境噪声污染的设施情况,并提供防治噪声污染的技术资料。

造成环境噪声污染的设备的种类、数量、噪声值和防治设施有重大改变的,必须及时申报,并采取应有的防治措施。

**第二十五条** 产生环境噪声污染的工业企业,应当采取有效措施,减轻噪声对周围生活环境的影响。

**第二十六条** 国务院有关主管部门对可能产生环境噪声污染的工业设备,应当根据声环境保护的要求和国家的经济、技术条件,逐步在依法制定的产品的国家标准、行业标准中规定噪声限值。

前款规定的工业设备运行时发出的噪声值,应当在有关技术文件中予以注明。

## 第四章 建筑施工噪声污染防治

**第二十七条** 本法所称建筑施工噪声,是指在建筑施工过程中产生的干扰周围生活环境的声音。

**第二十八条** 在城市市区范围内向周围生活环境排放建筑施工噪声的,应当符合国家规定的建筑施工场界环境噪声排放标准。

**第二十九条** 在城市市区范围内,建筑施工过程中使用机械设备,可能产生环境噪声污染的,施工单位必须在工程开工十五日以前向工程所在地县级以上地方人民政府环境保护行政主管部门申报该工程的项目名称、施工场所和期限、可能产生的环境噪声值以及所采取的环境噪声污染防治措施的情况。

**第三十条** 在城市市区噪声敏感建筑物集中区域内，禁止夜间进行产生环境噪声污染的建筑施工作业，但抢修、抢险作业和因生产工艺上要求或者特殊需要必须连续作业的除外。

因特殊需要必须连续作业的，必须有县级以上人民政府或者其有关主管部门的证明。

前款规定的夜间作业，必须公告附近居民。

## 第五章 交通运输噪声污染防治

**第三十一条** 本法所称交通运输噪声，是指机动车辆、铁路机车、机动船舶、航空器等交通运输工具在运行时所产生的干扰周围生活环境的声音。

**第三十二条** 禁止制造、销售或者进口超过规定的噪声限值的汽车。

**第三十三条** 在城市市区范围内行使的机动车辆的消声器和喇叭必须符合国家规定的要求。机动车辆必须加强维修和保养，保持技术性能良好，防治环境噪声污染。

**第三十四条** 机动车辆在城市市区范围内行驶，机动船舶在城市市区的内河航道航行，铁路机车驶经或者进入城市市区、疗养区时，必须按照规定使用声响装置。

警车、消防车、工程抢险车、救护车等机动车辆安装、使用警报器，必须符合国务院公安部门的规定；在执行非紧急任务时，禁止使用警报器。

**第三十五条** 城市人民政府公安机关可以根据本地城市市区区域声环境保护的需要，划定禁止机动车辆行驶和禁止其使用声响装置的路段和时间，并向社会公告。

**第三十六条** 建设经过已有的噪声敏感建筑物集中区域的高

速公路和城市高架、轻轨道路，有可能造成环境噪声污染的，应当设置声屏障或者采取其他有效的控制环境噪声污染的措施。

**第三十七条**　在已有的城市交通干线的两侧建设噪声敏感建筑物的，建设单位应当按照国家规定间隔一定距离，并采取减轻、避免交通噪声影响的措施。

**第三十八条**　在车站、铁路编组站、港口、码头、航空港等地指挥作业时使用广播喇叭的，应当控制音量，减轻噪声对周围生活环境的影响。

**第三十九条**　穿越城市居民区、文教区的铁路，因铁路机车运行造成环境噪声污染的，当地城市人民政府应当组织铁路部门和其他有关部门，制定减轻环境噪声污染的规划。铁路部门和其他有关部门应当按照规划的要求，采取有效措施，减轻环境噪声污染。

**第四十条**　除起飞、降落或者依法规定的情形以外，民用航空器不得飞越城市市区上空。城市人民政府应当在航空器起飞、降落的净空周围划定限制建设噪声敏感建筑物的区域；在该区域内建设噪声敏感建筑物的，建设单位应当采取减轻、避免航空器运行时产生的噪声影响的措施。民航部门应当采取有效措施，减轻环境噪声污染。

## 第六章　社会生活噪声污染防治

**第四十一条**　本法所称社会生活噪声，是指人为活动所产生的除工业噪声、建筑施工噪声和交通运输噪声之外的干扰周围生活环境的声音。

**第四十二条**　在城市市区噪声敏感建筑物集中区域内，因商业经营活动中使用固定设备造成环境噪声污染的商业企业，必须按照国务院环境保护行政主管部门的规定，向所在地的县级以上地方人民政府环境保护行政主管部门申报拥有的造成环境噪声污染的设备的状况和防治环境噪声污染的设施的情况。

**第四十三条** 新建营业性文化娱乐场所的边界噪声必须符合国家规定的环境噪声排放标准;不符合国家规定的环境噪声排放标准的,文化行政主管部门不得核发文化经营许可证,工商行政管理部门不得核发营业执照。

经营中的文化娱乐场所,其经营管理者必须采取有效措施,使其边界噪声不超过国家规定的环境噪声排放标准。

**第四十四条** 禁止在商业经营活动中使用高音广播喇叭或者采用其他发出高噪声的方法招揽顾客。

在商业经营活动中使用空调器、冷却塔等可能产生环境噪声污染的设备、设施的,其经营管理者应当采取措施,使其边界噪声不超过国家规定的环境噪声排放标准。

**第四十五条** 禁止任何单位、个人在城市市区噪声敏感建设物集中区域内使用高音广播喇叭。

在城市市区街道、广场、公园等公共场所组织娱乐、集会等活动,使用音响器材可能产生干扰周围生活环境的过大音量的,必须遵守当地公安机关的规定。

**第四十六条** 使用家用电器、乐器或者进行其他家庭室内娱乐活动时,应当控制音量或者采取其他有效措施,避免对周围居民造成环境噪声污染。

**第四十七条** 在已竣工交付使用的住宅楼进行室内装修活动,应当限制作业时间,并采取其他有效措施,以减轻、避免对周围居民造成环境噪声污染。

## 第七章 法律责任

**第四十八条** 违反本法第十四条的规定,建设项目中需要配套建设的环境噪声污染防治设施没有建成或者没有达到国家规定的要求,擅自投入生产或者使用的,由批准该建设项目的环境影响报告书的环境保护行政主管部门责令停止生产或者使用,可以并处罚款。

**第四十九条** 违反本法规定,拒报或者谎报规定的环境噪声排放申报事项的,县级以上地方人民政府环境保护行政主管部门可以根据不同情节,给予警告或者处以罚款。

**第五十条** 违反本法第十五条的规定,未经环境保护行政主管部门批准,擅自拆除或者闲置环境噪声污染防治设施,致使环境噪声排放超过规定标准的,由县级以上地方人民政府环境保护行政主管部门责令改正,并处罚款。

**第五十一条** 违反本法第十六条的规定,不按照国家规定缴纳超标准排污费的,县级以上地方人民政府环境保护行政主管部门可以根据不同情节,给予警告或者处以罚款。

**第五十二条** 违反本法第十七条的规定,对经限期治理逾期未完成治理任务的企业事业单位,除依照国家规定加收超标准排污费外,可以根据所造成的危害后果处以罚款,或者责令停业、搬迁、关闭。

前款规定的罚款由环境保护行政主管部门决定。责令停业、搬迁、关闭由县级以上人民政府按照国务院规定的权限决定。

**第五十三条** 违反本法第十八条的规定,生产、销售、进口禁止生产、销售、进口的设备的,由县级以上人民政府经济综合主管部门责令改正;情节严重的,由县级以上人民政府经济综合主管部门提出意见,报请同级人民政府按照国务院规定的权限责令停业、关闭。

**第五十四条** 违反本法第十九条的规定,未经当地公安机关批准,进行产生偶发性强烈噪声活动的,由公安机关根据不同情节给予警告或者处以罚款。

**第五十五条** 排放环境噪声的单位违反本法第二十一条的规定,拒绝环境保护行政主管部门或者其他依照本法规定行使环境噪声监督管理权的部门、机构现场检查或者在被检查时弄虚作假的,环境保护行政主管部门或者其他依照本法规定行使环境噪声监督管理权的监督管理部门、机构可以根据不同情节,给予警告或者处以罚款。

**第五十六条**　建筑施工单位违反本法第三十条第一款的规定,在城市市区噪声敏感建筑的集中区域内,夜间进行禁止进行的产生环境噪声污染的建筑施工作业的,由工程所在地县级以上地方人民政府环境保护行政主管部门责令改正,可以并处罚款。

**第五十七条**　违反本法第三十四条的规定,机动车辆不按照规定使用声响装置的,由当地公安机关根据不同情节给予警告或者处以罚款。

机动船舶有前款违法行为的,由港务监督机构根据不同情节给予警告或者处以罚款。

铁路机车有第一款违法行为的,由铁路主管部门对有关责任人员给予行政处分。

**第五十八条**　违反本法规定,有下列行为之一的,由公安机关给予警告,可以并处罚款:

(一)在城市市区噪声敏感建筑物集中区域内使用高音广播喇叭;

(二)违反当地公安机关的规定,在城市市区街道、广场、公园等公共场所组织娱乐、集会等活动,使用音响器材,产生干扰周围生活环境的过大音量的;

(三)未按本法第四十六条和第四十七条规定采取措施,从家庭室内发出严重干扰周围居民生活的环境噪声的。

**第五十九条**　违反本法第四十三条第二款、第四十四条第二款的规定,造成环境噪声污染的,由县级以上地方人民政府环境保护行政主管部门责令改正,可以并处罚款。

**第六十条**　违反本法第四十四条第一款的规定,造成环境噪声污染的,由公安机关责令改正,可以并处罚款。

省级以上人民政府依法决定由县级以上地方人民政府环境保护行政主管部门行使前款规定的行政处罚权的,从其决定。

**第六十一条** 受到环境噪声污染危害的单位和个人,有权要求加害人排除危害;造成损失的,依法赔偿损失。

赔偿责任和赔偿金额的纠纷,可以根据当事人的请求,由环境保护行政主管部门或者其他环境噪声污染防治工作的监督管理部门、机构调解处理;调解不成的,当事人可以向人民法院起诉。当事人也可以直接向人民法院起诉。

**第六十二条** 环境噪声污染防治监督管理人员滥用职权、玩忽职守、徇私舞弊的,由其所在单位或者上级主管机关给予行政处分;构成犯罪的,依法追究刑事责任。

## 第八章 附 则

**第六十三条** 本法中下列用语的含义是:

(一)“噪声排放”是指噪声源向周围生活环境辐射噪声。

(二)“噪声敏感建筑物”是指医院、学校、机关、科研单位、住宅等需要保持安静的建筑物。

(三)“噪声敏感建筑物集中区域”是指医疗区、文教科研区和以机关或者居民住宅为主的区域。

(四)“夜间”是指晚二十二点至晨六点之间的期间。

(五)“机动车辆”是指汽车和摩托车。

**第六十四条** 本法自 1997 年 3 月 1 日起施行。1989 年 9 月 26 日国务院发布的《中华人民共和国环境噪声污染防治条例》同时废止。

# 中华人民共和国<br>固体废物污染环境防治法

（1995年10月30日第八届全国人民代表大会常务委员会第十六次会议通过 2004年12月29日第十届全国人民代表大会常务委员会第十三次会议修订 根据2013年6月29日第十二届全国人民代表大会常务委员会第三次会议《关于修改〈中华人民共和国文物保护法〉等十二部法律的决定》修正）

## 目 录



## 第一章 总 则

**第一条** 为了防治固体废物污染环境，保障人体健康，维护生态安全,促进经济社会可持续发展,制定本法。

**第二条** 本法适用于中华人民共和国境内固体废物污染环境的防治。

固体废物污染海洋环境的防治和放射性固体废物污染环境的防治不适用本法。

**第三条** 国家对固体废物污染环境的防治,实行减少固体废物的产生量和危害性、充分合理利用固体废物和无害化处置固体废物的原则,促进清洁生产和循环经济发展。

国家采取有利于固体废物综合利用活动的经济、技术政策和措施,对固体废物实行充分回收和合理利用。

国家鼓励、支持采取有利于保护环境的集中处置固体废物的措施,促进固体废物污染环境防治产业发展。

**第四条** 县级以上人民政府应当将固体废物污染环境防治工作纳入国民经济和社会发展计划,并采取有利于固体废物污染环境防治的经济、技术政策和措施。

国务院有关部门、县级以上地方人民政府及其有关部门组织编制城乡建设、土地利用、区域开发、产业发展等规划,应当统筹考虑减少固体废物的产生量和危害性、促进固体废物的综合利用和无害化处置。

**第五条** 国家对固体废物污染环境防治实行污染者依法负责的原则。

产品的生产者、销售者、进口者、使用者对其产生的固体废物依法承担污染防治责任。

**第六条** 国家鼓励、支持固体废物污染环境防治的科学研究、技术开发、推广先进的防治技术和普及固体废物污染环境防治的科学知识。

各级人民政府应当加强防治固体废物污染环境的宣传教育,倡导有利于环境保护的生产方式和生活方式。

**第七条**　国家鼓励单位和个人购买、使用再生产品和可重复利用产品。

**第八条**　各级人民政府对在固体废物污染环境防治工作以及相关的综合利用活动中作出显著成绩的单位和个人给予奖励。

**第九条**　任何单位和个人都有保护环境的义务,并有权对造成固体废物污染环境的单位和个人进行检举和控告。

**第十条**　国务院环境保护行政主管部门对全国固体废物污染环境的防治工作实施统一监督管理。国务院有关部门在各自的职责范围内负责固体废物污染环境防治的监督管理工作。

县级以上地方人民政府环境保护行政主管部门对本行政区域内固体废物污染环境的防治工作实施统一监督管理。县级以上地方人民政府有关部门在各自的职责范围内负责固体废物污染环境防治的监督管理工作。

国务院建设行政主管部门和县级以上地方人民政府环境卫生行政主管部门负责生活垃圾清扫、收集、贮存、运输和处置的监督管理工作。

## 第二章　固体废物污染环境防治的监督管理

**第十一条**　国务院环境保护行政主管部门会同国务院有关行政主管部门根据国家环境质量标准和国家经济、技术条件,制定国家固体废物污染环境防治技术标准。

**第十二条**　国务院环境保护行政主管部门建立固体废物污染环境监测制度,制定统一的监测规范,并会同有关部门组织监测网络。

大、中城市人民政府环境保护行政主管部门应当定期发布固体废物的种类、产生量、处置状况等信息。

**第十三条**　建设产生固体废物的项目以及建设贮存、利用、处置固体废物的项目,必须依法进行环境影响评价,并遵守国家有关建设项目环境保护管理的规定。

**第十四条** 建设项目的环境影响评价文件确定需要配套建设的固体废物污染环境防治设施，必须与主体工程同时设计、同时施工、同时投入使用。固体废物污染环境防治设施必须经原审批环境影响评价文件的环境保护行政主管部门验收合格后，该建设项目方可投入生产或者使用。对固体废物污染环境防治设施的验收应当与对主体工程的验收同时进行。

**第十五条** 县级以上人民政府环境保护行政主管部门和其他固体废物污染环境防治工作的监督管理部门，有权依据各自的职责对管辖范围内与固体废物污染环境防治有关的单位进行现场检查。被检查的单位应当如实反映情况，提供必要的资料。检查机关应当为被检查的单位保守技术秘密和业务秘密。

检查机关进行现场检查时，可以采取现场监测、采集样品、查阅或者复制与固体废物污染环境防治相关的资料等措施。检查人员进行现场检查，应当出示证件。

## 第三章 固体废物污染环境的防治

### 第一节 一般规定

**第十六条** 产生固体废物的单位和个人，应当采取措施，防止或者减少固体废物对环境的污染。

**第十七条** 收集、贮存、运输、利用、处置固体废物的单位和个人，必须采取防扬散、防流失、防渗漏或者其他防止污染环境的措施；不得擅自倾倒、堆放、丢弃、遗撒固体废物。

禁止任何单位或者个人向江河、湖泊、运河、渠道、水库及其最高水位线以下的滩地和岸坡等法律、法规规定禁止倾倒、堆放废弃物的地点倾倒、堆放固体废物。

**第十八条** 产品和包装物的设计、制造，应当遵守国家有关清洁生产的规定。国务院标准化行政主管部门应当根据国家经济和技术条件、固体废物污染环境防治状况以及产品的技术要求，组织制定有关标准，防止过度包装造成环境污染。

生产、销售、进口依法被列入强制回收目录的产品和包装物的企业，必须按照国家有关规定对该产品和包装物进行回收。

**第十九条**　国家鼓励科研、生产单位研究、生产易回收利用、易处置或者在环境中可降解的薄膜覆盖物和商品包装物。

使用农用薄膜的单位和个人，应当采取回收利用等措施，防止或者减少农用薄膜对环境的污染。

**第二十条**　从事畜禽规模养殖应当按照国家有关规定收集、贮存、利用或者处置养殖过程中产生的畜禽粪便，防止污染环境。

禁止在人口集中地区、机场周围、交通干线附近以及当地人民政府划定的区域露天焚烧秸秆。

**第二十一条**　对收集、贮存、运输、处置固体废物的设施、设备和场所，应当加强管理和维护，保证其正常运行和使用。

**第二十二条**　在国务院和国务院有关主管部门及省、自治区、直辖市人民政府划定的自然保护区、风景名胜区、饮用水水源保护区、基本农田保护区和其他需要特别保护的区域内，禁止建设工业固体废物集中贮存、处置的设施、场所和生活垃圾填埋场。

**第二十三条**　转移固体废物出省、自治区、直辖市行政区域贮存、处置的，应当向固体废物移出地的省、自治区、直辖市人民政府环境保护行政主管部门提出申请。移出地的省、自治区、直辖市人民政府环境保护行政主管部门应当商经接受地的省、自治区、直辖市人民政府环境保护行政主管部门同意后，方可批准转移该固体废物出省、自治区、直辖市行政区域。未经批准的，不得转移。

**第二十四条**　禁止中华人民共和国境外的固体废物进境倾倒、堆放、处置。

**第二十五条**　禁止进口不能用作原料或者不能以无害化方式利用的固体废物；对可以用作原料的固体废物实行限制进口和自

动许可进口分类管理。

国务院环境保护行政主管部门会同国务院对外贸易主管部门、国务院经济综合宏观调控部门、海关总署、国务院质量监督检验检疫部门制定、调整并公布禁止进口、限制进口和自动许可进口的固体废物目录。

禁止进口列入禁止进口目录的固体废物。进口列入限制进口目录的固体废物,应当经国务院环境保护行政主管部门会同国务院对外贸易主管部门审查许可。进口列入自动许可进口目录的固体废物,应当依法办理自动许可手续。

进口的固体废物必须符合国家环境保护标准,并经质量监督检验检疫部门检验合格。

进口固体废物的具体管理办法,由国务院环境保护行政主管部门会同国务院对外贸易主管部门、国务院经济综合宏观调控部门、海关总署、国务院质量监督检验检疫部门制定。

**第二十六条** 进口者对海关将其所进口的货物纳入固体废物管理范围不服的,可以依法申请行政复议,也可以向人民法院提起行政诉讼。

## 第二节 工业固体废物污染环境的防治

**第二十七条** 国务院环境保护行政主管部门应当会同国务院经济综合宏观调控部门和其他有关部门对工业固体废物对环境的污染作出界定,制定防治工业固体废物污染环境的技术政策,组织推广先进的防治工业固体废物污染环境的生产工艺和设备。

**第二十八条** 国务院经济综合宏观调控部门应当会同国务院有关部门组织研究、开发和推广减少工业固体废物产生量和危害性的生产工艺和设备,公布限期淘汰产生严重污染环境的工业固体废物的落后生产工艺、落后设备的名录。

生产者、销售者、进口者、使用者必须在国务院经济综合宏观调控部门会同国务院有关部门规定的期限内分别停止生产、销售、进口或者使用列入前款规定的名录中的设备。生产工艺的采用者必须在国务院经济综合宏观调控部门会同国务院有关部门规定的期限内停止采用列入前款规定的名录中的工艺。

列入限期淘汰名录被淘汰的设备,不得转让给他人使用。

**第二十九条** 县级以上人民政府有关部门应当制定工业固体废物污染环境防治工作规划,推广能够减少工业固体废物产生量和危害性的先进生产工艺和设备,推动工业固体废物污染环境防治工作。

**第三十条** 产生工业固体废物的单位应当建立、健全污染环境防治责任制度,采取防治工业固体废物污染环境的措施。

**第三十一条** 企业事业单位应当合理选择和利用原材料、能源和其他资源,采用先进的生产工艺和设备,减少工业固体废物产生量,降低工业固体废物的危害性。

**第三十二条** 国家实行工业固体废物申报登记制度。

产生工业固体废物的单位必须按照国务院环境保护行政主管部门的规定,向所在地县级以上地方人民政府环境保护行政主管部门提供工业固体废物的种类、产生量、流向、贮存、处置等有关资料。

前款规定的申报事项有重大改变的,应当及时申报。

**第三十三条** 企业事业单位应当根据经济、技术条件对其产生的工业固体废物加以利用;对暂时不利用或者不能利用的,必须按照国务院环境保护行政主管部门的规定建设贮存设施、场所,安全分类存放,或者采取无害化处置措施。

建设工业固体废物贮存、处置的设施、场所,必须符合国家环境保护标准。

**第三十四条** 禁止擅自关闭、闲置或者拆除工业固体废物污染环境防治设施、场所;确有必要关闭、闲置或者拆除的,必须经所在地县级以上地方人民政府环境保护行政主管部门核准，并采取措施，防止污染环境。

**第三十五条** 产生工业固体废物的单位需要终止的，应当事先对工业固体废物的贮存、处置的设施、场所采取污染防治措施，并对未处置的工业固体废物作出妥善处置，防止污染环境。

产生工业固体废物的单位发生变更的，变更后的单位应当按照国家有关环境保护的规定对未处置的工业固体废物及其贮存、处置的设施、场所进行安全处置或者采取措施保证该设施、场所安全运行。变更前当事人对工业固体废物及其贮存、处置的设施、场所的污染防治责任另有约定的，从其约定；但是，不得免除当事人的污染防治义务。

对本法施行前已经终止的单位未处置的工业固体废物及其贮存、处置的设施、场所进行安全处置的费用，由有关人民政府承担；但是，该单位享有的土地使用权依法转让的，应当由土地使用权受让人承担处置费用。当事人另有约定的，从其约定；但是，不得免除当事人的污染防治义务。

**第三十六条** 矿山企业应当采取科学的开采方法和选矿工艺，减少尾矿、矸石、废石等矿业固体废物的产生量和贮存量。

尾矿、矸石、废石等矿业固体废物贮存设施停止使用后，矿山企业应当按照国家有关环境保护规定进行封场，防止造成环境污染和生态破坏。

**第三十七条** 拆解、利用、处置废弃电器产品和废弃机动车船，应当遵守有关法律、法规的规定，采取措施，防止污染环境。

### 第三节 生活垃圾污染环境的防治

**第三十八条** 县级以上人民政府应当统筹安排建设城乡生活垃圾收集、运输、处置设施，提高生活垃圾的利用率和无害化处置率，促进生活垃圾收集、处置的产业化发展，逐步建立和完善生活垃圾污染环境防治的社会服务体系。

**第三十九条**　县级以上地方人民政府环境卫生行政主管部门应当组织对城市生活垃圾进行清扫、收集、运输和处置，可以通过招标等方式选择具备条件的单位从事生活垃圾的清扫、收集、运输和处置。

**第四十条**　对城市生活垃圾应当按照环境卫生行政主管部门的规定，在指定的地点放置，不得随意倾倒、抛撒或者堆放。

**第四十一条**　清扫、收集、运输、处置城市生活垃圾，应当遵守国家有关环境保护和环境卫生管理的规定，防止污染环境。

**第四十二条**　对城市生活垃圾应当及时清运，逐步做到分类收集和运输，并积极开展合理利用和实施无害化处置。

**第四十三条**　城市人民政府应当有计划地改进燃料结构，发展城市煤气、天然气、液化气和其他清洁能源。

城市人民政府有关部门应当组织净菜进城，减少城市生活垃圾。

城市人民政府有关部门应当统筹规划，合理安排收购网点，促进生活垃圾的回收利用工作。

**第四十四条**　建设生活垃圾处置的设施、场所，必须符合国务院环境保护行政主管部门和国务院建设行政主管部门规定的环境保护和环境卫生标准。

禁止擅自关闭、闲置或者拆除生活垃圾处置的设施、场所；确有必要关闭、闲置或者拆除的，必须经所在地的市、县人民政府环境卫生行政主管部门和环境保护行政主管部门核准，并采取措施，防止污染环境。

**第四十五条**　从生活垃圾中回收的物质必须按照国家规定的用途或者标准使用，不得用于生产可能危害人体健康的产品。

**第四十六条**　工程施工单位应当及时清运工程施工过程中产生的固体废物，并按照环境卫生行政主管部门的规定进行利用或者处置。

**第四十七条** 从事公共交通运输的经营单位，应当按照国家有关规定，清扫、收集运输过程中产生的生活垃圾。

**第四十八条** 从事城市新区开发、旧区改建和住宅小区开发建设的单位，以及机场、码头、车站、公园、商店等公共设施、场所的经营管理单位，应当按照国家有关环境卫生的规定，配套建设生活垃圾收集设施。

**第四十九条** 农村生活垃圾污染环境防治的具体办法，由地方性法规规定。

## 第四章 危险废物污染环境防治的特别规定

**第五十条** 危险废物污染环境的防治，适用本章规定；本章未作规定的，适用本法其他有关规定。

**第五十一条** 国务院环境保护行政主管部门应当会同国务院有关部门制定国家危险废物名录，规定统一的危险废物鉴别标准、鉴别方法和识别标志。

**第五十二条** 对危险废物的容器和包装物以及收集、贮存、运输、处置危险废物的设施、场所，必须设置危险废物识别标志。

**第五十三条** 产生危险废物的单位，必须按照国家有关规定制定危险废物管理计划，并向所在地县级以上地方人民政府环境保护行政主管部门申报危险废物的种类、产生量、流向、贮存、处置等有关资料。

前款所称危险废物管理计划应当包括减少危险废物产生量和危害性的措施以及危险废物贮存、利用、处置措施。危险废物管理计划应当报产生危险废物的单位所在地县级以上地方人民政府环境保护行政主管部门备案。

本条规定的申报事项或者危险废物管理计划内容有重大改变的，应当及时申报。

**第五十四条**　国务院环境保护行政主管部门会同国务院经济综合宏观调控部门组织编制危险废物集中处置设施、场所的建设规划，报国务院批准后实施。

县级以上地方人民政府应当依据危险废物集中处置设施、场所的建设规划组织建设危险废物集中处置设施、场所。

**第五十五条**　产生危险废物的单位，必须按照国家有关规定处置危险废物，不得擅自倾倒、堆放；不处置的，由所在地县级以上地方人民政府环境保护行政主管部门责令限期改正；逾期不处置或者处置不符合国家有关规定的，由所在地县级以上地方人民政府环境保护行政主管部门指定单位按照国家有关规定代为处置，处置费用由产生危险废物的单位承担。

**第五十六条**　以填埋方式处置危险废物不符合国务院环境保护行政主管部门规定的，应当缴纳危险废物排污费。危险废物排污费征收的具体办法由国务院规定。

危险废物排污费用于污染环境的防治，不得挪作他用。

**第五十七条**　从事收集、贮存、处置危险废物经营活动的单位，必须向县级以上人民政府环境保护行政主管部门申请领取经营许可证；从事利用危险废物经营活动的单位，必须向国务院环境保护行政主管部门或者省、自治区、直辖市人民政府环境保护行政主管部门申请领取经营许可证。具体管理办法由国务院规定。

禁止无经营许可证或者不按照经营许可证规定从事危险废物收集、贮存、利用、处置的经营活动。

禁止将危险废物提供或者委托给无经营许可证的单位从事收集、贮存、利用、处置的经营活动。

**第五十八条**　收集、贮存危险废物，必须按照危险废物特性分类进行。禁止混合收集、贮存、运输、处置性质不相容而未经安全性处置的危险废物。

贮存危险废物必须采取符合国家环境保护标准的防护措施，

并不得超过一年;确需延长期限的,必须报经原批准经营许可证的环境保护行政主管部门批准;法律、行政法规另有规定的除外。

禁止将危险废物混入非危险废物中贮存。

**第五十九条** 转移危险废物的,必须按照国家有关规定填写危险废物转移联单,并向危险废物移出地设区的市级以上地方人民政府环境保护行政主管部门提出申请。移出地设区的市级以上地方人民政府环境保护行政主管部门应当商经接受地设区的市级以上地方人民政府环境保护行政主管部门同意后,方可批准转移该危险废物。未经批准的,不得转移。

转移危险废物途经移出地、接受地以外行政区域的,危险废物移出地设区的市级以上地方人民政府环境保护行政主管部门应当及时通知沿途经过的设区的市级以上地方人民政府环境保护行政主管部门。

**第六十条** 运输危险废物,必须采取防止污染环境的措施,并遵守国家有关危险货物运输管理的规定。

禁止将危险废物与旅客在同一运输工具上载运。

**第六十一条** 收集、贮存、运输、处置危险废物的场所、设施、设备和容器、包装物及其他物品转作他用时,必须经过消除污染的处理,方可使用。

**第六十二条** 产生、收集、贮存、运输、利用、处置危险废物的单位,应当制定意外事故的防范措施和应急预案,并向所在地县级以上地方人民政府环境保护行政主管部门备案;环境保护行政主管部门应当进行检查。

**第六十三条** 因发生事故或者其他突发性事件,造成危险废物严重污染环境的单位,必须立即采取措施消除或者减轻对环境的污染危害,及时通报可能受到污染危害的单位和居民,并向所在地县级以上地方人民政府环境保护行政主管部门和有关部门报告,接受调查处理。

**第六十四条**　在发生或者有证据证明可能发生危险废物严重污染环境、威胁居民生命财产安全时，县级以上地方人民政府环境保护行政主管部门或者其他固体废物污染环境防治工作的监督管理部门必须立即向本级人民政府和上一级人民政府有关行政主管部门报告，由人民政府采取防止或者减轻危害的有效措施。有关人民政府可以根据需要责令停止导致或者可能导致环境污染事故的作业。

**第六十五条**　重点危险废物集中处置设施、场所的退役费用应当预提，列入投资概算或者经营成本。具体提取和管理办法，由国务院财政部门、价格主管部门会同国务院环境保护行政主管部门规定。

**第六十六条**　禁止经中华人民共和国过境转移危险废物。

## 第五章　法律责任

**第六十七条**　县级以上人民政府环境保护行政主管部门或者其他固体废物污染环境防治工作的监督管理部门违反本法规定，有下列行为之一的，由本级人民政府或者上级人民政府有关行政主管部门责令改正，对负有责任的主管人员和其他直接责任人员依法给予行政处分；构成犯罪的，依法追究刑事责任：

（一）不依法作出行政许可或者办理批准文件的；

（二）发现违法行为或者接到对违法行为的举报后不予查处的；

（三）有不依法履行监督管理职责的其他行为的。

**第六十八条**　违反本法规定，有下列行为之一的，由县级以上人民政府环境保护行政主管部门责令停止违法行为，限期改正，处以罚款：

（一）不按照国家规定申报登记工业固体废物，或者在申报登记时弄虚作假的；

（二）对暂时不利用或者不能利用的工业固体废物未建设贮存的设施、场所安全分类存放，或者未采取无害化处置措施的；

（三）将列入限期淘汰名录被淘汰的设备转让给他人使用的；

（四）擅自关闭、闲置或者拆除工业固体废物污染环境防治设施、场所的；

（五）在自然保护区、风景名胜区、饮用水水源保护区、基本农田保护区和其他需要特别保护的区域内，建设工业固体废物集中贮存、处置的设施、场所和生活垃圾填埋场的；

（六）擅自转移固体废物出省、自治区、直辖市行政区域贮存、处置的；

（七）未采取相应防范措施，造成工业固体废物扬散、流失、渗漏或者造成其他环境污染的；

（八）在运输过程中沿途丢弃、遗撒工业固体废物的。

有前款第一项、第八项行为之一的，处五千元以上五万元以下的罚款；有前款第二项、第三项、第四项、第五项、第六项、第七项行为之一的，处一万元以上十万元以下的罚款。

**第六十九条** 违反本法规定，建设项目需要配套建设的固体废物污染环境防治设施未建成、未经验收或者验收不合格，主体工程即投入生产或者使用的，由审批该建设项目环境影响评价文件的环境保护行政主管部门责令停止生产或者使用，可以并处十万元以下的罚款。

**第七十条** 违反本法规定，拒绝县级以上人民政府环境保护行政主管部门或者其他固体废物污染环境防治工作的监督管理部门现场检查的，由执行现场检查的部门责令限期改正；拒不改正或者在检查时弄虚作假的，处二千元以上二万元以下的罚款。

**第七十一条** 从事畜禽规模养殖未按照国家有关规定收集、贮存、处置畜禽粪便，造成环境污染的，由县级以上地方人民政府环境保护行政主管部门责令限期改正，可以处五万元以下的罚款。

**第七十二条** 违反本法规定，生产、销售、进口或者使用淘汰的设备，或者采用淘汰的生产工艺的，由县级以上人民政府经济综合宏观调控部门责令改正；情节严重的，由县级以上人民政府经济综合宏观调控部门提出意见，报请同级人民政府按照国务院规定的权限决定停业或者关闭。

**第七十三条** 尾矿、矸石、废石等矿业固体废物贮存设施停止使用后，未按照国家有关环境保护规定进行封场的，由县级以上地方人民政府环境保护行政主管部门责令限期改正，可以处五万元以上二十万元以下的罚款。

**第七十四条** 违反本法有关城市生活垃圾污染环境防治的规定，有下列行为之一的，由县级以上地方人民政府环境卫生行政主管部门责令停止违法行为，限期改正，处以罚款：

（一）随意倾倒、抛撒或者堆放生活垃圾的；

（二）擅自关闭、闲置或者拆除生活垃圾处置设施、场所的；

（三）工程施工单位不及时清运施工过程中产生的固体废物，造成环境污染的；

（四）工程施工单位不按照环境卫生行政主管部门的规定对施工过程中产生的固体废物进行利用或者处置的；

（五）在运输过程中沿途丢弃、遗撒生活垃圾的。

单位有前款第一项、第三项、第五项行为之一的，处五千元以上五万元以下的罚款；有前款第二项、第四项行为之一的，处一万元以上十万元以下的罚款。个人有前款第一项、第五项行为之一的，处二百元以下的罚款。

**第七十五条** 违反本法有关危险废物污染环境防治的规定，有下列行为之一的，由县级以上人民政府环境保护行政主管部门责令停止违法行为，限期改正，处以罚款：

（一）不设置危险废物识别标志的；

（二）不按照国家规定申报登记危险废物，或者在申报登记时弄虚作假的；

（三）擅自关闭、闲置或者拆除危险废物集中处置设施、场所的；

（四）不按照国家规定缴纳危险废物排污费的；

（五）将危险废物提供或者委托给无经营许可证的单位从事经营活动的；

（六）不按照国家规定填写危险废物转移联单或者未经批准擅自转移危险废物的；

（七）将危险废物混入非危险废物中贮存的；

（八）未经安全性处置，混合收集、贮存、运输、处置具有不相容性质的危险废物的；

（九）将危险废物与旅客在同一运输工具上载运的；

（十）未经消除污染的处理将收集、贮存、运输、处置危险废物的场所、设施、设备和容器、包装物及其他物品转作他用的；

（十一）未采取相应防范措施，造成危险废物扬散、流失、渗漏或者造成其他环境污染的；

（十二）在运输过程中沿途丢弃、遗撒危险废物的；

（十三）未制定危险废物意外事故防范措施和应急预案的。

有前款第一项、第二项、第七项、第八项、第九项、第十项、第十一项、第十二项、第十三项行为之一的，处一万元以上十万元以下的罚款；有前款第三项、第五项、第六项行为之一的，处二万元以上二十万元以下的罚款；有前款第四项行为的，限期缴纳，逾期不缴纳的，处应缴纳危险废物排污费金额一倍以上三倍以下的罚款。

**第七十六条** 违反本法规定，危险废物产生者不处置其产生的危险废物又不承担依法应当承担的处置费用的，由县级以上地方人民政府环境保护行政主管部门责令限期改正，处代为处置费用一倍以上三倍以下的罚款。

**第七十七条** 无经营许可证或者不按照经营许可证规定从事

收集、贮存、利用、处置危险废物经营活动的，由县级以上人民政府环境保护行政主管部门责令停止违法行为，没收违法所得，可以并处违法所得三倍以下的罚款。

不按照经营许可证规定从事前款活动的，还可以由发证机关吊销经营许可证。

**第七十八条** 违反本法规定，将中华人民共和国境外的固体废物进境倾倒、堆放、处置的，进口属于禁止进口的固体废物或者未经许可擅自进口属于限制进口的固体废物用作原料的，由海关责令退运该固体废物，可以并处十万元以上一百万元以下的罚款；构成犯罪的，依法追究刑事责任。进口者不明的，由承运人承担退运该固体废物的责任，或者承担该固体废物的处置费用。

逃避海关监管将中华人民共和国境外的固体废物运输进境，构成犯罪的，依法追究刑事责任。

**第七十九条** 违反本法规定，经中华人民共和国过境转移危险废物的，由海关责令退运该危险废物，可以并处五万元以上五十万元以下的罚款。

**第八十条** 对已经非法入境的固体废物，由省级以上人民政府环境保护行政主管部门依法向海关提出处理意见，海关应当依照本法第七十八条的规定作出处罚决定；已经造成环境污染的，由省级以上人民政府环境保护行政主管部门责令进口者消除污染。

**第八十一条** 违反本法规定，造成固体废物严重污染环境的，由县级以上人民政府环境保护行政主管部门按照国务院规定的权限决定限期治理；逾期未完成治理任务的，由本级人民政府决定停业或者关闭。

**第八十二条** 违反本法规定，造成固体废物污染环境事故的，由县级以上人民政府环境保护行政主管部门处二万元以上二十万元以下的罚款；造成重大损失的，按照直接损失的百分之三十计算罚款，但是最高不超过一百万元，对负有责任的主管人员和其他直接责任人员,依法给予行政处分;造成固体废物污染环境重大事故的,并由县级以上人民政府按照国务院规定的权限决定停业或者关闭。

**第八十三条** 违反本法规定,收集、贮存、利用、处置危险废物,造成重大环境污染事故,构成犯罪的,依法追究刑事责任。

**第八十四条** 受到固体废物污染损害的单位和个人,有权要求依法赔偿损失。

赔偿责任和赔偿金额的纠纷,可以根据当事人的请求,由环境保护行政主管部门或者其他固体废物污染环境防治工作的监督管理部门调解处理;调解不成的,当事人可以向人民法院提起诉讼。当事人也可以直接向人民法院提起诉讼。

国家鼓励法律服务机构对固体废物污染环境诉讼中的受害人提供法律援助。

**第八十五条** 造成固体废物污染环境的,应当排除危害,依法赔偿损失,并采取措施恢复环境原状。

**第八十六条** 因固体废物污染环境引起的损害赔偿诉讼,由加害人就法律规定的免责事由及其行为与损害结果之间不存在因果关系承担举证责任。

**第八十七条** 固体废物污染环境的损害赔偿责任和赔偿金额的纠纷,当事人可以委托环境监测机构提供监测数据。环境监测机构应当接受委托,如实提供有关监测数据。

## 第六章 附 则

**第八十八条** 本法下列用语的含义:

(一)固体废物,是指在生产、生活和其他活动中产生的丧失原有利用价值或者虽未丧失利用价值但被抛弃或者放弃的固态、半固态和置于容器中的气态的物品、物质以及法律、行政法规规定纳入固体废物管理的物品、物质。

（二）工业固体废物，是指在工业生产活动中产生的固体废物。

（三）生活垃圾，是指在日常生活中或者为日常生活提供服务的活动中产生的固体废物以及法律、行政法规规定视为生活垃圾的固体废物。

（四）危险废物，是指列入国家危险废物名录或者根据国家规定的危险废物鉴别标准和鉴别方法认定的具有危险特性的固体废物。

（五）贮存，是指将固体废物临时置于特定设施或者场所中的活动。

（六）处置，是指将固体废物焚烧和用其他改变固体废物的物理、化学、生物特性的方法，达到减少已产生的固体废物数量、缩小固体废物体积、减少或者消除其危险成份的活动，或者将固体废物最终置于符合环境保护规定要求的填埋场的活动。

（七）利用，是指从固体废物中提取物质作为原材料或者燃料的活动。

**第八十九条**　液态废物的污染防治，适用本法；但是，排入水体的废水的污染防治适用有关法律，不适用本法。

**第九十条**　中华人民共和国缔结或者参加的与固体废物污染环境防治有关的国际条约与本法有不同规定的，适用国际条约的规定；但是，中华人民共和国声明保留的条款除外。

**第九十一条**　本法自 2005 年 4 月 1 日起施行。

# 中华人民共和国放射性污染防治法

（2003 年 6 月 28 日第十届全国人民代表大会常务委员会第三次会议通过　2003 年 6 月 28 日中华人民共和国主席令第 6 号公布　自 2003 年 10 月 1 日起施行）

目　　录



## 第一章　总　　则

**第一条**　为了防治放射性污染，保护环境，保障人体健康，促进核能、核技术的开发与和平利用，制定本法。

**第二条**　本法适用于中华人民共和国领域和管辖的其他海域在核设施选址、建造、运行、退役和核技术、铀（钍）矿、伴生放射性矿开发利用过程中发生的放射性污染的防治活动。

**第三条** 国家对放射性污染的防治，实行预防为主、防治结合、严格管理、安全第一的方针。

**第四条** 国家鼓励、支持放射性污染防治的科学研究和技术开发利用，推广先进的放射性污染防治技术。

国家支持开展放射性污染防治的国际交流与合作。

**第五条** 县级以上人民政府应当将放射性污染防治工作纳入环境保护规划。

县级以上人民政府应当组织开展有针对性的放射性污染防治宣传教育，使公众了解放射性污染防治的有关情况和科学知识。

**第六条** 任何单位和个人有权对造成放射性污染的行为提出检举和控告。

**第七条** 在放射性污染防治工作中作出显著成绩的单位和个人，由县级以上人民政府给予奖励。

**第八条** 国务院环境保护行政主管部门对全国放射性污染防治工作依法实施统一监督管理。

国务院卫生行政部门和其他有关部门依据国务院规定的职责，对有关的放射性污染防治工作依法实施监督管理。

## 第二章 放射性污染防治的监督管理

**第九条** 国家放射性污染防治标准由国务院环境保护行政主管部门根据环境安全要求、国家经济技术条件制定。国家放射性污染防治标准由国务院环境保护行政主管部门和国务院标准化行政主管部门联合发布。

**第十条** 国家建立放射性污染监测制度。国务院环境保护行政主管部门会同国务院其他有关部门组织环境监测网络，对放射性污染实施监测管理。

**第十一条** 国务院环境保护行政主管部门和国务院其他有关部门，按照职责分工，各负其责，互通信息，密切配合，对核设施、铀

(钍)矿开发利用中的放射性污染防治进行监督检查。

县级以上地方人民政府环境保护行政主管部门和同级其他有关部门,按照职责分工,各负其责,互通信息,密切配合,对本行政区域内核技术利用、伴生放射性矿开发利用中的放射性污染防治进行监督检查。

监督检查人员进行现场检查时,应当出示证件。被检查的单位必须如实反映情况,提供必要的资料。监督检查人员应当为被检查单位保守技术秘密和业务秘密。对涉及国家秘密的单位和部位进行检查时,应当遵守国家有关保守国家秘密的规定,依法办理有关审批手续。

**第十二条** 核设施营运单位、核技术利用单位、铀(钍)矿和伴生放射性矿开发利用单位,负责本单位放射性污染的防治,接受环境保护行政主管部门和其他有关部门的监督管理,并依法对其造成的放射性污染承担责任。

**第十三条** 核设施营运单位、核技术利用单位、铀(钍)矿和伴生放射性矿开发利用单位,必须采取安全与防护措施,预防发生可能导致放射性污染的各类事故,避免放射性污染危害。

核设施营运单位、核技术利用单位、铀(钍)矿和伴生放射性矿开发利用单位,应当对其工作人员进行放射性安全教育、培训,采取有效的防护安全措施。

**第十四条** 国家对从事放射性污染防治的专业人员实行资格管理制度;对从事放射性污染监测工作的机构实行资质管理制度。

**第十五条** 运输放射性物质和含放射源的射线装置,应当采取有效措施,防止放射性污染。具体办法由国务院规定。

**第十六条** 放射性物质和射线装置应当设置明显的放射性标识和中文警示说明。生产、销售、使用、贮存、处置放射性物质和射线装置的场所,以及运输放射性物质和含放射源的射线装置的工具,应当设置明显的放射性标志。

**第十七条**　含有放射性物质的产品，应当符合国家放射性污染防治标准；不符合国家放射性污染防治标准的，不得出厂和销售。

使用伴生放射性矿渣和含有天然放射性物质的石材做建筑和装修材料，应当符合国家建筑材料放射性核素控制标准。

## 第三章　核设施的放射性污染防治

**第十八条**　核设施选址，应当进行科学论证，并按照国家有关规定办理审批手续。在办理核设施选址审批手续前，应当编制环境影响报告书，报国务院环境保护行政主管部门审查批准；未经批准，有关部门不得办理核设施选址批准文件。

**第十九条**　核设施营运单位在进行核设施建造、装料、运行、退役等活动前，必须按照国务院有关核设施安全监督管理的规定，申请领取核设施建造、运行许可证和办理装料、退役等审批手续。

核设施营运单位领取有关许可证或者批准文件后，方可进行相应的建造、装料、运行、退役等活动。

**第二十条**　核设施营运单位应当在申请领取核设施建造、运行许可证和办理退役审批手续前编制环境影响报告书，报国务院环境保护行政主管部门审查批准；未经批准，有关部门不得颁发许可证和办理批准文件。

**第二十一条**　与核设施相配套的放射性污染防治设施，应当与主体工程同时设计、同时施工、同时投入使用。

放射性污染防治设施应当与主体工程同时验收；验收合格的，主体工程方可投入生产或者使用。

**第二十二条**　进口核设施，应当符合国家放射性污染防治标准；没有相应的国家放射性污染防治标准的，采用国务院环境保护行政主管部门指定的国外有关标准。

**第二十三条**　核动力厂等重要核设施外围地区应当划定规划

限制区。规划限制区的划定和管理办法,由国务院规定。

**第二十四条** 核设施营运单位应当对核设施周围环境中所含的放射性核素的种类、浓度以及核设施流出物中的放射性核素总量实施监测,并定期向国务院环境保护行政主管部门和所在地省、自治区、直辖市人民政府环境保护行政主管部门报告监测结果。

国务院环境保护行政主管部门负责对核动力厂等重要核设施实施监督性监测,并根据需要对其他核设施的流出物实施监测。监督性监测系统的建设、运行和维护费用由财政预算安排。

**第二十五条** 核设施营运单位应当建立健全安全保卫制度,加强安全保卫工作,并接受公安部门的监督指导。

核设施营运单位应当按照核设施的规模和性质制定核事故场内应急计划,做好应急准备。

出现核事故应急状态时,核设施营运单位必须立即采取有效的应急措施控制事故,并向核设施主管部门和环境保护行政主管部门、卫生行政部门、公安部门以及其他有关部门报告。

**第二十六条** 国家建立健全核事故应急制度。

核设施主管部门、环境保护行政主管部门、卫生行政部门、公安部门以及其他有关部门,在本级人民政府的组织领导下,按照各自的职责依法做好核事故应急工作。

中国人民解放军和中国人民武装警察部队按照国务院、中央军事委员会的有关规定在核事故应急中实施有效的支援。

**第二十七条** 核设施营运单位应当制定核设施退役计划。

核设施的退役费用和放射性废物处置费用应当预提,列入投资概算或者生产成本。核设施的退役费用和放射性废物处置费用的提取和管理办法,由国务院财政部门、价格主管部门会同国务院环境保护行政主管部门、核设施主管部门规定。

## 第四章 核技术利用的放射性污染防治

**第二十八条** 生产、销售、使用放射性同位素和射线装置的单位，应当按照国务院有关放射性同位素与射线装置放射防护的规定申请领取许可证，办理登记手续。

转让、进口放射性同位素和射线装置的单位以及装备有放射性同位素的仪表的单位，应当按照国务院有关放射性同位素与射线装置放射防护的规定办理有关手续。

**第二十九条** 生产、销售、使用放射性同位素和加速器、中子发生器以及含放射源的射线装置的单位，应当在申请领取许可证前编制环境影响评价文件，报省、自治区、直辖市人民政府环境保护行政主管部门审查批准；未经批准，有关部门不得颁发许可证。

国家建立放射性同位素备案制度。具体办法由国务院规定。

**第三十条** 新建、改建、扩建放射工作场所的放射防护设施，应当与主体工程同时设计、同时施工、同时投入使用。

放射防护设施应当与主体工程同时验收；验收合格的，主体工程方可投入生产或者使用。

**第三十一条** 放射性同位素应当单独存放，不得与易燃、易爆、腐蚀性物品等一起存放，其贮存场所应当采取有效的防火、防盗、防射线泄漏的安全防护措施，并指定专人负责保管。贮存、领取、使用、归还放射性同位素时，应当进行登记、检查，做到账物相符。

**第三十二条** 生产、使用放射性同位素和射线装置的单位，应当按照国务院环境保护行政主管部门的规定对其产生的放射性废物进行收集、包装、贮存。

生产放射源的单位，应当按照国务院环境保护行政主管部门的规定回收和利用废旧放射源；使用放射源的单位，应当按照国务院环境保护行政主管部门的规定将废旧放射源交回生产放射源的单位或者送交专门从事放射性固体废物贮存、处置的单位。

**第三十三条** 生产、销售、使用、贮存放射源的单位，应当建立健全安全保卫制度，指定专人负责，落实安全责任制，制定必要的事故应急措施。发生放射源丢失、被盗和放射性污染事故时，有关单位和个人必须立即采取应急措施，并向公安部门、卫生行政部门和环境保护行政主管部门报告。

公安部门、卫生行政部门和环境保护行政主管部门接到放射源丢失、被盗和放射性污染事故报告后，应当报告本级人民政府，并按照各自的职责立即组织采取有效措施，防止放射性污染蔓延，减少事故损失。当地人民政府应当及时将有关情况告知公众，并做好事故的调查、处理工作。

## 第五章　铀(钍)矿和伴生放射性矿开发利用的放射性污染防治

**第三十四条**　开发利用或者关闭铀(钍)矿的单位，应当在申请领取采矿许可证或者办理退役审批手续前编制环境影响报告书，报国务院环境保护行政主管部门审查批准。

开发利用伴生放射性矿的单位，应当在申请领取采矿许可证前编制环境影响报告书，报省级以上人民政府环境保护行政主管部门审查批准。

**第三十五条**　与铀(钍)矿和伴生放射性矿开发利用建设项目相配套的放射性污染防治设施，应当与主体工程同时设计、同时施工、同时投入使用。

放射性污染防治设施应当与主体工程同时验收；验收合格的，主体工程方可投入生产或者使用。

**第三十六条**　铀(钍)矿开发利用单位应当对铀(钍)矿的流出物和周围的环境实施监测，并定期向国务院环境保护行政主管部门和所在地省、自治区、直辖市人民政府环境保护行政主管部门报告监测结果。

**第三十七条**　对铀(钍)矿和伴生放射性矿开发利用过程中产生的尾矿，应当建造尾矿库进行贮存、处置；建造的尾矿库应当符合放射性污染防治的要求。

**第三十八条**　铀(钍)矿开发利用单位应当制定铀(钍)矿退役计划。铀矿退役费用由国家财政预算安排。

## 第六章　放射性废物管理

**第三十九条**　核设施营运单位、核技术利用单位、铀(钍)矿和伴生放射性矿开发利用单位,应当合理选择和利用原材料,采用先进的生产工艺和设备,尽量减少放射性废物的产生量。

**第四十条**　向环境排放放射性废气、废液,必须符合国家放射性污染防治标准。

**第四十一条**　产生放射性废气、废液的单位向环境排放符合国家放射性污染防治标准的放射性废气、废液,应当向审批环境影响评价文件的环境保护行政主管部门申请放射性核素排放量,并定期报告排放计量结果。

**第四十二条**　产生放射性废液的单位,必须按照国家放射性污染防治标准的要求,对不得向环境排放的放射性废液进行处理或者贮存。

产生放射性废液的单位,向环境排放符合国家放射性污染防治标准的放射性废液,必须采用符合国务院环境保护行政主管部门规定的排放方式。

禁止利用渗井、渗坑、天然裂隙、溶洞或者国家禁止的其他方式排放放射性废液。

**第四十三条**　低、中水平放射性固体废物在符合国家规定的区域实行近地表处置。

高水平放射性固体废物实行集中的深地质处置。

α放射性固体废物依照前款规定处置。

禁止在内河水域和海洋上处置放射性固体废物。

**第四十四条**　国务院核设施主管部门会同国务院环境保护行

政主管部门根据地质条件和放射性固体废物处置的需要，在环境影响评价的基础上编制放射性固体废物处置场所选址规划，报国务院批准后实施。

有关地方人民政府应当根据放射性固体废物处置场所选址规划，提供放射性固体废物处置场所的建设用地，并采取有效措施支持放射性固体废物的处置。

**第四十五条** 产生放射性固体废物的单位，应当按照国务院环境保护行政主管部门的规定，对其产生的放射性固体废物进行处理后，送交放射性固体废物处置单位处置，并承担处置费用。

放射性固体废物处置费用收取和使用管理办法，由国务院财政部门、价格主管部门会同国务院环境保护行政主管部门规定。

**第四十六条** 设立专门从事放射性固体废物贮存、处置的单位，必须经国务院环境保护行政主管部门审查批准，取得许可证。具体办法由国务院规定。

禁止未经许可或者不按照许可的有关规定从事贮存和处置放射性固体废物的活动。

禁止将放射性固体废物提供或者委托给无许可证的单位贮存和处置。

**第四十七条** 禁止将放射性废物和被放射性污染的物品输入中华人民共和国境内或者经中华人民共和国境内转移。

## 第七章 法律责任

**第四十八条** 放射性污染防治监督管理人员违反法律规定，利用职务上的便利收受他人财物、谋取其他利益，或者玩忽职守，有下列行为之一的，依法给予行政处分；构成犯罪的，依法追究刑事责任：

（一）对不符合法定条件的单位颁发许可证和办理批准文件的；

（二）不依法履行监督管理职责的；

（三）发现违法行为不予查处的。

**第四十九条**　违反本法规定，有下列行为之一的，由县级以上人民政府环境保护行政主管部门或者其他有关部门依据职权责令限期改正，可以处二万元以下罚款：

（一）不按照规定报告有关环境监测结果的；

（二）拒绝环境保护行政主管部门和其他有关部门进行现场检查，或者被检查时不如实反映情况和提供必要资料的。

**第五十条**　违反本法规定，未编制环境影响评价文件，或者环境影响评价文件未经环境保护行政主管部门批准，擅自进行建造、运行、生产和使用等活动的，由审批环境影响评价文件的环境保护行政主管部门责令停止违法行为，限期补办手续或者恢复原状，并处一万元以上二十万元以下罚款。

**第五十一条**　违反本法规定，未建造放射性污染防治设施、放射防护设施，或者防治防护设施未经验收合格，主体工程即投入生产或者使用的，由审批环境影响评价文件的环境保护行政主管部门责令停止违法行为，限期改正，并处五万元以上二十万元以下罚款。

**第五十二条**　违反本法规定，未经许可或者批准，核设施营运单位擅自进行核设施的建造、装料、运行、退役等活动的，由国务院环境保护行政主管部门责令停止违法行为，限期改正，并处二十万元以上五十万元以下罚款；构成犯罪的，依法追究刑事责任。

**第五十三条**　违反本法规定，生产、销售、使用、转让、进口、贮存放射性同位素和射线装置以及装备有放射性同位素的仪表的，由县级以上人民政府环境保护行政主管部门或者其他有关部门依据职权责令停止违法行为，限期改正；逾期不改正的，责令停产停业或者吊销许可证；有违法所得的，没收违法所得；违法所得十万元以上的，并处违法所得一倍以上五倍以下罚款；没有违法所得或者违法所得不足十万元的，并处一万元以上十万元以下罚款；构成犯罪的，依法追究刑事责任。

**第五十四条** 违反本法规定，有下列行为之一的，由县级以上人民政府环境保护行政主管部门责令停止违法行为，限期改正，处以罚款；构成犯罪的，依法追究刑事责任：

（一）未建造尾矿库或者不按照放射性污染防治的要求建造尾矿库，贮存、处置铀（钍）矿和伴生放射性矿的尾矿的；

（二）向环境排放不得排放的放射性废气、废液的；

（三）不按照规定的方式排放放射性废液，利用渗井、渗坑、天然裂隙、溶洞或者国家禁止的其他方式排放放射性废液的；

（四）不按照规定处理或者贮存不得向环境排放的放射性废液的；

（五）将放射性固体废物提供或者委托给无许可证的单位贮存和处置的。

有前款第（一）项、第（二）项、第（三）项、第（五）项行为之一的，处十万元以上二十万元以下罚款；有前款第（四）项行为的，处一万元以上十万元以下罚款。

**第五十五条** 违反本法规定，有下列行为之一的，由县级以上人民政府环境保护行政主管部门或者其他有关部门依据职权责令限期改正；逾期不改正的，责令停产停业，并处二万元以上十万元以下罚款；构成犯罪的，依法追究刑事责任：

（一）不按照规定设置放射性标识、标志、中文警示说明的；

（二）不按照规定建立健全安全保卫制度和制定事故应急计划或者应急措施的；

（三）不按照规定报告放射源丢失、被盗情况或者放射性污染事故的。

**第五十六条** 产生放射性固体废物的单位，不按照本法第四十五条的规定对其产生的放射性固体废物进行处置的，由审批该单位立项环境影响评价文件的环境保护行政主管部门责令停止违法行为，限期改正；逾期不改正的，指定有处置能力的单位代为处置，所需费用由产生放射性固体废物的单位承担，可以并处二十万元以下罚款；构成犯罪的，依法追究刑事责任。

**第五十七条** 违反本法规定，有下列行为之一的，由省级以上人民政府环境保护行政主管部门责令停产停业或者吊销许可证；有违法所得的，没收违法所得；违法所得十万元以上的，并处违法所得一倍以上五倍以下罚款；没有违法所得或者违法所得不足十万元的，并处五万元以上十万元以下罚款；构成犯罪的，依法追究刑事责任：

（一）未经许可，擅自从事贮存和处置放射性固体废物活动的；

（二）不按照许可的有关规定从事贮存和处置放射性固体废物活动的。

**第五十八条** 向中华人民共和国境内输入放射性废物和被放射性污染的物品，或者经中华人民共和国境内转移放射性废物和被放射性污染的物品的，由海关责令退运该放射性废物和被放射性污染的物品，并处五十万元以上一百万元以下罚款；构成犯罪的，依法追究刑事责任。

**第五十九条** 因放射性污染造成他人损害的，应当依法承担民事责任。

## 第八章 附 则

**第六十条** 军用设施、装备的放射性污染防治，由国务院和军队的有关主管部门依照本法规定的原则和国务院、中央军事委员会规定的职责实施监督管理。

**第六十一条** 劳动者在职业活动中接触放射性物质造成的职业病的防治，依照《中华人民共和国职业病防治法》的规定执行。

**第六十二条** 本法中下列用语的含义：

（一）放射性污染，是指由于人类活动造成物料、人体、场所、环境介质表面或者内部出现超过国家标准的放射性物质或者射线。

（二）核设施，是指核动力厂（核电厂、核热电厂、核供汽供热厂等）和其他反应堆（研究堆、实验堆、临界装置等）；核燃料生产、加工、贮存和后处理设施；放射性废物的处理和处置设施等。

（三）核技术利用，是指密封放射源、非密封放射源和射线装置在医疗、工业、农业、地质调查、科学研究和教学等领域中的使用。

（四）放射性同位素，是指某种发生放射性衰变的元素中具有相同原子序数但质量不同的核素。

（五）放射源，是指除研究堆和动力堆核燃料循环范畴的材料以外，永久密封在容器中或者有严密包层并呈固态的放射性材料。

（六）射线装置，是指 X 线机、加速器、中子发生器以及含放射源的装置。

（七）伴生放射性矿，是指含有较高水平天然放射性核素浓度的非铀矿（如稀土矿和磷酸盐矿等）。

（八）放射性废物，是指含有放射性核素或者被放射性核素污染，其浓度或者比活度大于国家确定的清洁解控水平，预期不再使用的废弃物。

**第六十三条** 本法自 2003 年 10 月 1 日起施行。

# 全国人民代表大会环境与资源保护委员会关于提请审议《中华人民共和国环境保护法修正案(草案)》的议案

全国人民代表大会常务委员会:

根据第十一届全国人大常委会立法规划和2012年立法工作计划的要求,全国人大环境与资源保护委员会会同有关方面,在认真总结实践经验、深入调查研究的基础上,拟订了《中华人民共和国环境保护法修正案(草案)》。修正案草案已经全国人大环境与资源保护委员会第二十七次会议审议,现提请全国人民代表大会常务委员会审议。

全国人民代表大会环境与资源保护委员会

2012年8月2日

# 关于《中华人民共和国环境保护法修正案(草案)》的说明

——2012 年 8 月 27 日在第十一届全国人民代表大会常务委员会第二十八次会议上

全国人大环境与资源保护委员会主任委员　汪光焘

委员长、各位副委员长、秘书长、各位委员:

我受全国人大环境与资源保护委员会委托,作关于《中华人民共和国环境保护法修正案(草案)》的说明。

## 一、环境保护法若干条文修改的提出

从 1979 年试行到 1989 年正式实施的环境保护法明确了立法目标“为保护和改善生活环境与生态环境,防治污染和其他公害,保障人体健康,促进社会主义现代化建设的发展”,同时定义“环境是指影响人类生存和发展的各种天然的和经过人工改造的自然因素的总体”,确立了环境标准、环境影响评价、排污收费、限期治理等一系列基本制度。从上世纪八十年代开始,全国人大常委会根据污染防治和生态保护各领域特点,相继制定了海洋环境保护法、水法、草原法、大气污染防治法、固体废物污染环境防治法、水污染防治法、环境噪声污染防治法、环境影响评价法、清洁生产促进法、循环经济促进法和节约能源法等二十余部法律,形成了以法律制度和科技促进产业结构调整、促进经济增长方式转变、保护和改善环境，为推动建设资源节约型、环境友好型社会，不断改进和完善了我国环境和资源保护法律。从1995年八届全国人大三次会议到2011年十一届全国人大五次会议，全国人大代表共2474人次以及台湾代表团、海南代表团提出修改环境保护法的议案78件，反映现行环境保护法是经济体制改革初期制定的，已经不适应经济社会发展要求，社会各方面修改呼声很高。十一届全国人大常委会将修改环境保护法列入了五年立法规划的论证项目。

根据常委会立法规划，我委结合办理代表议案和建议，梳理了历年来有关修改环境保护法的全国人大代表议案和建议内容，收集了国务院有关部门和有关专家的意见，从2008年到2010年开展了环境保护法及其相关法律的后评估工作，根据各项后评估成果，形成了一系列论证报告，认为环境保护的相关法律比较完善，编纂环境保护法典是长期任务，修改现行环境保护法应当推动法律的实施和行政责任的落实是当务之急。当前修改现行环境保护法应当体现进入新世纪以来国家提出的指导思想，强化政府责任和监督，加强法律责任和追究，修改与后来制定单行法的一些不衔接规定，推动专项法律的实施。十一届全国人大常委会第十八次会议审议同意了环资委的意见，将环境保护法修改列入全国人大常委会2011年立法工作计划。

2011年1月，全国人大环资委启动了环境保护法条文修改工作，成立了以蒲海清副主任委员为组长的修改小组，多次听取环境保护部等国务院有关部门和有关专家的意见，并于4月至9月分别赴湖南、湖北、重庆、福建、江苏、陕西等地进行调研，并在江苏省徐州市召集各省、自治区、直辖市人大环资委、提出议案的部分全国人大代表及全国人大常委会法工委对环境保护法修改进行研讨。我委还专题就环境保护规划、环境监测、排污收费和限期治理等召开了专家和部门的座谈会。在草案起草过程中，书面征求全国人大常委会法工委、最高人民法院、中编办等18个中央机构与国务院部门和31个省、自治区、直辖市人大的意见后进一步研究和修改，今年3月又在上海听取全国人大五次会议四件代表议案领衔人和地方意见。经全国人大环境与资源保护委员会第二十七次全体会议审议，并再次修改形成了目前的草案。

二、环境保护法条文修改的主要内容

本次条文修改的指导思想是，认真落实中国特色社会主义法律体系形成后要更加注重法律修改完善工作的要求，围绕十一届全国人大常委会第十八次会议同意的环境保护法议案审议意见，明确新世纪环境保护工作的指导思想，加强政府责任和责任监督，衔接和规范法律制度，推进环境保护法及其相关法律的实施。

本次条文修改遵循的原则是，修改主要针对条件比较成熟、各方面意见比较一致、现实中迫切需要修改、在环境保护工作中具有共性的条文，不涉及要求对其他现行法律规定进行修改的内容，注意相关法律之间和相关法律制度之间的关联，实现保护和改善环境质量。

在本次条文修改中，有的部门提出增加行政管理体制和职责方面的要求，有的提出排污许可制度、环境污染责任保险、环境功能区划等意见。对这些意见，现行环境保护法未涉及，并且国务院相关业务主管部门之间意见分歧较大，建议进一步研究和实践，通过适时修改有关法律或者建立和完善行政法规来解决，因此，本次修改未采纳这些意见。

修改后的法律草案共七章四十七条，修改现行环境保护法二十一条，新增四条，合并八条。现就主要修改内容说明如下：

（一）修改总则，充分体现新时期对环境保护工作的指导思想

在改革开放和现代化建设的新时期，全面贯彻落实科学发展观，重点是处理好经济和社会发展与资源利用和环境保护的关系。现行环境保护法第四条关于环境保护工作的总体要求是将其纳入国民经济和社会发展规划，显然不符合时代要求。因此，草案顺应

时代要求,在总则中进一步强化环境保护的战略地位,依照《国务院关于落实科学发展观加强环境保护决定》以及《国务院关于加强环境保护重点工作的意见》确定的总体要求,将环境保护融入经济社会发展。草案规定环境保护工作应当依靠科技进步、发展循环经济、倡导生态文明、强化环境法治、完善监管体制、建立长效机制;制定环境保护规划,应当坚持"保护优先、预防为主、综合治理、突出重点、全面推进的原则";明确国家采取相应的经济、技术政策和措施,健全生态补偿机制,使经济建设和社会发展与环境保护相协调。(草案第四条、第十二条)

(二)调整篇章结构,突出强调政府责任、监督和法律责任

落实政府和排污单位责任,是历年代表议案中突出关注的问题,也是修改时增加的重要内容。近些年,涉及环境与资源保护的行政人员违法案件呈上升趋势。对政府及其有关部门滥用行政权力和不作为的监督缺乏法律规定是现行相关法律的共性问题。现行环境保护法关于政府责任仅有一条原则性规定,草案将其扩展增加为"监督检查"一章,强化监督检查措施,落实政府责任(草案第五章)。现行环境保护法第二章的标题由"环境监督管理"相应地修改为"环境管理"。

政府对排污单位的监督。针对当前环境设施不依法正常运行、监测记录不准确等比较突出的问题,草案增加了现场检查的具体内容。(草案第三十三条)

公众对政府和排污单位的监督。环境信息公开是保障公众环境知情权的基本手段和公众监督机制的重要内容。草案新增了一条关于环境信息公开的内容,规定国务院环境保护行政主管部门统一发布国家环境综合性报告和重大环境信息。政府及其环境保护行政主管部门应当依法公开环境信息的责任以及公民、法人或者其他组织可以依法申请获取环境信息。(草案第三十四条)

上级政府机关对下级政府机关的监督。加强地方政府对环境

质量责任，草案增加规定了环境保护目标责任制和考核评价制度，并规定上级政府及主管部门对下级部门或工作人员工作监督的责任。（草案第三十五条）

发挥人大监督作用。政府定期向人大报告环保工作是实践中促进和加强环保工作的一项行之有效的工作经验。草案增加规定了政府应当定期向本级人大常委会报告本行政区域环境状况和环境保护目标的完成情况，对发生重大突发污染事件的，还应当专项报告，突出了人大常委会监督落实政府环境保护的责任。（草案第三十六条）

同时，对应条文修改，草案完善了法律责任一章的内容，重点补充了依法追究相关行政机关及其责任人和国家工作人员法律责任的规定（草案第六章）。

（三）完善环境管理基本制度，保护改善我国环境质量和生态环境

草案补充完善现行环境保护法第二章规定基本制度，增强针对性和可操作性。

完善环境质量标准制度。环境基准是指环境要素中污染物等对生态系统和人群健康不产生不良或有害效应的最大限值，是国家进行环境质量评价、制定环境保护目标与方向的科学基础。目前，符合我国国情的环境基准缺失，现行我国环境标准主要是在借鉴发达国家环境基准和标准制度上制定的。构建符合我国区域特点和社会经济发展条件的国家环境基准体系，支撑我国环境标准的制定工作，是“十一五”和“十二五”环境保护科技规划的重要内容，国家现已建立了重点工程试验中心，建立国家环境基准已具备基本框架。为此，草案增加了要求科学确定符合我国国情的环境基准的规定，这也是我们国家自主自立的体现。（草案第九条）

完善环境监测制度。环境监测制度是生态环境评价和保护的重要制度。现行环境保护法及其相关法律对环境监测提出了原则

要求。较长时间以来,我国同一地区、同一流域不同部门公布的环境质量数据不同,环境质量评价不一,对社会有负面影响。环境评价监测点的设置和监测数据是环境质量评价的依据,监测数据依法公开是实现公众参与的基础。草案通过规范制度来保障监测数据和环境质量评价的统一,规定国家建立监测网络和监测数据信息体系,统一规划设置监测网络;环境质量和污染物排放监测数据应当纳入监测数据信息体系,作为评价环境质量的依据;从事环境监测工作应当遵守国家监测规范,监测机构负责人对监测数据的真实性和准确性负责,监测数据依法公开。(草案第十一条)

规范环境保护规划制度。长期以来将环境保护规划分成两部分,分别制定以污染防治为主的环境保护规划和生态保护规划。现行环境保护法规定了环境保护规划的原则要求,污染防治和生态保护的脱节已难以实现环境保护法保护人居环境和生态环境的立法宗旨。草案按照现行环境保护法关于环境的法律定义,规定国家环境保护规划的内容应当包括自然生态保护和环境污染防治的目标、主要任务、保障措施等。(草案第十二条)

衔接环境影响评价制度。2002 年全国人大常委会通过了环境影响评价法。草案与现行的环境影响评价法做了衔接性规定,并将现行环境影响评价制度与环境保护的其他制度和相关工作进行了衔接。(草案第十三条、第二十六条、第二十八条)

完善跨行政区污染防治制度。这是现实迫切需要法律规范完善的制度。近十年国务院已经批准了一批跨地区或跨流域规划,处理跨行政区域的协力合作问题,包括建立目标、建立相关地方政府间的保护和改善环境的义务和责任。对于跨行政区污染防治,现行环境保护法仅在第十五条做出有关政府协商解决的原则性规定。因此,草案明确规定跨行政区重点区域、流域污染防治和生态保护工作,应当依据国务院批准的重点区域、流域污染防治和生态保护规划和相应责任做出决定,并规定了规划的具体内容。(草案

第十四条）

补充总量控制制度。总量控制制度是环境保护工作从控制污染物排放浓度到保护和改善环境质量的重要措施。我国从20世纪末开始实行总量控制制度，在“十一五”和“十二五”国民经济和社会发展规划中重点污染物减排指标还列为约束性指标。水污染防治法和大气污染防治法修改时都已对总量控制制度作了规定，根据生态环境保护的要求，总量控制将涉及更多方面。因此，草案一是规定国家对重点污染物实行排放总量控制制度。二是建立对地方政府的监督机制。对尚未达到环境质量标准的重点区域、流域，以及超过国家重点污染物排放总量控制约束性指标的地区，国务院和省、自治区、直辖市人民政府环境保护行政主管部门可以暂停审批新增重点污染物排放总量的建设项目环境影响评价文件。地方政府应当确定该重点区域、流域总量控制的污染物种类及控制指标，在规定期限内达到环境质量标准，以促进地方政府调整产业结构，推动地方开展清洁生产审核工作。三是明确规定对企业事业单位应当遵守国家或者地方政府确定的重点污染物总量控制约束性指标。（草案第十九条）

完善保护环境的具体措施。为了推动解决资源开发利用中的环境破坏、农村环境污染、城市环境保护基础设施建设不足等问题，在现行环境保护法有关条款规定基础上，草案一是规定在资源开发利用中应当依法制定并实施有关保护生态环境和恢复治理的方案。二是规定加强农业生产环境保护监管，明确通过财政预算支持农村环境治理。三是规定重点加强城市环境保护公共设施建设。（草案第十八条、第二十条、第二十三条）

（四）进一步明确企业责任，完善防治污染和其他公害的制度

草案从明确企业污染防治责任和突发事件应对的责任出发，相应完善了防治污染和其他公害的制度。

进一步完善企业污染防治责任制度。这次修改时要着重解决

违法成本低、守法成本高的问题,同时明确企业不仅要对减少排放污染物负责,也要对排放污染物对公共环境质量造成的影响承担责任。草案一是规定了环境保护责任制度,进一步明确排污单位的环境保护责任,包括企业负责人的环保责任制度和向职工代表大会报告环保工作并接受监督机制的规定。二是规定了企业事业单位应当依法开展监测,并依法公开监测数据的规定。三是规范了关于限期治理的规定,补充了企业应当制定并组织实施限期治理计划,接受政府监督的内容。四是完善排放污染物申报和收费制度,将现行环境保护法超标排放收费修改为申报和收费制度。规定按照排放污染物的种类和对环境的危害程度征缴费用,征缴费用的具体办法由国务院根据有关法律制定,对排污费的缴纳和使用做出原则性规定,并为今后国家设立环境税留有空间。(草案第二十四条、第二十七条、第二十八条、第四十条)

衔接突发环境污染事件应对的规定。突发环境污染事件已经成为影响社会和谐稳定的重要问题之一,突发事件应对法已对突发事件作了规定,草案增加了与之衔接的条款,并针对环境污染事故的企业责任和防治次生灾害作了衔接性规定。一是应当依法加强环境污染风险的控制;二是在应对突发事件时,应当避免或减少对环境造成损害;三是在突发环境污染事件应急处置工作结束后,应当及时组织评估事件造成的环境影响和损失。(草案第三十条)

草案还做了一些文字修改。

《中华人民共和国环境保护法修正案(草案)》和以上说明是否妥当,请审议。

# 全国人民代表大会法律委员会关于《中华人民共和国环境保护法修正案(草案)》修改情况的汇报

全国人民代表大会常务委员会:

十一届全国人大常委会第二十八次会议对环境保护法修正案(草案)进行了初次审议。会后,法制工作委员会将草案印发各省(区、市)和中央有关部门、社会团体等单位征求意见。中国人大网全文公布草案,征求社会公众意见。法律委员会、环境与资源保护委员会和法制工作委员会联合召开座谈会,听取全国人大代表、有关部门、环保组织和专家的意见。法律委员会、法制工作委员会还到山西和山东调研,并就草案中的主要问题同环境与资源保护委员会、国务院法制办公室、环境保护部交换意见,共同研究。法律委员会于5月30日召开会议,根据常委会组成人员的审议意见和各方面的意见,对草案进行了逐条审议。环境与资源保护委员会和国务院法制办公室、环境保护部有关负责同志列席了会议。法律委员会认为,在修正案草案初次审议和征求意见过程中,常委会组成人员和各有关方面对环境保护法的定位、基本制度及主要内容等提出了许多修改意见和建议,根据党的十八大对推进生态文明建设提出的新要求和各方面的意见,有必要对修正案草案作进一步修改完善。6月17日,法律委员会召开会议,再次进行了审议。现将环境保护法修正案(草案)主要问题的修改情况汇报如下:

一、有些常委会组成人员、部门提出，目前环境保护方面的法律有 30 多部，行政法规有 90 多部，应当将环境保护法定位为环境领域的基础性、综合性法律，主要规定环境保护的基本原则和基本制度，解决共性问题。征求意见中，各方面都赞成这个意见。法律委员会经研究认为，草案修改中应注意把握好这个定位，对相关内容进行分析取舍，同时，要充分体现党的十八大关于生态文明建设的精神，建议作如下修改：一是在环境保护法第一条中增加“推进生态文明建设，促进经济社会可持续发展”的规定（修正案草案二次审议稿第一条）。二是增加规定“保护环境是国家的基本国策”，并明确“环境保护坚持保护优先、预防为主、综合治理、公众参与、污染者担责的原则。”（修正案草案二次审议稿第二条第一款、第三条）三是进一步明确“环境保护依靠科学技术进步。国家支持环境保护科学技术的研究、开发和应用，鼓励环境保护产业的发展，促进环境保护信息化建设，提高环境保护科学技术水平。”（修正案草案二次审议稿第五条）

二、有的常委委员、部门和专家提出，环境保护法应当强化保护环境是全社会共同责任的理念，明确政府、企业事业单位和公民都有义务保护环境。法律委员会经研究，建议规定：“地方各级人民政府应当对本行政区域的环境质量负责。”“企业事业单位和其他生产经营者应当防止、减少环境污染，承担污染环境、破坏生态的责任。”“公民应当增强环境保护意识，自觉履行保护环境的义务。”（修正案草案二次审议稿第四条第二款、第三款、第四款）

三、有些常委委员、地方、专家和社会公众提出，应当在法律中强化环境保护宣传和教育，引导公民自觉履行环境保护义务。法律委员会经研究，建议增加规定：“各级人民政府应当加强环境保护宣传，鼓励基层群众性自治组织、社会组织开展环境保护法律、法规以及环境保护知识的宣传工作，营造保护环境的良好风气。”“教育行政部门、学校应当将环境保护知识纳入学校教育内容，培养青少年的环境保护意识。”“新闻媒体应当开展环境保护法律、法规以及环境保护知识的宣传，对环境违法行为进行舆论监督。”（修正案草案二次审议稿第六条）

**四**、有些常委委员、部门和社会公众提出，应当将环境保护工作中一些行之有效的措施和做法上升为法律，完善环境保护基本制度。法律委员会经研究，建议作如下修改：一是修改完善环境监测制度，增加“建立环境信息共享机制”的规定（修正案草案二次审议稿第十条第一款）。二是增加规定“未依法进行环境影响评价的建设项目，不得开工建设。”（修正案草案二次审议稿第十一条第二款）“建设单位未依法提交建设项目环境影响评价文件，擅自开工建设的，由环境保护行政主管部门责令停止建设，处以罚款，并可以责令恢复原状。”（修正案草案二次审议稿第四十条）三是明确联合防治协调机制，规定“国家建立跨行政区重点区域、流域环境污染和生态破坏联合防治协调机制，实行统一规划、统一监测，实施统一的防治措施。”（修正案草案二次审议稿第十二条第二款）四是增加环境经济激励措施，规定“企业事业单位和其他生产经营者，在污染物排放已经达标的基础上，通过采取技术改造等措施，进一步减少污染物排放的，以及按照产业结构和城乡规划布局调整的要求关闭、搬迁、转产的，人民政府应当依法采取财政、价格、信贷、政府采购等方面的政策和措施予以支持。”（修正案草案二次审议稿第十三条）五是进一步强化地方各级人民政府对环境质量的责任，增加规定“未达到国家环境质量标准的重点区域或者流域的有关地方人民政府，应当制定限期达标规划，并采取措施按期达标。”（修正案草案二次审议稿第十七条第二款）六是加强对引进外来物种等行为的规范，规定“引进外来物种以及研究、开发和利用生物技术，应当采取有效措施，防止对生物多样性的破坏。”（修正案草案二次审议稿第十八条第二款）七是增加规定“国家建立、健全生态保护补偿机制。”（修正案草案二次审议稿第十九条）

**五**、有些常委委员提出，目前农业和农村污染问题严重，应当强化对农村环境的保护。法律委员会经研究，建议作如下修改：一是增加规定各级人民政府应当“促进农业环境保护新技术的使用，加强对农业污染源的监测预警，统筹有关部门采取措施”，保护农村环境（修正案草案二次审议稿第二十条第一款）。二是增加规定“县级人民政府应当提高农村环境保护公共服务水平，推动农村环境综合整治。”（修正案草案二次审议稿第二十条第二款）三是规定“施用农药、肥料等农业投入品及进行灌溉，应当采取有效措施，防止重金属及其他有毒有害物质污染环境。”（修正案草案二次审议稿第二十八条第二款）四是规定，畜禽养殖场、养殖小区、定点屠宰企业应“采取有效措施，对畜禽粪便、尸体、污水等废弃物进行科学处置，防止污染环境。”（修正案草案二次审议稿第二十八条第三款）五是增加规定“县级人民政府负责组织农村生活废弃物的处置工作。”（修正案草案二次审议稿第二十八条第四款）

**六**、有些常委委员、部门和社会公众提出，环境保护需要全社会的共同参与，应当建立公众有序参与的机制。法律委员会经研究，建议对环境信息公开和公众参与作专章规定。一是明确公众的知情权、参与权和监督权，规定“公民、法人和其他组织依法享有获取环境信息、参与和监督环境保护的权利。”“各级人民政府及其有关部门应当依法公开环境信息、完善公众参与程序，为公民、法人和其他组织参与和监督环境保护提供便利。”（修正案草案二次审议稿第三十一条）二是明确重点排污单位应当主动公开环境信息，规定“重点排污单位应当向社会公开其主要污染物的名称、排放方式、排放浓度和总量、超标情况，以及污染防治设施的建设和运行情况。”（修正案草案二次审议稿第三十三条）并规定了相应的法律责任（修正案草案二次审议稿第四十一条）。三是完善建设项目环境影响评价的公众参与，规定“对依法应当编制环境影响报告书的建设项目，建设单位应当在编制时向公众说明情况，征求意见。”“环境保护行政主管部门在收到建设项目环境影响报告书后，除涉及国家秘密和商业秘密的事项外，应当予以公开。发现建设项目未充分征求公众意见的，应当责成建设单位征求公众意见。”（修正案草案二次审议稿第三十四条）四是明确环境公益诉讼制度，规定“对污染环境、破坏生态，损害社会公共利益的行为，中华环保联合会以及在省、自治区、直辖市设立的环保联合会可以向人民法院提起诉讼。”（修正案草案二次审议稿第三十六条）

**七、**有些常委委员、地方和部门提出，目前环保领域“违法成本低、守法成本高”的问题突出，应当加大对违法行为的处罚力度。法律委员会经研究，建议作如下修改：增加规定“企业事业单位和其他生产经营者通过暗管、渗井、渗坑、高压灌注或者以其他逃避监管的方式排放污染物，构成犯罪的，依法追究刑事责任；尚不构成犯罪的，对其直接负责的主管人员和其他直接责任人员，依照《中华人民共和国治安管理处罚法》第三十条的规定予以处罚。”（修正案草案二次审议稿第三十八条）另外，还规定“企业事业单位违法排放污染物，受到罚款处罚，被责令限期改正，逾期不改正的，依法作出处罚决定的行政机关可以按照原处罚数额按日连续处罚。”（修正案草案二次审议稿第三十七条）同时，对政府及有关部门的工作人员在执行职务过程中滥用职权、玩忽职守、徇私舞弊的行为，相应加大了处罚力度（修正案草案二次审议稿第四十三条）。

还有一个问题需要汇报。这次环境保护法的修改是以修正案的方式提请常委会审议的，在审议和征求意见过程中，有些常委委员、地方、部门和专家提出，环境保护法作为环境领域的基础性、综合性法律，应当回应环境保护的制度需求，解决环境保护的突出问题，建议采用修订方式对这部法律作全面修改。法律委员会建议对这一问题作进一步研究。

此外，还对修正案草案作了一些文字修改。

修正案草案二次审议稿已按上述意见作了修改，法律委员会建议提请本次常委会会议继续审议。

修正案草案二次审议稿和以上汇报是否妥当，请审议。

全国人民代表大会法律委员会
2013 年 6 月 26 日

# 全国人民代表大会法律委员会关于《中华人民共和国环境保护法修正案(草案)》修改情况的汇报

全国人民代表大会常务委员会:

常委会第三次会议对环境保护法修正案草案进行了二次审议。会后,法制工作委员会在中国人大网公布修正案草案二次审议稿,再次向社会公开征求意见。法律委员会、法制工作委员会到黑龙江和河北调研,并召开有关部门、企业、专家座谈会,听取意见,就主要问题同环境与资源保护委员会、国务院法制办公室、环境保护部、国家发展和改革委员会、财政部、国土资源部等部门交换意见,共同研究。法律委员会于9月29日召开会议,根据常委会组成人员的审议意见和各方面意见,对草案进行了逐条审议。环境与资源保护委员会、国务院法制办公室和环境保护部有关负责同志列席了会议。10月15日,法律委员会召开会议,再次进行了审议。现将环境保护法修正案(草案二次审议稿)主要问题的修改情况汇报如下:

一、有些常委委员、社会公众提出,目前环境污染形势严峻,治理污染和保护生态的任务繁重,应当进一步明确政府责任,增加环境保护财政投入,并采取有力措施支持环保产业发展。法律委员会经研究,建议增加规定:“各级人民政府应当加大保护和改善环境、防治污染和其他公害的财政投入,提高财政资金的使用效益。”

（修订草案第八条）“国家采取财政、税收、价格、政府采购等方面的政策和措施，支持环境保护技术装备、资源综合利用和环境服务等环境保护产业的发展。”（修订草案第三十三条）

**二**、有些常委委员、代表、部门和社会公众提出，应当进一步处理好经济发展与环境保护之间的关系，政府制定经济、技术政策，应当充分考虑对环境的影响，实现科学决策。法律委员会经研究，建议增加规定：“国务院有关部门和省、自治区、直辖市人民政府组织拟订经济、技术政策，应当充分考虑对环境的影响，听取有关方面和专家的意见。”（修订草案第十三条）

**三**、有些地方、部门提出，目前企业违法排污情况严重，环保部门缺乏有效手段及时制止，应当赋予环保部门相应的执法手段。法律委员会经研究，建议增加规定：“县级以上人民政府环境保护行政主管部门和其他负有环境保护监督管理职责的部门，可以依照有关法律的规定查封、扣押企业事业单位和其他生产经营者违法排放污染物的设施、设备。”（修订草案第二十一条）

**四**、修正案草案二次审议稿第十五条第一款对环境保护目标责任制和考核评价制度作出了规定。有些常委委员、代表、部门和社会公众提出，应当进一步落实政府责任，把环境保护目标完成情况放在考核的突出位置，加强对负有环境保护监督管理职责的部门的考核。法律委员会经研究，建议将这一款修改为：“国家实行环境保护目标责任制和考核评价制度。国务院和地方人民政府将环境保护目标完成情况作为对本级人民政府负有环境保护监督管理职责的部门及其负责人和下级人民政府及其负责人的考核内容。考核结果应当作为对考核对象考核评价的重要依据，并向社会公开。”（修订草案第二十二条第一款）

**五**、有些常委委员提出，生态保护补偿机制是落实环境保护工作任务的一项重要举措，本法应进一步明确生态保护补偿的机制。四月常委会会议听取了国务院关于生态补偿机制建设工作情况的报告,报告提出要建立生态补偿长效机制,明确了生态补偿机制的主要方式。法律委员会经研究,建议增加规定:“国家加大对生态保护地区的财政转移支付力度。有关地方人民政府应当落实生态保护补偿资金,确保其用于生态保护补偿。”“国家鼓励和引导受益地区和生态保护地区人民政府通过协商或者按照市场规则进行生态保护补偿。”(修订草案第二十七条第二款、第三款)

**六、**有些常委委员、代表提出,土壤污染已经成为当前环境保护面临的突出问题,有关方面正在加紧研究起草土壤污染防治法,本法作为规定环境保护基本制度的法律,应当对土壤环境保护问题作出原则规定。法律委员会经研究,建议增加规定:“国家建立土壤环境调查、监测、评估和修复制度。”(修订草案第二十九条)

**七、**有的常委委员、部门提出,保护环境是全社会的共同责任,国家机关应当起表率作用,带头使用节能环保产品。法律委员会经研究,建议增加规定:“国家机关和使用财政性资金的其他组织应当使用节能、节水、节材和有利于保护环境的产品、设备和设施。”(修订草案第三十四条)

**八、**修正案草案二次审议稿第三十六条对环境公益诉讼作出了规定。二审后,环境公益诉讼制度受到较多关注。有些常委委员、部门和社会公众提出,环境公益诉讼主体范围较窄,建议扩大诉讼主体范围。也有些常委委员、部门和社会公众提出,环境公益诉讼主体不宜过宽,对环境违法造成的损害,可以通过行政执法、刑事制裁和有关受害人提起民事诉讼等多种渠道予以救济,环境公益诉讼是一种补充的救济措施。法律委员会经研究,考虑到环境公益诉讼是一项新制度,宜积极稳妥地推进;确定环境公益诉讼主体范围也需要考虑诉讼主体的专业能力、社会信誉等因素,防止滥诉。据此,建议将这一条修改为:“对污染环境、破坏生态,损害社会公共利益的行为,依法在国务院民政部门登记,专门从事环境保护公益活动连续五年以上且信誉良好的全国性社会组织可以向

人民法院提起诉讼。其他法律另有规定的，依照其规定。”（修订草案第五十三条）

**九、**有些常委会组成人员、部门和社会公众提出，要解决环境“违法成本低，守法成本高”的问题，对一些严重违法行为，应当增加对企业事业单位直接负责的主管人员和其他直接责任人员的人身处罚。法律委员会经研究，建议将修正案草案二次审议稿第三十八条修改为：“企业事业单位和其他生产经营者通过暗管、渗井、渗坑、高压灌注或者篡改、伪造监测数据等逃避监管的方式排放污染物，或者生产、使用国家明令禁止生产、使用的农药，造成环境污染事故，构成犯罪的，依法追究刑事责任；尚不构成犯罪的，对其直接负责的主管人员和其他直接责任人员，依照《中华人民共和国治安管理处罚法》第三十条的规定予以处罚。”（修订草案第五十五条）同时，有些常委委员、部门和社会公众提出，对环境影响评价服务机构弄虚作假的行为应规定法律责任。法律委员会经研究，建议增加规定：“接受委托为建设项目环境影响评价提供技术服务的机构在环境影响评价工作中弄虚作假，致使环境影响评价报告书严重失实，对建设项目造成的环境污染和生态破坏负有责任的，除依照有关法律规定予以处罚外，还应当与项目建设单位承担连带责任。”（修订草案第六十条）

还有一个问题需要汇报。有些常委委员、代表提出，现行环境保护法制定较早，应当采用修订方式对这部法律进行全面修改。法律委员会经研究，建议将环境保护法修正案草案修改为修订草案。

此外，还对修正案草案二次审议稿作了一些文字修改。

法律委员会已按上述意见提出了环境保护法（修订草案），建议提请本次常委会会议继续审议。环境保护问题社会关注度高，公众的期望也高。面对环境污染的严峻形势，中央高度重视，有关方面采取了一系列预防治理措施，成效是明显的。目前实践中存在的突出问题是:一些地方因经济发展的冲动而忽视环境保护,有些企业单纯追求利润而无视社会责任,环境保护执法不严、处罚过轻、违法成本低,环境保护宣传教育薄弱、公众环境意识有待提高等。对这些问题,草案已作出了一些有针对性的规定,本次常委会会议审议后,还需要根据常委会组成人员的审议意见和各方面意见,进一步深入研究,修改完善。

修订草案和以上汇报是否妥当,请审议。

全国人民代表大会法律委员会

2013 年 10 月 21 日

# 全国人民代表大会法律委员会关于《中华人民共和国环境保护法（修订草案）》审议结果的报告

全国人民代表大会常务委员会：

常委会第五次会议对环境保护法修订草案进行了审议。会后，法律委员会、法制工作委员会认真研究常委会组成人员的审议意见和有关代表议案、建议；先后到重庆、广东、江苏、贵州等地进行专题调研；与一些地方环保部门的同志进行沟通，听取意见；召开北京、天津、河北等地人大法制机构和政府环保部门座谈会；邀请北京、天津、广东、湖北、陕西等地人大法制机构的同志共同研究修改草案。各方面意见认为，环境保护法作为环境领域基础性的法律，一方面要适应目前环境保护形势的需要，制度能具体的尽量具体，能明确的尽量明确；另一方面对有些新问题要有原则性规定，为单行法律的制定和修改提供依据。有的地方提出，环境污染有地域性特点，国家立法要为地方立法留有空间，使地方立法更有针对性地解决环境领域的突出问题。法律委员会于 4 月 2 日召开会议，根据十八届三中全会决定的精神和常委会组成人员的审议意见以及各方面意见，对修订草案进行了逐条审议。环境与资源保护委员会、国务院法制办公室和环境保护部的负责同志列席了会议。4 月 14 日，法律委员会召开会议，再次进行审议。法律委员会认为，草案经过常委会几次审议修改，完善了环境保护的理念、原则和基本制度,针对环境领域的突出问题,明确了具体措施,尽量吸收了各方面的意见,已经比较成熟。同时,提出以下主要修改意见:

一、关于加强环境保护宣传,提高公民环保意识。修订草案对环境保护宣传和增强公民环保意识已作了相应规定。为进一步提高公民环保意识,法律委员会经研究,建议:一是增加规定公民应当采用低碳、节俭的生活方式。二是增加环境日的规定,将联合国大会确定的世界环境日写入本法,规定每年6月5日为环境日。三是增加规定公民应当遵守环境保护法律法规,配合实施环境保护措施,按照规定对生活废弃物进行分类放置,减少日常生活对环境造成的损害。(修订草案二次审议稿第六条第四款、第十二条、第三十八条)

二、关于生态保护红线。有些常委会组成人员、部门建议在草案中明确生态保护红线。目前环境保护部已在开展这项工作。法律委员会经研究,建议根据十八届三中全会决定的精神,增加规定:国家在重点生态功能区、生态环境敏感区和脆弱区等区域划定生态保护红线,实行严格保护。同时规定,省级以上人民政府应当组织有关部门或者委托专业机构,对环境状况进行调查、评价,建立环境资源承载能力监测预警机制。(修订草案二次审议稿第二十九条第一款、第十八条)

三、关于大气污染特别是雾霾的治理和应对。近年来我国出现了影响区域广、持续时间长的雾霾天气,一些意见建议对雾霾等大气污染治理作出有针对性的规定。法律委员会经研究,建议在修订草案已明确政府责任、加大对违法排污的惩罚力度以及加强监督等的基础上,增加规定:一是在跨行政区域的重点区域、流域联合防治中实行统一标准。二是国家促进清洁生产和资源循环利用;国务院有关部门和地方各级人民政府应当采取措施,推广清洁能源的生产和使用。三是县级以上人民政府建立环境污染公共预警机制，组织制定预警方案；环境受到污染，可能影响公众健康和环境安全时，依法及时公布预警信息，启动应急措施。（修订草案二次审议稿第二十条第一款，第四十条第一款、第二款，第四十七条第二款）

**四**、关于明确环境监察机构的法律地位。有些常委委员和环境保护部提出，目前在环保执法一线的主要是地方环保部门下设的环境监察机构，这些机构是事业单位，法律上没有明确其执法权限，导致实践中执法不力，建议明确环境监察机构的法律地位。法律委员会经研究，建议规定：环境保护主管部门委托的环境监察机构，有权对排放污染物的企业事业单位和其他生产经营者进行现场检查。（修订草案二次审议稿第二十四条）

**五**、关于完善行政强制措施。环境保护部和一些地方提出，修订草案关于可以依照法律规定查封、扣押违法排放污染物的设施、设备的规定过于原则，而目前有关污染防治的单行法律尚无相应规定，建议本法作出明确具体的规定，落实这项必要的强制措施。法律委员会经研究，建议规定：企业事业单位和其他生产经营者违反法律法规规定排放污染物，造成或者可能造成严重污染的，县级以上人民政府环境保护主管部门和其他负有环境保护监督管理职责的部门，可以查封、扣押造成污染物排放的设施、设备。（修订草案二次审议稿第二十五条）

**六**、关于环境质量对公众健康影响的研究。有的代表提出，环境污染对人体健康危害很大，国务院有关部门联合发布了国家环境与健康行动计划，推进环境与健康调查、研究工作，建议本法作出相应规定。法律委员会经研究，建议增加规定：国家鼓励和组织环境质量对公众健康影响的研究，采取措施预防和控制与环境污染有关的疾病。（修订草案二次审议稿第三十九条）

**七**、关于排污费和环境保护税的衔接。目前我国对排放污染物征收排污费。十八届三中全会决定提出推进环境保护费改税，目前这项工作正在开展,环境保护部建议本法作出衔接性规定。法律委员会经研究,建议增加规定:依照法律规定征收环境保护税的,不再征收排污费。(修订草案二次审议稿第四十三条第二款)

**八**、关于完善区域限批制度。修订草案第四十条第二款规定,对超过国家重点污染物排放总量控制指标的地区,国务院和省、自治区、直辖市人民政府环境保护主管部门应当暂停审批新增重点污染物排放总量的建设项目环境影响评价文件。环境保护部提出,为进一步落实重点污染物总量控制制度,应当增加区域限批的约束性指标。法律委员会经研究,建议增加规定:未完成国家确定的环境质量目标的地区,应当暂停审批其新增重点污染物排放总量的建设项目环境影响评价文件。(修订草案二次审议稿第四十四条第二款)

**九**、关于完善排污许可管理制度。修订草案第四十一条规定,国家依照法律规定实行排污许可管理制度。一些地方提出,排污许可是环境保护的一项重要制度,现在的规定比较原则,应当进一步细化。法律委员会经研究,建议增加规定:实行排污许可管理的企业事业单位和其他生产经营者应当按照排污许可证载明的要求排放污染物。(修订草案二次审议稿第四十五条第二款)

**十**、关于对举报人的保护。修订草案第五十二条规定,公民、法人和其他组织有权对环境违法行为和行政机关不依法履行监督管理职责进行举报。有的代表提出,实践中举报人遭受打击报复的情况不少,应当加强对举报人的保护。法律委员会经研究,建议增加规定:接受举报的机关应当对举报人的相关信息予以保密,保护举报人的合法权益。(修订草案二次审议稿第五十七条第三款)

**十一**、关于提起环境公益诉讼的主体。环境公益诉讼是本法修改中受到较多关注的问题,修正案草案二次审议稿规定可以提起公益诉讼的主体为中华环保联合会以及在省、自治区、直辖市设立的环保联合会,修订草案扩大到在国务院民政部门登记的相关社会组织。在常委会审议和征求意见过程中,多数意见认为应当进一步扩大提起公益诉讼的主体范围。法律委员会经向民政部进一步了解环保领域的社会组织基本情况,并与环境保护部共同研究,建议将提起公益诉讼的主体扩大到在设区的市级以上人民政府民政部门登记的相关社会组织。同时,明确符合规定的社会组织向人民法院提起诉讼,人民法院应当依法受理;提起诉讼的社会组织不得通过诉讼牟取利益。(修订草案二次审议稿第五十八条)

十二、关于加大环境违法责任。在常委会审议和征求意见过程中,有些常委会组成人员提出,应当进一步加大对环境违法行为的处罚力度,解决违法成本低的问题。一些地方还建议,针对目前对地方性法规设定行政处罚限制较严的情况,本法应当赋予地方性法规更大的行政处罚设定权,以有效制裁环境违法行为。法律委员会经研究,建议:一是规定将企业事业单位和其他生产经营者的环境违法信息记入社会诚信档案,及时向社会公布违法者名单。二是明确有关按日计罚规定中的罚款处罚,依照有关法律法规按照防治污染设施的运行成本、违法行为造成的直接损失或者违法所得等因素确定的规定执行;规定地方性法规可以根据环境保护的实际需要,增加按日连续处罚的违法行为的种类。三是增加规定对情节严重的环境违法行为适用行政拘留。四是对有弄虚作假行为的环境监测机构以及环境监测设备和防治污染设施维护、运营机构规定承担连带责任。(修订草案二次审议稿第五十四条第三款,第五十九条第二款、第三款,第六十三条,第六十五条)

此外,还对修订草案作了一些文字修改。

还有一个问题需要汇报。本次环境保护法修改针对环境保护领域的共性和突出问题,修改和完善了一些重要制度。其他在本法施行前公布的环境保护法律与本法不一致的,适用本法;本法没有规定的,适用其他环境保护法律的规定。

4 月 11 日,法制工作委员会召开会议,邀请全国人大代表、环保执法人员、专家、律师、法官、企业代表、环保组织代表、环保志愿者等有关人员参加，就法律的出台时机、可行性、实施效果和社会风险进行评估。总的评价是：草案贯彻了十八大和十八届三中全会精神，回应了社会呼声和人民群众的期盼，定位准确，思路清晰，既有作为环境领域基础性法律的综合性规定，又有针对性的措施，草案经过三次审议，制度越来越完善，规定越来越精细，具有可行性和可操作性，现在出台是必要的、适时的。与会人员还对修订草案提出了一些具体修改意见，法律委员会进行了认真研究，对有的意见予以采纳。

修订草案二次审议稿已按上述意见作了修改，法律委员会建议，修订草案二次审议稿经本次常委会会议审议，如果意见比较一致，作进一步修改后，提请本次常委会会议审议通过。

修订草案二次审议稿和以上报告是否妥当，请审议。

全国人民代表大会法律委员会

2014年4月21日

# 全国人民代表大会法律委员会关于《中华人民共和国环境保护法（修订草案二次审议稿）》修改意见的报告

全国人民代表大会常务委员会：

本次常委会会议于4月22日上午对环境保护法（修订草案二次审议稿）进行了分组审议。普遍认为，草案已经比较成熟，建议进一步修改后，提请本次会议通过。同时，有些常委会组成人员还提出了一些修改意见。法律委员会于4月23日上午召开会议，逐条研究了常委会组成人员的审议意见，对草案进行了审议。环境与资源保护委员会、环境保护部、国务院法制办公室的负责同志列席了会议。法律委员会认为，草案是可行的，同时，提出以下修改意见：

**一、**修订草案二次审议稿第十九条第二款规定，未依法进行环境影响评价的建设项目，不得开工建设。有的常委委员提出，开发利用规划未依法进行环境影响评价的，也不得组织实施。法律委员会经研究，建议在这一款中增加规定：未依法进行环境影响评价的开发利用规划，不得组织实施。（修订草案建议表决稿第十九条第二款）

**二、**修订草案二次审议稿第二十七条规定，县级以上人民政府应当每年向本级人民代表大会或者人民代表大会常务委员会报告环境状况和环境保护目标的完成情况;县级以上地方人民政府对本行政区域发生的重大环境事件应当及时向本级人民代表大会常务委员会提出专项报告,依法接受监督。有的常委委员提出,发生重大环境事件,国务院也应当向全国人大常委会报告。法律委员会经研究,建议将这一条修改为:县级以上人民政府应当每年向本级人民代表大会或者人民代表大会常务委员会报告环境状况和环境保护目标的完成情况,对发生的重大环境事件应当及时向本级人民代表大会常务委员会报告,依法接受监督。(修订草案建议表决稿第二十七条)

**三**、修订草案二次审议稿第三十六条规定,国家机关和使用财政资金的其他组织应当使用节能、节水、节材和有利于保护环境的产品、设备和设施。有的常委会组成人员提出,对本条规定的节能环保产品、设备和设施,应当在政府采购中优先采购。法律委员会经研究,建议将这一条修改为:国家机关和使用财政资金的其他组织应当优先采购和使用节能、节水、节材等有利于保护环境的产品、设备和设施。(修订草案建议表决稿第三十六条第二款)

**四**、修订草案二次审议稿第三十九条规定,国家鼓励和组织环境质量对公众健康影响的研究,采取措施预防和控制与环境污染有关的疾病。有的常委委员提出,应当增加环境与健康监测、调查和风险评估的规定。法律委员会经研究,建议将这一条修改为:国家建立、健全环境与健康监测、调查和风险评估制度;鼓励和组织开展环境质量对公众健康影响的研究,采取措施预防和控制与环境污染有关的疾病。(修订草案建议表决稿第三十九条)

**五**、修订草案二次审议稿第四十五条第二款规定,实行排污许可管理的企业事业单位和其他生产经营者应当按照排污许可证载明的要求排放污染物。有些常委委员提出,应明确应当取得而未取得排污许可证的企业事业单位和其他生产经营者不得排放污染物。法律委员会经研究,建议将这一款修改为:实行排污许可管理的企业事业单位和其他生产经营者应当按照排污许可证的要求排放污染物;未取得排污许可证的,不得排放污染物。(修订草案建议表决稿第四十五条第二款)

六、修订草案二次审议稿第四十九条第三款规定,畜禽养殖场、养殖小区、定点屠宰企业等选址、建设和管理应当符合有关法律法规规定,采取措施,对畜禽粪便、尸体、污水等废弃物进行科学处置,防止污染环境。有的常委委员提出,对从事畜禽养殖的单位和个人的环保义务都应当作出规定。法律委员会经研究,建议将这一款修改为:畜禽养殖场、养殖小区、定点屠宰企业等的选址、建设和管理应当符合有关法律法规规定。从事畜禽养殖和屠宰的单位和个人应当采取措施,对畜禽粪便、尸体和污水等废弃物进行科学处置,防止污染环境。(修订草案建议表决稿第四十九条第三款)

七、修订草案二次审议稿第五十八条第一款规定,提起环境公益诉讼的社会组织需要符合的条件之一是“专门从事环境保护公益活动连续五年以上且信誉良好”。有的常委委员、代表提出,“信誉良好”实践中难以把握。法律委员会经研究,建议将“信誉良好”修改为“无违法记录”。(修订草案建议表决稿第五十八条第一款)

八、修订草案二次审议稿第六十三条规定了适用行政拘留处罚的环境违法行为。有些常委会组成人员、代表提出,本条列举的有些行为,构成犯罪的,应当依法追究刑事责任。法律委员会经研究认为,我国刑法对破坏环境资源保护罪有专门规定,修订草案二次审议稿第六十九条也作了衔接性规定,可以依照这些规定追究第六十三条中构成犯罪行为的刑事责任,建议将这一条中相关表述修改为:企业事业单位和其他生产经营者有本条规定的行为之一,尚不构成犯罪的,除依照有关法律法规规定予以处罚外,由县级以上人民政府环境保护主管部门或者其他有关部门将案件移送公安机关,对其直接负责的主管人员和其他直接责任人员,处十日以上十五日以下拘留;情节较轻的,处五日以上十日以下拘留。(修订草案建议表决稿第六十三条)

此外,根据常委会组成人员的审议意见,还对修订草案二次审议稿作了一些文字修改。

修订草案建议表决稿已按上述意见作了修改,法律委员会建议本次常委会会议通过。

在常委会审议中,有些常委会组成人员还对大气、水、土壤和固体废物等的污染防治提出了修改意见。这些意见所涉及的问题,有的在环境保护单行法律中已有规定,有的可以在本法通过后修改环境保护单行法律时作出规定。目前,大气污染防治法修改已经列入常委会 2014 年立法工作计划,水污染防治法修改、土壤污染防治法制定也已经列入本届常委会立法规划。法律委员会建议,在这些法律的修改和制定过程中继续深入研究相关意见,完善相关制度。

有些常委委员、地方和企业还提出,目前环境领域的行政审批环节多、周期长,企业负担重,应当简化。法律委员会建议,各级人民政府及其环境保护主管部门和相关部门在加强执法监管的同时,按照行政审批制度改革的精神对环境领域的行政审批进行整合,减少环节,简化程序,提高效率。

在常委会审议中,许多常委会组成人员和列席会议人员提出,目前我国环境问题的形成,有历史原因,也有现实原因,解决环境问题是一项长期而艰巨的任务,需要全社会共同努力。法律委员会建议法律通过后,各级人民政府及其环境保护主管部门和相关部门应当抓紧做好本法实施的各项工作,一是要做好配套法规、规章的制定和修改工作;二是加强对执法人员的培训,提高执法人员严格、廉洁执法能力,加大执法力度;三是加强宣传和舆论引导,增强全社会的环境保护意识,让环境保护的理念深入人心,确保法律得到有效实施。

修订草案建议表决稿和以上报告是否妥当,请审议。

全国人民代表大会法律委员会
2014 年 4 月 24 日